最短合格

消防設備士6類

第4版

超速マスター

消防設備士研[illegible]

TAC出版
TAC PUBLISHING Gro

はじめに

第６類消防設備士は，デパートやビルなどの建物に設置されている消火器（いわゆる「業務用消火器」）の整備や点検を行うために必要な資格です。消防設備士には甲種・乙種の２種類の免状がありますが，第６類消防設備士は「乙種」のみとなっています。乙種は甲種と違って受験資格がなく，学歴や実務経験にかかわらず，誰でも受験することができます。

本書は，これから第６類消防設備士の試験を受ける方のために，必要な科目を解説したテキストです。予備知識ゼロからでも学習できるように，基礎からできるだけていねいに解説しました。

消防設備士は法令で定められている事項をたくさん覚えなければならないため，ともすると無味乾燥な解説になりがちですが，本書では図版を多用して，なるべく視覚的に理解できるよう配慮しました。

さらに，各節ごとに問題もたっぷり用意しているので，これ一冊で合格に必要な実力が身につきます。

消防設備は，火災が発生したときに確実に作動するよう，普段からきちんと整備されていなければなりません。ぜひ，一人でも多くの人材が試験に合格して，この責任ある職務を担っていただきたいと願っています。本書がその一助になれば幸いです。

目次

第2章　消防関係法令

第3章　消火器の構造と機能

第4章 実技試験

受験案内

消防設備士とは

消防設備士は，劇場，デパート，ホテルなどの建物に設置されている「消防用設備等」の工事や整備，点検を行うために必要な資格です。

消防設備士には「甲種」「乙種」の２種があります。甲種消防設備士は，消防用設備等の工事と整備を行うことができ，乙種消防設備士は，消防用設備等の整備のみを行うことができます。

甲種消防設備士は，取り扱う設備の種類に応じて，特類および第１類～第５類に分かれています。乙種消防設備士も同様に，第１類～第７類に分かれています。

甲種	乙種	類別	消防設備等
○		特類	特殊消防設備等
○	○	第１類	屋内消火栓設備，屋外消火栓設備，スプリンクラー設備，水噴霧消火設備，パッケージ型消火設備，パッケージ型自動消火設備，共同住宅用スプリンクラー設備
○	○	第２類	泡消火設備，パッケージ型消火設備，パッケージ型自動消火設備
○	○	第３類	不活性ガス消火設備，ハロゲン化物消火設備，粉末消火設備，パッケージ型消火設備，パッケージ型自動消火設備
○	○	第４類	自動火災報知設備，ガス漏れ火災警報設備，消防機関へ通報する火災報知設備など
○	○	第５類	金属製避難はしご，救助袋，緩降機
	○	第６類	消火器
	○	第７類	漏電火災警報器

本書で扱う「第６類消防設備士」は，ビルなどの建物に置かれている消火器の点検・整備を行います。第６類消防設備士の資格は乙種のみで，甲種はありません。

受験資格

乙種消防設備士の試験は，学歴，年齢，国籍，実務経験を問わず，誰でも受験できます。

試験科目・出題形式

試験は，筆記試験と実技試験に分かれています。試験時間は，筆記と実技あわせて 1 時間 45 分です。

◆筆記試験

4 つの選択肢から正解を 1 つ選ぶマークシート方式です。試験科目と問題数は次のとおりです。

試験科目		問題数
Ⅰ．基礎的知識	機械に関する部分	5
Ⅱ．消防関係法令	共通部分	6
	第 6 類に関する部分	4
Ⅲ．構造・機能・工事・整備	機械に関する部分	9
	規格に関する部分	6
	合計	30

◆実技試験

実技試験は，写真やイラスト，図面などによる出題に対して，記述式で解答します。問題数は全部で 5 問です。

合格基準

次の①と②の両方の成績を修めた方が合格となります。

①筆記試験	Ⅰ～Ⅲの各科目ごとに 40%以上，全体では 60%以上
②実技試験	60%以上

試験の一部免除

すでに他の類の消防設備士免状をもっている方は，免状の種類に応じて，筆記試験の以下の科目が免除されます。

もっている免状	乙種第6類を受験する場合
甲種第1～4類	消防関係法令の共通部分（6問）
乙種第1～4，7類	消防関係法令の共通部分（6問）
甲種第5類 乙種第5類	・消防関係法令の共通部分（6問） ・基礎的知識の機械に関する部分（5問）

このほか，次の人も試験の一部免除があります。

・機械部門の技術士の資格のある方
・日本消防検定協会または指定検定機関の職員で，型式認証の試験の実施業務に2年以上従事した方
・5年以上消防団員として勤務し，かつ，消防学校の教育訓練のうち専科教育の機関科を終了した方

試験日程

消防設備士試験は，都道府県ごとに実施されます。居住地や勤務地にかかわらず，希望する都道府県で受験できますが，試験日程や試験会場は都道府県ごとに異なるので注意してください。

なお，試験日程によっては，複数の類を受験できる場合があります。詳細は消防試験研究センターの試験案内等を参照してください。

受験手続

個人で受験申込みをするには，書面による方法（書面申請）と，インターネットによる方法（電子申請）があります。どちらの場合も，試験日程によって申請期間が異なるため，あらかじめ受験したい都道府県の試験日程を調べておきましょう。

◆書面申請

①まず，受験願書を入手します。受験願書は，各都道府県の消防試験研究センター支部や，消防本部で入手できます。
②受験願書に必要事項を記入します。
③受験願書に付属している払込用紙を使って，郵便局の窓口で受験料を払い込みます。すると，窓口で「振替払込受付証明書」が渡されるので，これを受験願書の所定の位置にのり付けします。
④試験の一部免除を受ける場合は，その資格を証明する書類（免状のコピーなど）を所定の位置に貼り付けます。
⑤受験する試験の申請期間内に届くよう，受験願書を郵送します。
⑥試験日の２～３週間前までに，受験票が届きます。この受験票に写真を貼付して，試験当日に持参します。なお，写真は試験に合格した際，免状に使われます。

◆電子申請

電子申請は，消防試験研究センターのホームページから行います。スマートフォンでも申請できますが，センターからのメール（uketsuke@shinsei.shoubo-shiken.or.jp）を受信できるように迷惑メール対策の設定を確認してください。また，受験票を印刷するためのプリンターが必要になりますが，持っていない場合はコンビニのマルチプリント機などを利用しましょう。

なお，危険物取扱者試験の電子申請も同じホームページから行っているので，間違えないように注意してください。

①消防試験研究センターのホームページ（https://www.shoubo-shiken.or.jp/）から，電子申請のページにアクセスし，指示にしたがって必要事項を記入します。
②受験料の支払いは，コンビニ，クレジットカード，ペイジーから選べます。入金が確認されると，受付完了のメールが届きます。

③試験日の２～３週間前までに，受験票ダウンロード確認メールが届くので，メールの指示にしたがって受験票をダウンロードします。
④受験票をプリントアウトし，写真を貼付して，試験当日に持参します。なお，写真は試験に合格した際，免状に使われます。

試験当日の準備

試験当日は，受験票（写真を貼付したもの），鉛筆（HB または B），消しゴムを必ず持参してください。電卓は使用できません。

合格後の手続き

合格は後日発表されます。発表日に試験結果通知書が発送されるほか，ホームページにも掲載されます。合格者は，期間内に免状交付申請の手続きを行ってください。

なお消防設備士は，免状が交付されてから２年以内，その後は５年以内ごとに，都道府県知事が行う講習を受ける必要があります。

問合せ先

受験願書の申込みや試験の詳細については，一般財団法人　消防試験研究センター各支部（東京の場合は中央試験センター）に問い合わせるか，消防試験研究センターのホームページを参照してください。

一般財団法人　消防試験研究センター本部
〒100-0013　東京都千代田区霞が関 1-4-2 大同生命霞が関ビル 19 階
TEL　03-3597-0220
FAX　03-5511-2751
ホームページ：https://www.shoubo-shiken.or.jp/

第1章

機械に関する基礎知識

「力」について

この節の学習内容とまとめ

□　力のモーメント

$M = F \times l$〔N・m〕

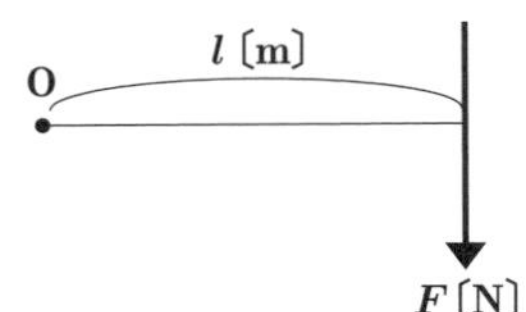

□　等加速度運動

初速が v_0〔m/s〕，加速度 α〔m/s²〕の等加速度運動の t 秒後の速度：

$$v = v_0 + \alpha t \text{〔m/s〕}$$

t 秒後の移動距離：

$$S = v_0 t + \frac{1}{2}\alpha t^2 \text{〔m〕}$$

□　運動の法則（運動の第2法則）

物体にある力が働くと，その力の方向に加速度が生じる。加速度の大きさ α は力の大きさ F に比例し，物体の質量 m〔kg〕に反比例する。

$F = m\alpha$〔N〕

□　最大摩擦力

重量 N〔N〕の物体に力を加え，物体が滑り出すときの摩擦力：

$F = \mu N$〔N〕

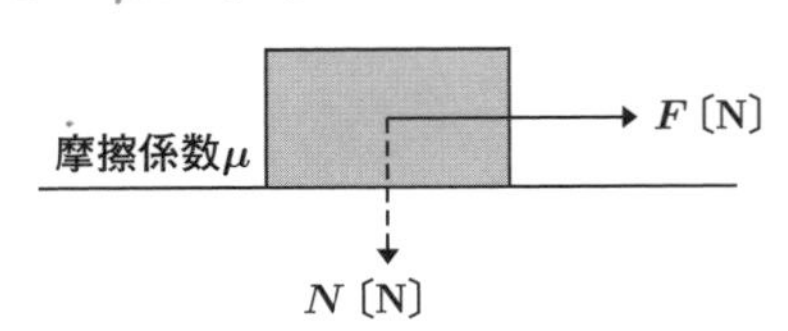

□　仕事量

物体に力 F〔N〕を加え，S〔m〕動かしたときの仕事の大きさ：

$W = F \times S$〔J〕〔N・m〕

□　動力（仕事率）

t 秒間に W〔J〕の仕事をした場合の動力：

$$P = \frac{W}{t} \text{〔W〕〔J/s〕}$$

□　滑車

動滑車を使って物体を持ち上げるのに必要な引く力は，動滑車を1個増やすごとに1／2になる。

$$F = \frac{W}{2^n} \text{〔N〕}$$

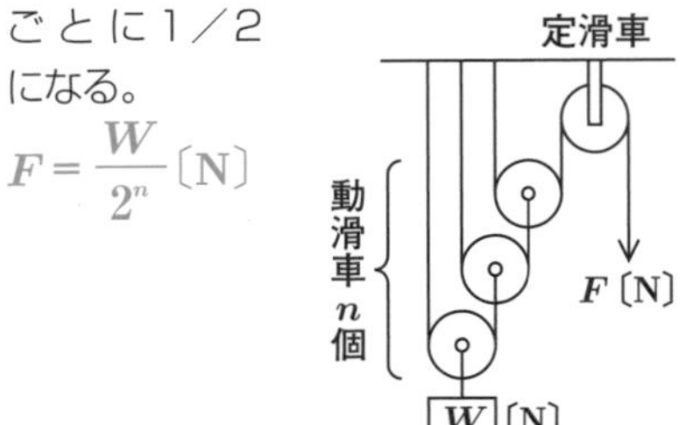

「力」とは

1 力とは

物体が移動したり，形を変えたりするときには，物体に何らかの「力（ちから）」が作用します。たとえば，机の上に置いた本を指で押すと，本の位置が移動します。ゴムボールをぎゅっと握ると，ボールが変形します。このように「力」は，物体が自然にある状態に，何らかの変化を与えます。

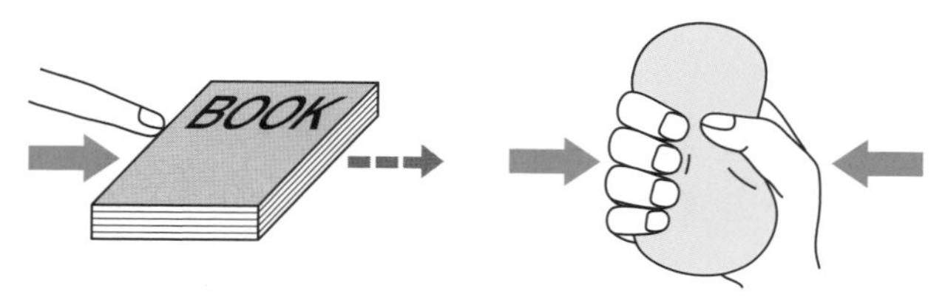

物体に力が作用すると，自然にある状態から変化する

物体が静止しているときにも，静止した状態を保つために「力」が作用しています。

たとえば，机の上に置いた消しゴムには，重力によって下に落ちようとする力が作用しています。これに対し，机は消しゴムとは逆向きの力で，消しゴムを押し返しています。落ちようとする力と押し返す力がちょうどつり合っているので，消しゴムはじっと静止したままなのです。

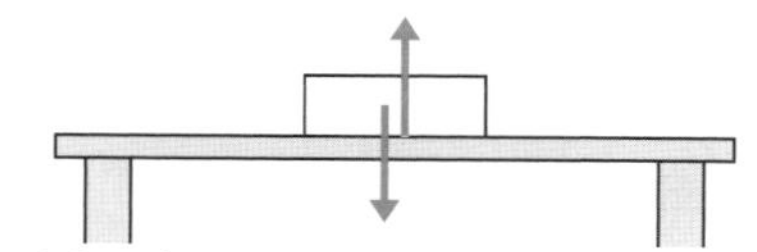

下向きの力と上向きの力がつり合い，消しゴムが静止する

■■補足■■

力の大きさの単位

力の大きさは，ニュートン〔単位記号：N〕という単位を用いて表します。1 ニュートンは，1kg の物体に 1m/s^2 の加速度を生じさせる力と定義されています。1kg の物体に作用する地球の重力は，約 9.8 ニュートンです。

2 力の三要素

ゴルフのパターで，ボールをカップに入れるには，ボールを打つ強さと，打つ方向を加減しなければなりません。ボールに与える力の大きさと向きが違うと，ボールは途中で止まってしまったり，違う方向に転がっていったりして，うまくカップに入らないのです。

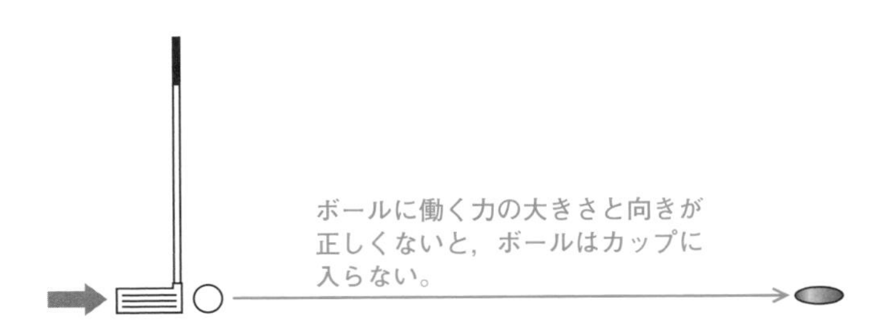

このように，大きさと向きをもつ量のことをベクトル量といいます。力は大きさと向きをもったベクトル量です。ベクトル量は，次のような矢印で表すことができます。

力の大きさと向きを矢印で表すと，矢印の長さが力の大きさ，矢印の向きが力の向きになります。また，矢印の始点は力が作用する点を表し，作用点といいます。

大きさ，向き，作用点をまとめて，力の三要素といいます。

3 力の合成

ひとつの物体に複数の力が作用すると，それらの力は合成され，ひとつの力が作用したのと同じ結果になります。合成された力を合力（ごうりょく）といいます。

ベクトルによる力の合成方法を覚えておきましょう。

◆平行四辺形を描く方法

2つの力 F_1，F_2 の合力は，次のように作図で求められます。

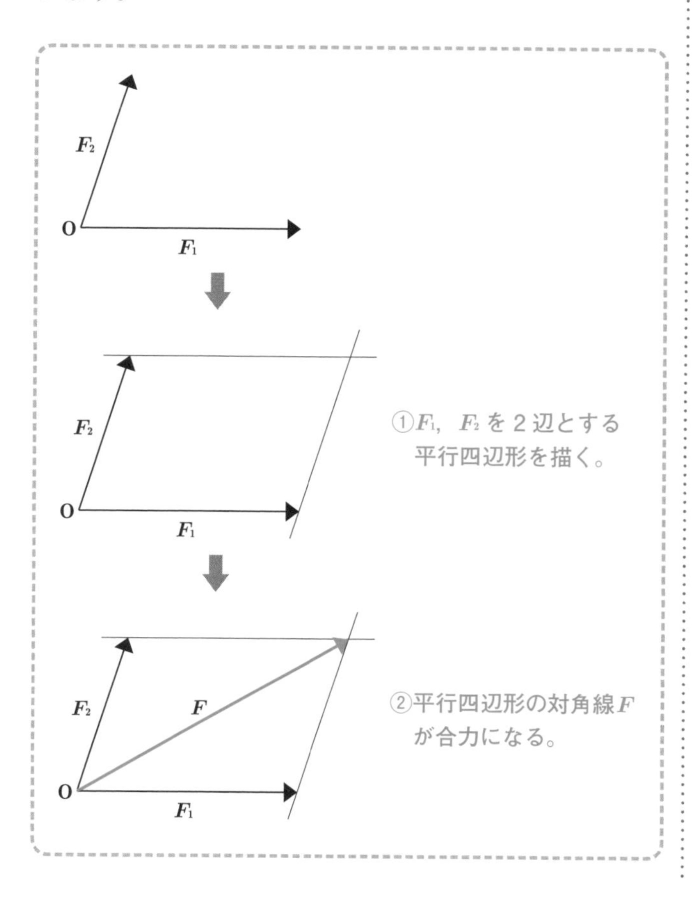

◇◇補足◇◇

スカラー量
大きさと向きをもつベクトル量に対して，大きさだけの量をスカラー量といいます。

◆「力の三角形」による方法

ベクトルは，平行に移動しても大きさと向きが変わりません。これを利用して，次のように合力を求めることもできます。

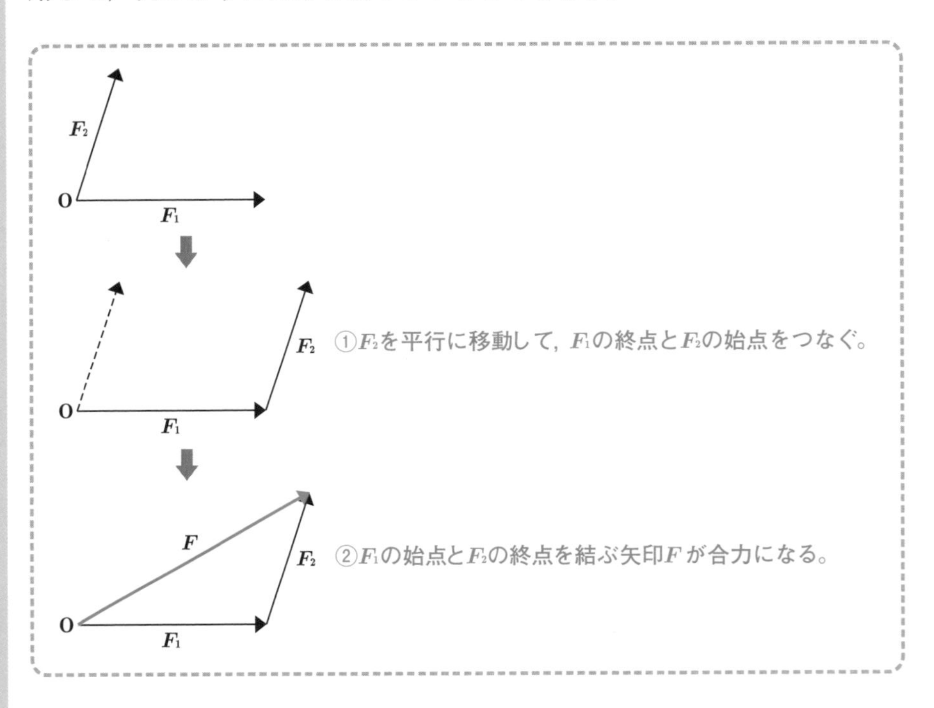

4 力の分解

合成とは逆に，ひとつの力を複数に分解することもできます。分解してできる力を分力（ぶんりょく）といいます。

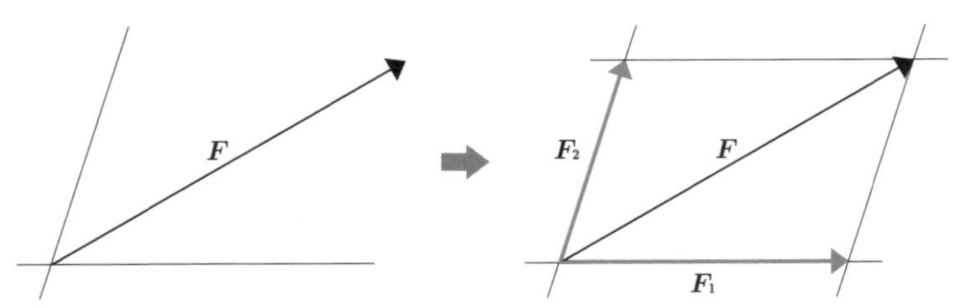

元の力を対角線とする平行四辺形を描くと，始点が同じ 2 辺が分力になる。

例題 図のような2つの力F_1，F_2の合力F_3の大きさとして，正しいものは次のうちどれか。

(1) 25N

(2) 50N

(3) 70.7N

(4) 86.6N

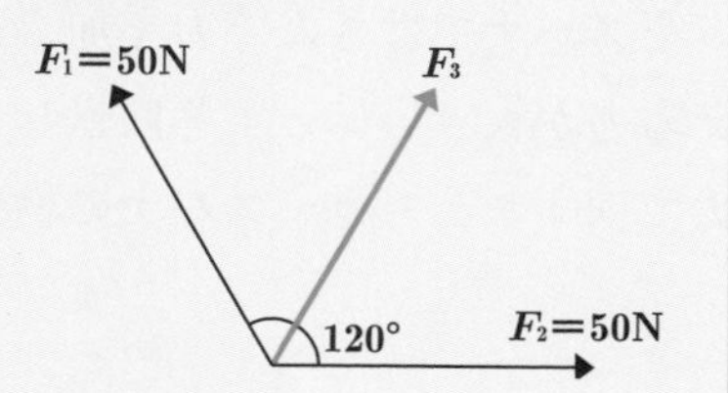

解説 F_1，F_2，F_3は，右図のように正三角形で表されます。したがって合力F_3の大きさはF_1，F_2と等しく，50Nになります。

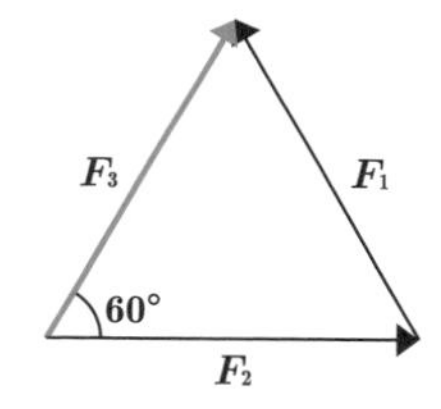

解答 (2)

補足

力の多角形

3つ以上の力を合成する場合は「力の三角形」と同様に，各ベクトルを平行に移動して終点と始点を結んでいき，最初のベクトルの始点と最後のベクトルの終点を結ぶ多角形を作れば，合力が得られます。

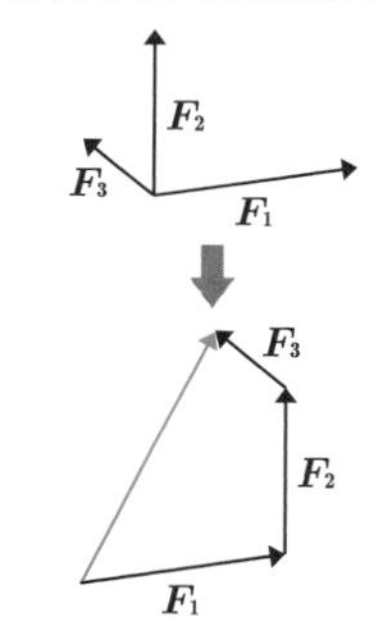

5 つり合う力

1つの物体に2つの力が働いているのに，物体が静止している状態のとき，2つの力はつり合っていると考えることができます。

2つの力がつり合っているときには，次の3つの条件が成り立ちます。

①2つの力の大きさが同じ
②2つの力の向きが正反対
③作用線が同一線上にある

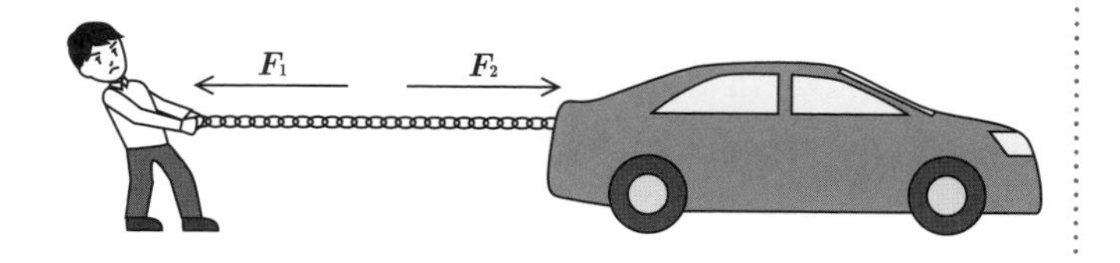

6 力のモーメント

図のように，ナットをスパナではさんで力を加えると，ナットが回転します。ナットは，加える力が大きいほどよく回転します。また，スパナの柄(え)が長いほど小さい力で回すことでき，スパナの柄が短いほど，大きな力が必要になります。

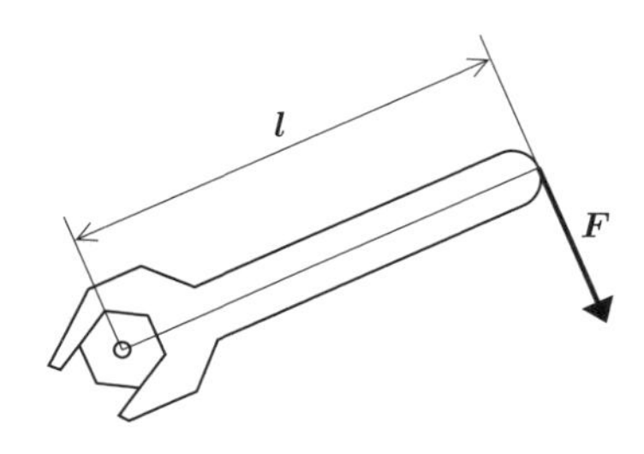

回転の大きさは，スパナに加える力 F と，スパナの長さ l に比例する。

ナットを回転させる能力の大きさ M を, $F \times l$ で表します。このように，物体を回転させる能力の大きさのことを，力のモーメントといいます。

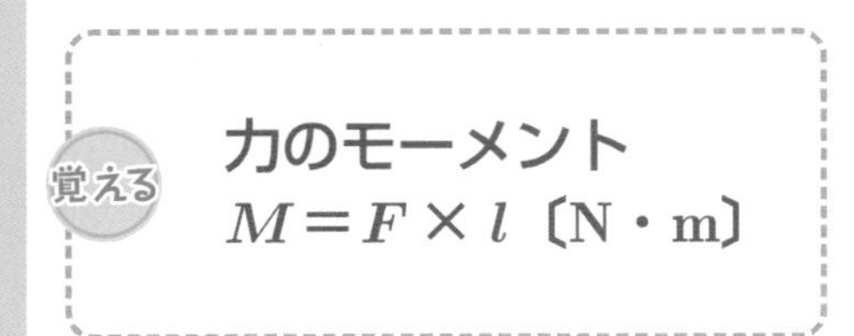

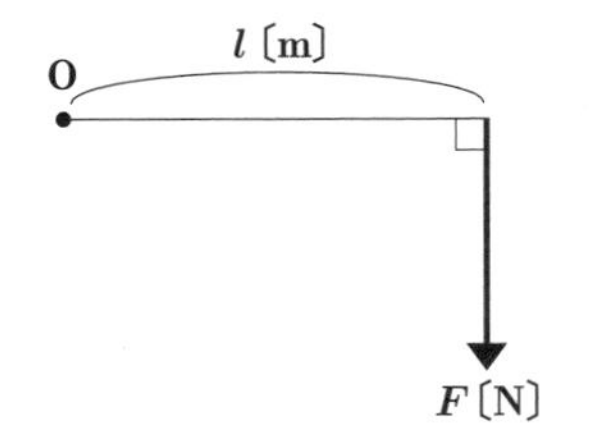

力のモーメントの単位には，〔N・m〕や〔N・cm〕を用います。

例 題 柄の長さ50cmのパイプレンチによって，丸棒の中心から30cmのところに10Nの力を加えたときのモーメントとして，正しいものは次のうちどれか。

(1) 3 N・m　　(2) 5 N・m
(3) 30 N・m　　(4) 50 N・m

解説 柄の長さではなく，中心から力の働く点までの距離を測ります。力のモーメント $M = F \times \ell$〔N·m〕より，10〔N〕× 0.3〔m〕= 3〔N・m〕。単位を揃えるのを忘れないようにしましょう。

解答 (1)

7 平行力のつり合い

図のように，2つの同じ向きの力 F_1，F_2 が，棒の両端にかかっている場合を考えます。

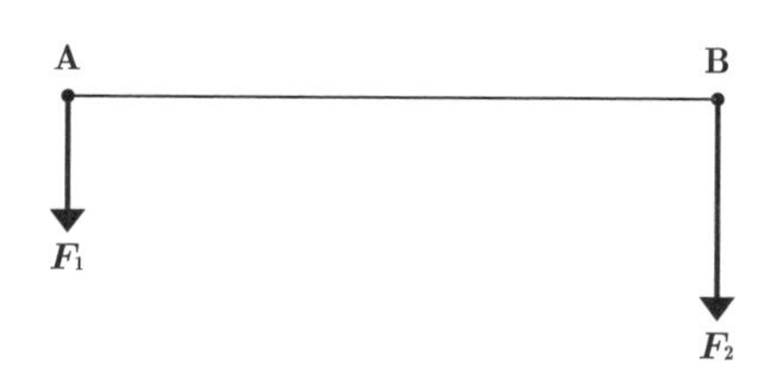

2つの力の合力 F は，$F_1 + F_2$ で求められます。また，合力 F の作用点を O とし，AO，BO 間の距離をそれぞれ l_1，l_2 とすると，次の式が成り立ちます。

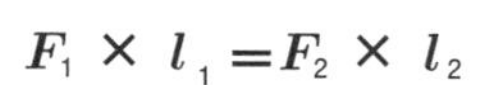

$$F_1 \times l_1 = F_2 \times l_2$$

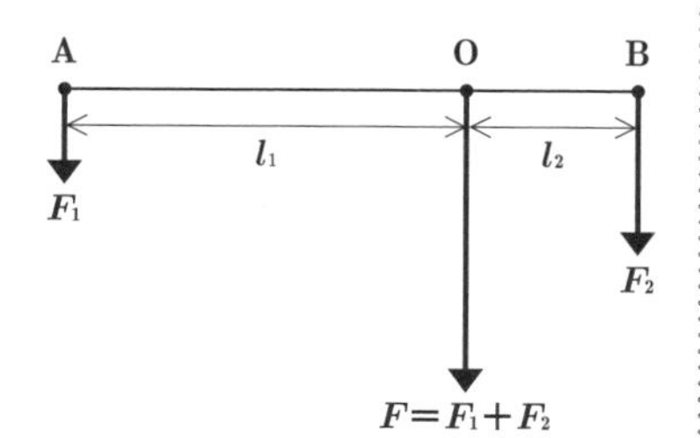

$F_1 \times l_1$ は，O を支点とした左回りのモーメントを表します。これが，右回りのモーメント $F_2 \times l_2$ とつり合う点が，合力 F の作用点になります。

補足

力のモーメントのことを「トルク」ともいいます。

補足

図のように，力の向きが柄に垂直でない場合には，力を分解したうちの垂直成分のみがモーメントに働きます。

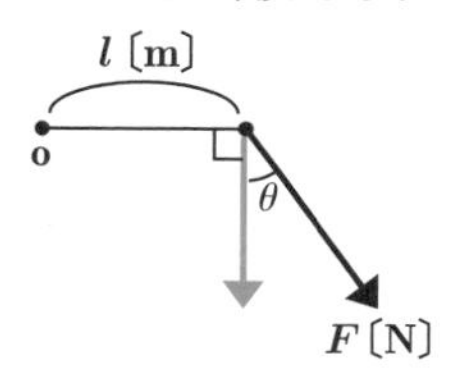

$M = \underbrace{F \times \cos\theta}_{垂直成分} \times l$〔N·m〕

例 題　図のように，棒のc点に400Nの力が加わっているとき，棒を水平に保つためには F_a と F_b の値をそれぞれいくらにすればよいか。

	F_a	F_b
(1)	100N	300N
(2)	150N	250N
(3)	250N	150N
(4)	300N	100N

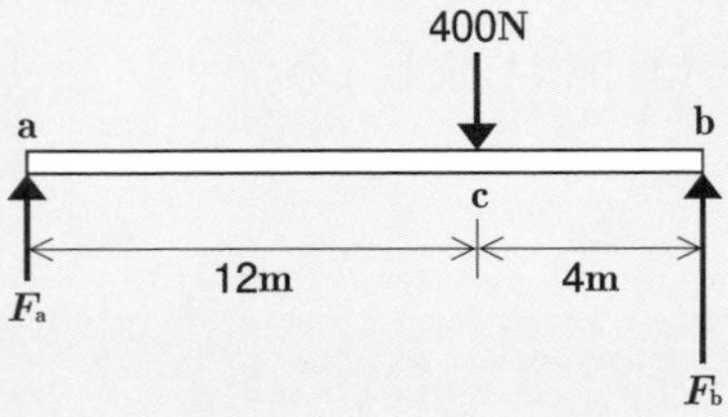

400N
a
b
c
12m
4m
F_a
F_b

解 説　a点を基準に考えると，400Nの力は右回りのモーメントが生じる力に，F_b は左回りのモーメントが生じる力になっています。棒を水平に保つために両者はつり合っている必要があるので，次の式が成り立ちます。

$F_b \times 16 = 400 \times 12$
→　$F_b = 400 \times 12 \div 16 = 300$〔N〕

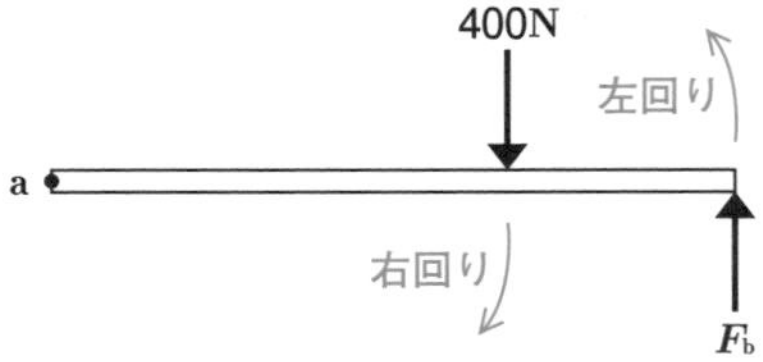

400N
左回り
a
右回り
F_b

今度はb点を基準に考えると，400Nの力は左回りのモーメントが生じる力になり，F_a は右回りのモーメントが生じる力になっています。両者はつり合っている必要があるので，次の式が成り立ちます。

$F_a \times 16 = 400 \times 4$
→　$F_a = 400 \times 4 \div 16 = 100$〔N〕

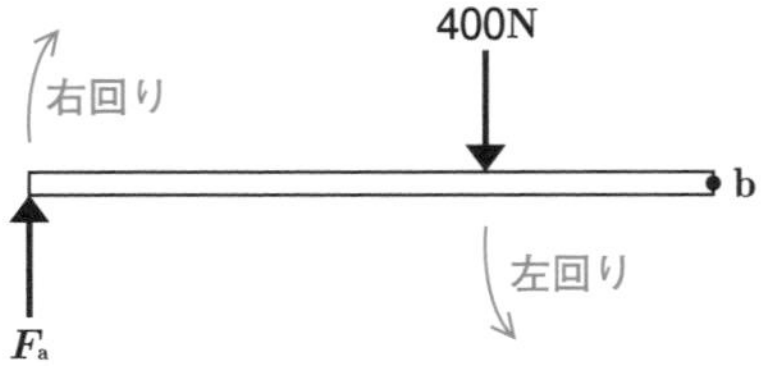

400N
右回り
b
左回り
F_a

F_a と F_b の和は $100 + 300 = 400$N となり，c点の力とつり合っていることがわかります。

解 答　(1)

運動と仕事

1 速度

速度とは，物体が単位時間に移動した距離のことです。t 秒間に S〔m〕移動する物体の速度 v は，次のように表せます。

$$v = \frac{S}{t} \text{〔m/s〕}$$

物体の運動を考える場合には，速度を大きさ（速さ）と向きをもったベクトル量として考えます。

補足

時速1km
$= \frac{1000}{3600}$〔m/s〕

2 加速度

単位時間当たりの速度の変化量を，加速度といいます。物体の速度が，t 秒間に v_0〔m/s〕から v_1〔m/s〕に変化した場合，加速度 α は，次のように表せます。

$$\alpha = \frac{v_1 - v_0}{t} \text{〔m/s}^2\text{〕}$$

速度と同様に，加速度も大きさと向きをもったベクトル量です。

補足

加速度の単位〔m/s^2〕はメートル毎秒毎秒と読みます。

3 等加速度運動

加速度が常に一定の物体の運動を，等加速度運動といいます。

初速が v_0〔m/s〕，加速度 α〔m/s^2〕の等加速度運動

の t 秒後の速度 v は，$v_0 + \alpha t$〔m/s〕です。横軸に時間，縦軸に速度をとったグラフで表すと，この等加速度運動は次のような直線のグラフになります。

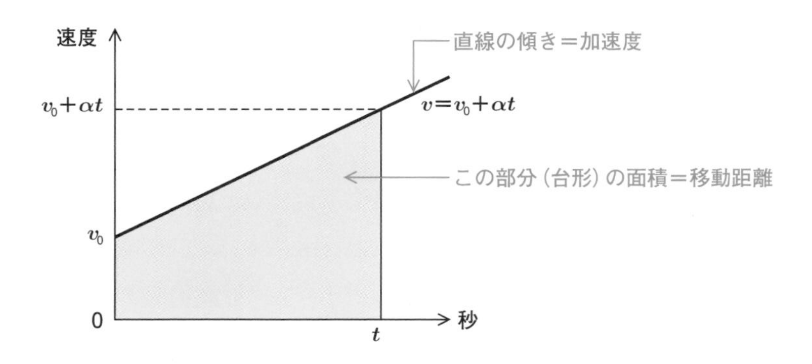

図の色網部分の面積は，物体の t 秒後の移動距離を表しています。この部分は台形なので，次のように面積を計算できます。

$$(v_0 + v_0 + \alpha t) \times t \times \frac{1}{2} = v_0 t + \frac{1}{2} \alpha t^2 \text{〔m〕}$$

初速 v_0〔m/s〕，加速度 α〔m/s^2〕の等加速度運動の t 秒後の移動距離 h

覚える

$$h = v_0 t + \frac{1}{2} \alpha t^2 \text{〔m〕}$$

4 自由落下運動

物体を地面に落とすと，物体は重力によってだんだん速度を増しながら落下していきます。このときの加速度を**重力加速度**といいます。重力加速度は常に一定で，$g = 9.8$〔m/s^2〕です。

静止状態の物体が落下した場合の t 秒後の速度は gt〔m/s〕，また，落下してから t 秒後の落下距離は $\frac{1}{2} gt^2$〔m〕になります。

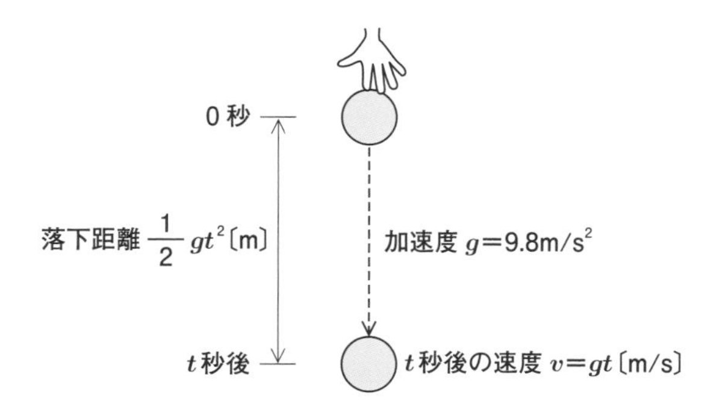

例題　高さ122.5mのビルの上から小石を落とした。地面に到達するまでの時間として正しいのは次のうちどれか。ただし，空気抵抗は考えないものとする。

(1) 2秒　(2) 3秒　(3) 4秒　(4) 5秒

解説　落下距離 $h=\frac{1}{2}gt^2$ より，

$$122.5=\frac{1}{2}\times 9.8\times t^2 \rightarrow t^2=122.5\times 2\div 9.8=25$$

$\therefore t=5$〔秒〕

解答　(4)

5 物体を投げ上げる場合

物体を上空に向かって投げ上げると，物体の運動には $-g$〔m/s^2〕の加速度がつき，速度がゼロになったところが最大の高さになります。投げ上げたときの初速を v_0 とすれば，t 秒後の速度は v_0-gt になります。物体が最高点に達したとき，$v_0-gt=0$ が成り立つので，

$$v_0-gt=0 \quad \therefore t=\frac{v_0}{g}\text{〔s〕}$$

補足

台形の面積

面積＝(上底＋下底)×高さ÷2

補足

静止状態からの等加速度運動

初速が0の場合の等加速度運動は，次のようなグラフになります。

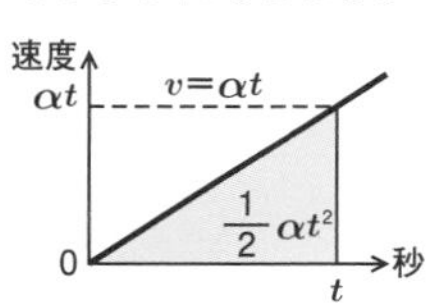

となります。

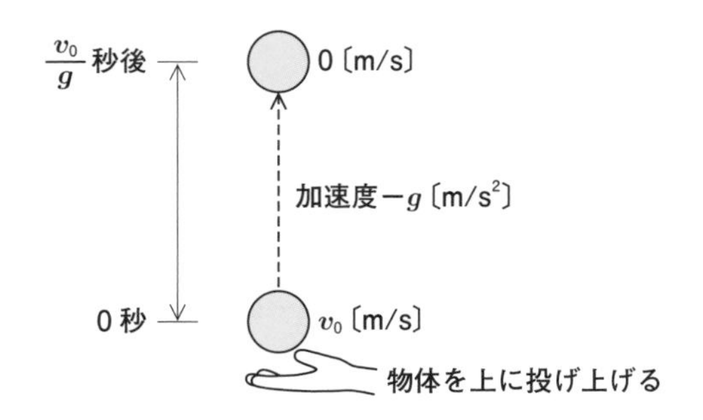

例題 **ボールを98m/sの速度で上空に投げ上げたとき，最高の高さになるまでの時間として正しいのは次のうちどれか。ただし，空気抵抗は考えないものとする。**

(1) 5秒　(2) 10秒　(3) 15秒　(4) 20秒

解説 初速98m/sで投げ上げたボールの t 秒後の速度は，$98-9.8t$ です。最高点に達したときの速度はゼロなので，$98-9.8t=0$ が成り立ちます。したがって，

$t=98\div 9.8=10$〔秒〕

となります。

解答 (2)

6 運動の法則

物体の運動に関する法則には，ニュートンの発見した第1から第3までの3つの法則がよく知られています。一般に「運動の法則」といえば，第2法則のことをいいます。

①慣性の法則（運動の第1法則）

物体は，外から何らかの力が働かない限り，現在の状態を保とうとする

性質があります。静止している物体は静止し続けようとし，運動している物体は運動し続けようとします。このような性質を**慣性**といいます。

②運動の法則（運動の第2法則）

物体にある力が働くと，その力の方向に加速度が生じ，その物体の運動状態が変化します。質量 m〔kg〕の物体に，加速度 α〔m/s^2〕を生じさせる力の大きさを F〔N〕とすると，次のような式が成り立ちます。

$$F = m\alpha \text{〔N〕}$$

③作用・反作用の法則（運動の第3法則）

固定された壁に力 F をかけて押しても，壁が動かない場合には，壁から力 F と同じ大きさ・同じ作用線で，向きが反対の力が働いていると考えます。これを作用・反作用の法則といいます。3ページで説明した机の上の消しゴムが静止しているのも，作用・反作用の法則によるものです。

7 摩擦力

水平面に置いた静止している物体に力を加えると，その物体が移動をはじめます。「運動の法則」によれば，ほんのわずかな力でも移動するはずですが，実際にはある程度の力でなければ動きません。また，「慣性の法則」どおりそのままずっと移動し続けるわけでもなく，しばらくすると静止状態に戻ります。

これは，水平面と物体の接触面に，動かす力とは反

補足

1kgの物体に働く重力は，「運動の法則」により，1 × 9.8 = 9.8〔N〕となります。

対向きの力が働いているためです。この力を**摩擦力**（まさつりょく）といいます。

物体に加える力が小さい場合には，その力と反対向きの摩擦力が働き，物体は静止したままです。加える力をだんだん大きくしていって，物体が滑り出すときの摩擦力を**最大摩擦力**といいます。このときに必要な力を F とすると，次の式が成り立ちます。

μ（ミュー）は**摩擦係数**といい，接触面によって決まります。接触面がざらざらしていれば摩擦係数は大きく，つるつるしていれば摩擦係数は小さくなります。

例題 重量 60N の物体に，24N の力を加えたら動きはじめた。この物体の摩擦係数として，正しいのは次のうちどれか。

(1) 0.3　(2) 0.4　(3) 0.5　(4) 0.6

解説 最大摩擦力が 24N なので，$F = \mu N$ より，

$24 = \mu \times 60$ ∴摩擦係数 $\mu = 24 \div 60 = 0.4$

解答 (2)

8 仕事

ここでいう「**仕事**」とは，物体に力を加えて，その物体を動かすことをいいます。加えた力を F〔N〕，動かした距離を S〔m〕とすると，この仕事の大きさ（**仕事量**）W は，次のように表せます。

$W = F \times S$〔J〕または〔N・m〕

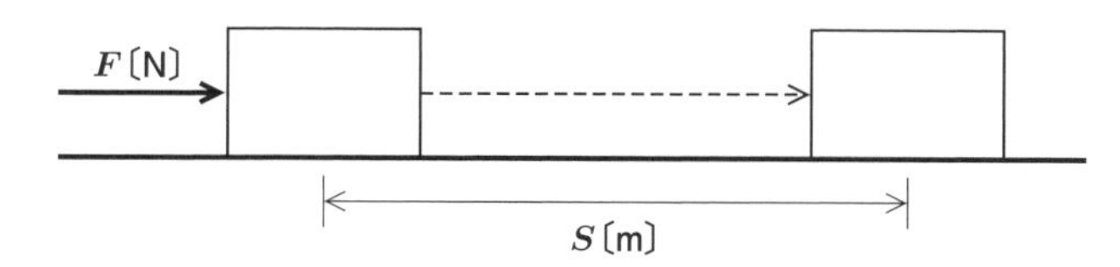

仕事量の単位には〔N・m（ニュートンメートル）〕や〔J（ジュール）〕を用います。1〔N・m〕＝1〔J〕です。

9 動力（仕事率）

単位時間当たりの仕事量を**動力**または**仕事率**といいます。t 秒間に W〔J〕の仕事をした場合の動力 P は，次のように表せます。

$$P = \frac{W}{t}\text{〔W〕または〔J/s〕}$$

動力の単位には，〔J/s（ジュール毎秒）〕や〔W（ワット）〕を用います。

例　題　重量48Nの物体を，3秒間に5m引き上げるのに必要な動力として，正しいのは次のうちどれか。

(1) 32W　(2) 45W　(3) 80W　(4) 288W

解　説　動力は，単位時間当たりの仕事量で求めます。

補足

斜面の摩擦係数

下図のように，重量 W〔N〕の物体を角度 θ の斜面に置いたときの最大摩擦力は，W を斜面と平行な力 F と斜面に垂直な力 N とに分解したとき，$F = \mu N$ で表すことができます。また，

$F = W \times \sin\theta$，

$N = W \times \cos\theta$ より，

$$\mu = \frac{W \times \sin\theta}{W \times \cos\theta} = \tan\theta$$

となります。

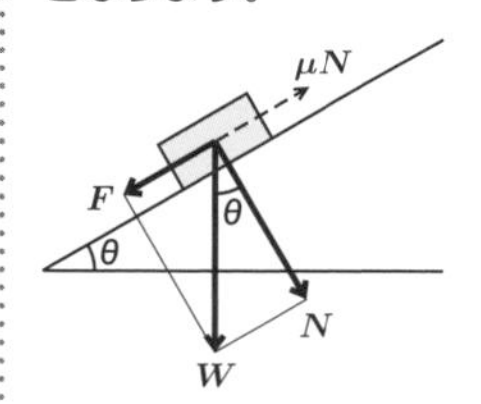

補足

電力の単位である〔W（ワット）〕も，動力と同じように，1秒間に1Jの仕事をする電力を表します。

$$P = \frac{W}{t} = \frac{F \times S}{t} = \frac{48 \times 5}{3} = 80〔W〕$$

解答 (3)

10 滑車

滑車には，天井に固定されている**定滑車**（ていかっしゃ）と，糸を引くと移動する**動滑車**（どうかっしゃ）があります。

定滑車を使うと，糸を引く下向きの力で，物体を上に持ち上げることができます。重量 W〔N〕の物体を持ち上げるには，W〔N〕の力が必要です。

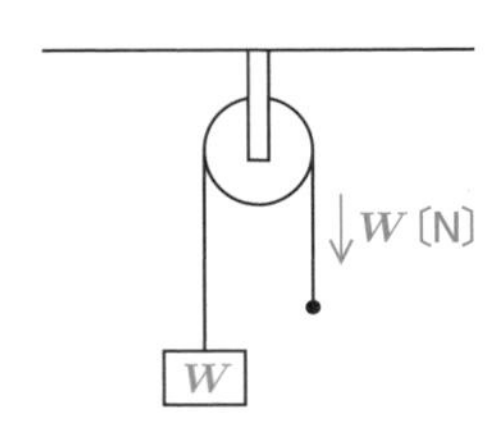

動滑車は，下図のように定滑車と組み合わせて使います。動滑車の場合は，1 個の物体を 2 本の糸で支えることになるため，1 本の糸にかかる力は重量 W〔N〕の 1／2 で済みます。

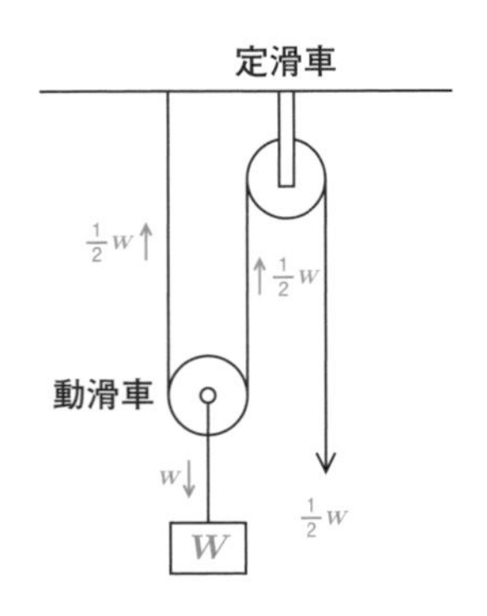

複数の動滑車を組み合わせて，引く力をさらに小さくすることもできます。

引く力は，動滑車を1個増やすごとに半分になります。動滑車の数を n とすれば，重量 W〔N〕の物体を引く力 F〔N〕は，次のように表せます。

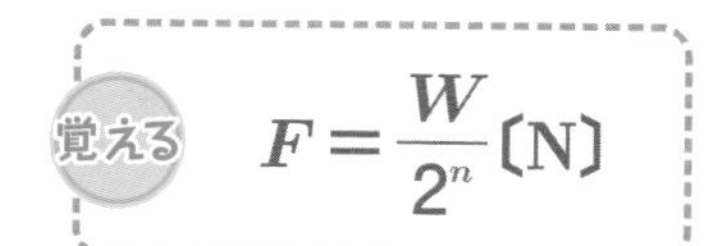

覚える　$$F=\frac{W}{2^n}〔N〕$$

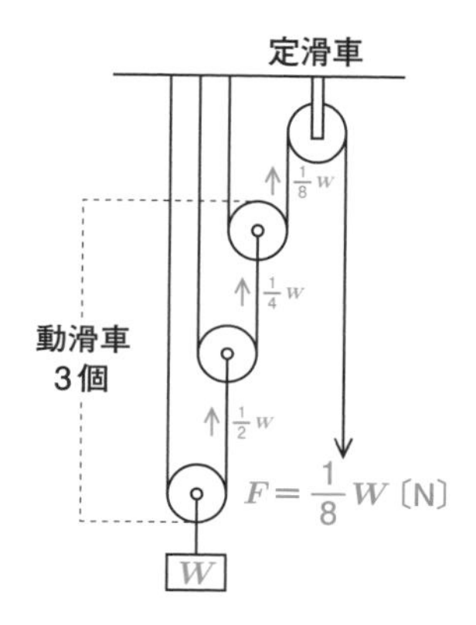

補足

動滑車は，定滑車の半分の力で物体を持ち上げられますが，物体を1m持ち上げるのに2m分の糸を引く必要があるので，全体の仕事量は変わりません。

例題　図のような滑車で，重量1200〔N〕の物体を持ち上げるのに必要な力 F の値として，正しいものは次のうちどれか。

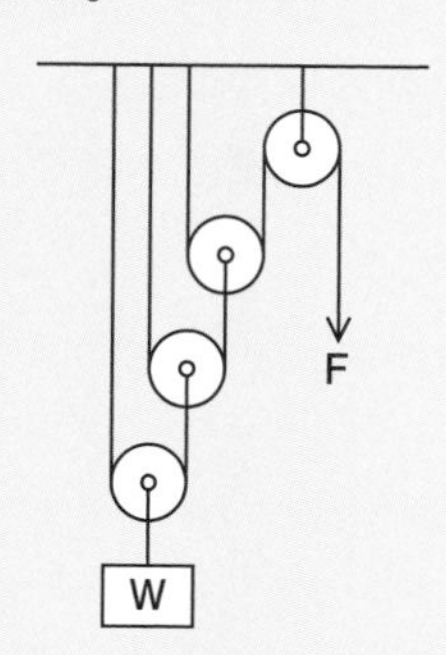

(1) 150N　(2) 300N
(3) 600N　(4) 1200N

解説　3個の動滑車があるので，$F=W/2^n$ より，

$$F=\frac{1200}{2^3}=150〔N〕$$

解答　(1)

チャレンジ問題

[解説] 27 ページ　[解答一覧] 35 ページ

問 1　　難　中　易

力の三要素として，誤っているものは次のうちどれか。

(1) 力の大きさ
(2) 力の方向
(3) 力の作用する時間
(4) 力の作用点

問 2　　難　中　易

図のように，物体を 2 つの力 F_1，F_2 で引っ張っている。F_1 = 15N，F_2 = 20N のとき，2 つの力の合力 F の大きさとして正しいものは次のうちどれか。

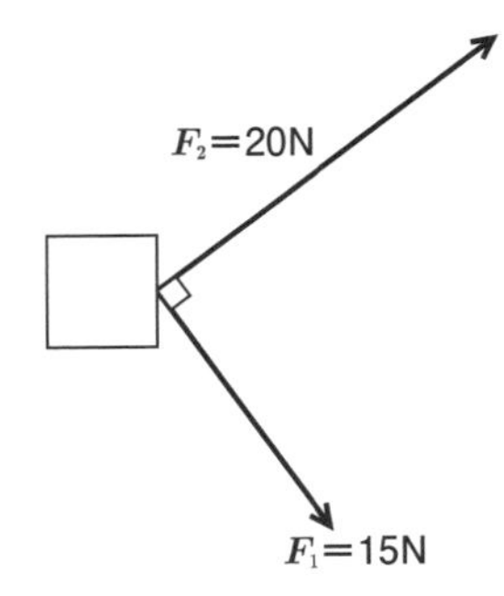

(1) 25N　(2) 30N　(3) 35N　(4) 40N

問3

難　中　易

図のように，2つの力 F_1，F_2 が同時に作用したときの合力の大きさとして，正しいものは次のうちどれか。

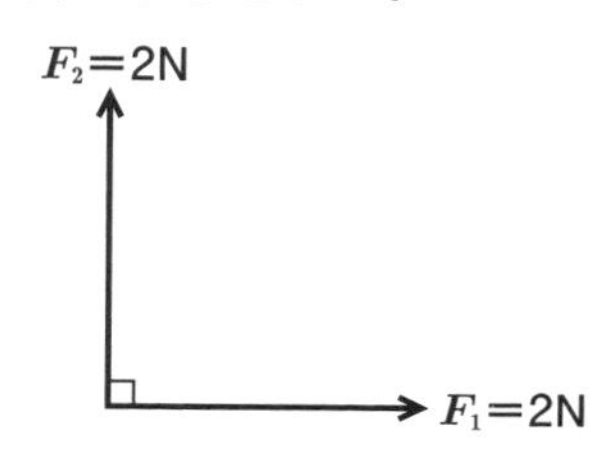

(1) $\sqrt{2}$ N　(2) $\sqrt{3}$ N　(3) 2N　(4) $2\sqrt{2}$ N

問4

難　中　易

2つの力がつり合うための条件の組合せとして，正しいものは次のうちどれか。

(1) 作用する時間が等しい，方向が等しい，作用線が同一線上にある
(2) 大きさが等しい，方向が等しい，作用点が等しい
(3) 作用する時間が等しい，方向が正反対である，作用点が等しい
(4) 大きさが等しい，方向が正反対である，作用線が同一線上にある

問5

難　中　易

図のように，回転軸Oから40cmの点Aに，300Nの力をOAと直角に加えたときのモーメントの値として，正しいのは次のうちどれか。

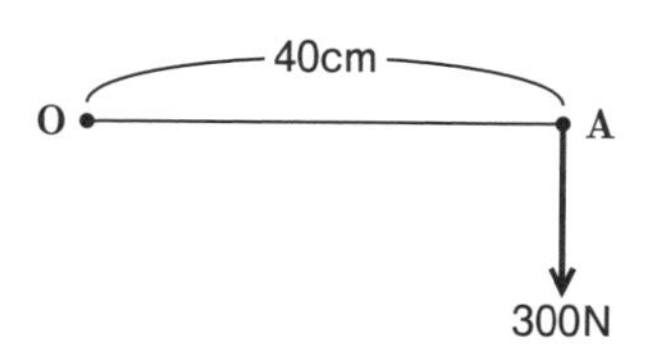

(1) 60N・m　(2) 120N・m　(3) 600N・m　(4) 1200N・m

問6

長さ2mの片持ちばりの先端に，500Nの荷重が加えられたときのモーメントの値として，正しいものは次のうちどれか。

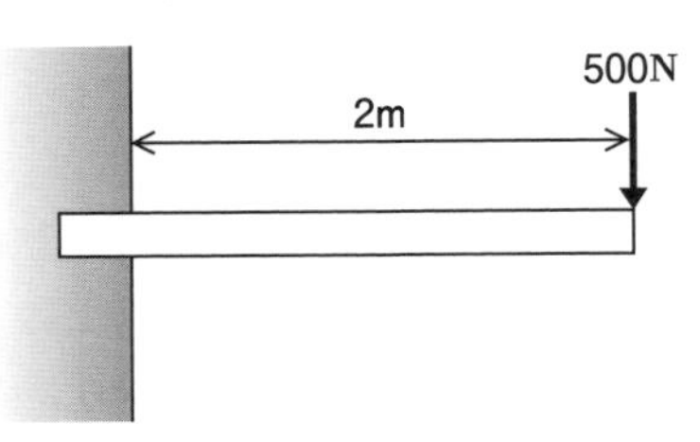

(1) 100N・m　(2) 500N・m　(3) 1000N・m　(4) 1500N・m

問7

柄の長さ50cmのスパナを使って，ボルトを40N・mに締め付けるには，何Nの力をスパナに加えればよいか。ただし，ボルトの中心から40cmの部分に力を加えるものとする。

(1) 50N　(2) 60N　(3) 100N　(4) 160N

問8

両端支持ばりに，200Nと300Nの集中荷重が図のように働いているとき，反力R_a，R_bの値の組合せとして正しいものは次のうちどれか。

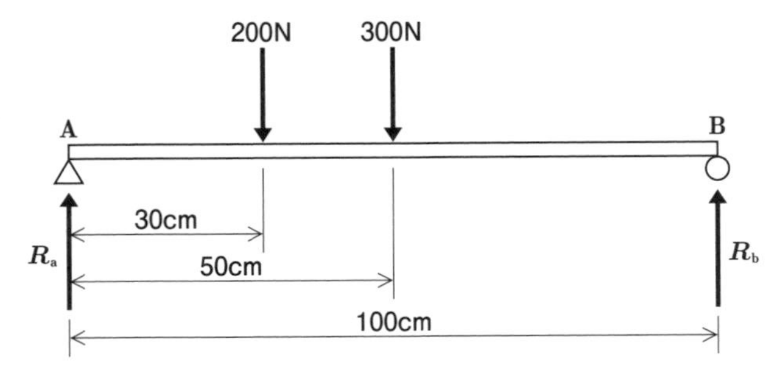

	R_a	R_b
(1)	300N	200N
(2)	290N	210N
(3)	250N	250N
(4)	200N	300N

問9

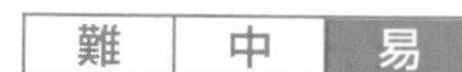

S〔m〕をt〔分〕で移動した場合の速度v〔m/s〕を表す式として，正しいものは次のうちどれか。

(1) $v = \frac{S}{t}$　(2) $v = \frac{60S}{t}$　(3) $v = \frac{S}{60t}$　(4) $v = \frac{St}{60}$

問10

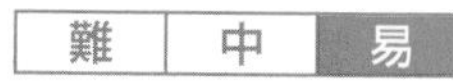

静止していた自動車が，4秒後に時速72kmに達した。この自動車の加速度と移動した距離の組合せとして，正しいのは次のうちどれか。

	加速度	距離
(1)	3〔m/s^2〕	20〔m〕
(2)	4〔m/s^2〕	30〔m〕
(3)	5〔m/s^2〕	40〔m〕
(4)	6〔m/s^2〕	50〔m〕

問11

静止状態の物体が自由落下をはじめると，3秒後に速度は何〔m/s〕になるか。ただし，空気抵抗は考えないものとする。

(1) 14.7m/s
(2) 19.6m/s
(3) 29.4m/s
(4) 39.2m/s

問 12　難　中　易

ボールを49m/sの速度で上空に投げ上げると，ボールは最高で何〔m〕の高さに達するか。ただし，空気抵抗は考えないものとする。

(1) 49.0m

(2) 73.5m

(3) 98.0m

(4) 122.5m

問 13　難　中　易

運動の法則について，次のうち誤っているものはどれか。

(1) 物体に力を加えると，力と同じ方向に加速度が生じる。

(2) 物体の質量が大きいほど，物体が得る加速度も大きい。

(3) 物体が得る加速度の大きさは，物体が受ける力の大きさに比例する。

(4) 質量mの物体に力Fを加えたときの加速度αは，$\alpha = F／m$という式で表すことができる。

問 14　難　中　易

重量1000Nの物体が，水平な床の上に置かれている。この物体を動かすのに必要な力は最小で何〔N〕か。ただし，床面の摩擦係数を0.6とする。

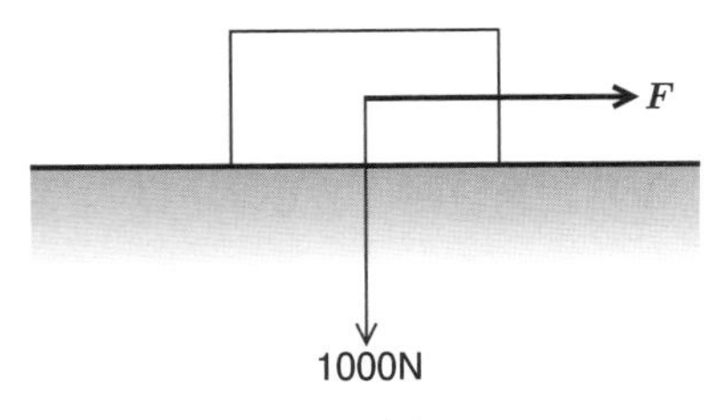

(1) 600N　(2) 800N　(3) 1000N　(4) 1200N

問15

難 中 易

水平な板の上に重量100Nの物体を置き，板を徐々に傾けたところ，角度が30°になったところで物体が滑りはじめた。接触面の摩擦係数の値として，最も近いものは次のうちどれか。ただし，sin30° = 0.5，cos30° = 0.87，tan30° = 0.58とする。

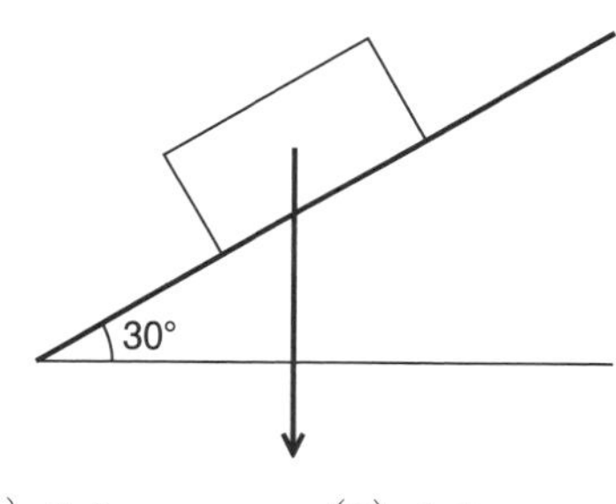

（1） 0.5　（2） 0.6　（3） 0.8　（4） 0.9

問16

難 中 易

物体に力 F〔N〕が働き，その力の方向に物体が S〔m〕だけ移動したとき，$F \times S$ で表されるものとして，正しいものは次のうちどれか。

（1） 仕事量

（2） 仕事率

（3） モーメント

（4） 荷重

問17

難 中 易

重量100Nの物体を，5秒間で2m引き上げるのに必要な動力の値として，正しいものは次のうちどれか。

（1） 10W

（2） 40W

（3） 50W

（4） 80W

問 18

難 | 中 | 易

図のような滑車を使って，重量 400N の物体を持ち上げるのに必要な力 F の値として，正しいものは次のうちどれか。

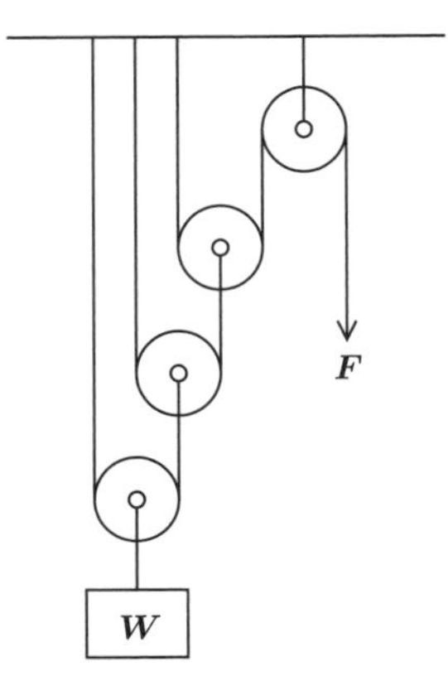

（1） 50N　　（2） 100N　　（3） 200N　　（4） 400N

解　説

問1　力の三要素とは，①力の大きさ，②力の方向，③力の作用点の3つをいいます。

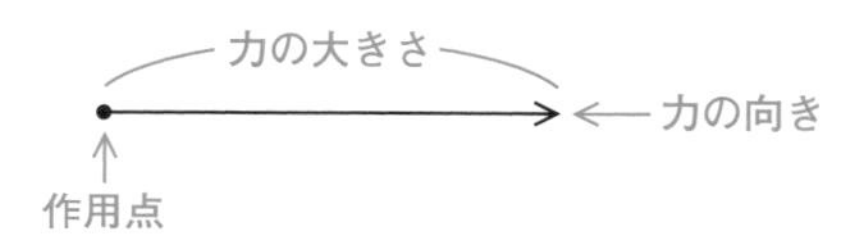

解答（3）　参照 4ページ

問2　F_1，F_2 の合力は，下図のような直角三角形の一辺になります。ピタゴラスの定理により，$F^2 = F_1^2 + F_2^2$ が成り立つので，

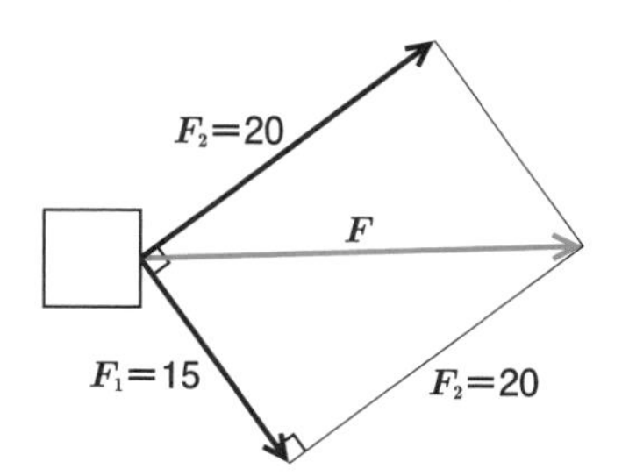

$F^2 = 15^2 + 20^2 = 225 + 400 = 625 = 25^2$

$\therefore F = 25$〔N〕

解答（1）　参照 5ページ

【ピタゴラスの定理】

直角三角形の斜辺の2乗は，他の二辺の2乗の和に等しい。

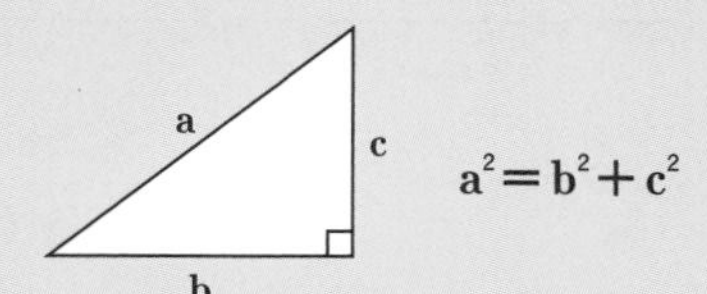

$a^2 = b^2 + c^2$

問3　F_1，F_2 の合力は，図のような直角二等辺三角形の一辺になります。ピタゴラスの定理により，

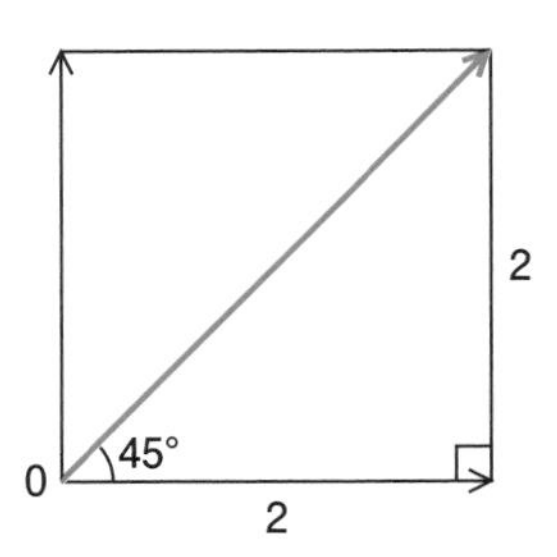

$F^2 = 2^2 + 2^2 = 4 + 4 = 8$

$\therefore F = \sqrt{8} = 2\sqrt{2}$〔N〕

解答（4）　参照 5 ページ

直角三角形の各辺の比を覚えておくと便利です。

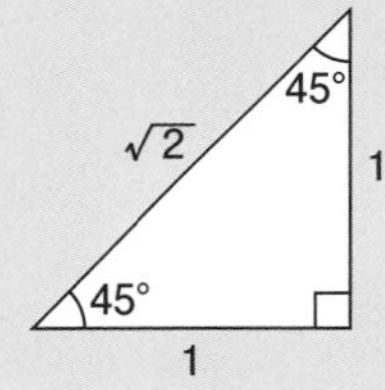

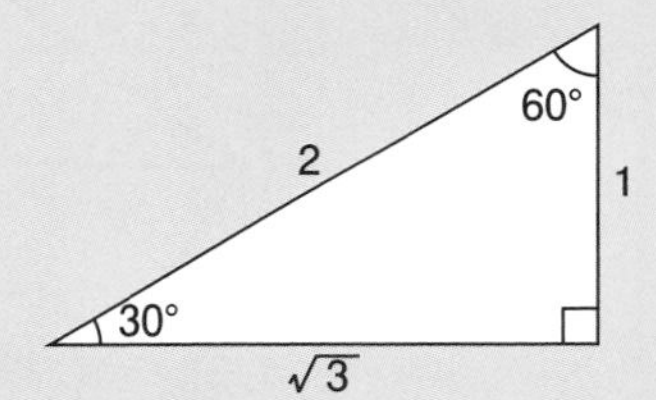

問4　2 つの力がつり合うには，①力の大きさが等しい，②方向が正反対である，③作用線が同一線上にある，ことが条件になります。作用点は，かならずしも同一である必要がありません。

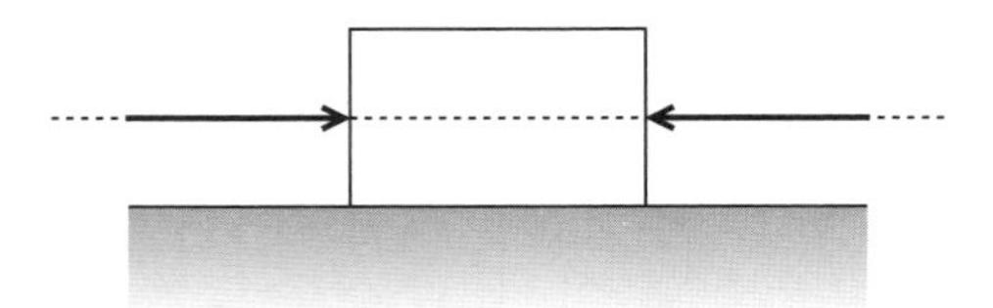

解答（4）　参照 7 ページ

問5　力のモーメント $M = F \times l$〔N・m〕より，

$M = 300 \times 0.4 = 120$〔N・m〕

となります。

解答（2）　参照 8ページ

問6　モーメント $M = F \times l$〔N・m〕より，

$M = 500 \times 2 = 1000$〔N・m〕

となります。

解答（3）　参照 8ページ

問7　力のモーメント $M = F \times l$ より，次の式が成り立ちます。

40〔N・m〕$= F$〔N〕$\times$ 0.4〔m〕　$\therefore F = 40 \div 0.4 = 100$〔N〕

となります。

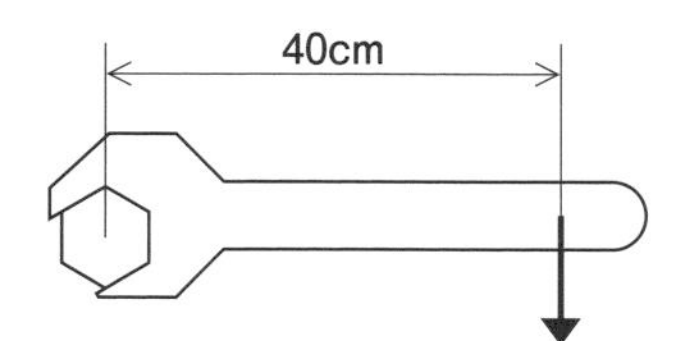

解答（3）　参照 8ページ

問8　次ページの図の通り，はりのA点を支点とすると，200Nと300Nの荷重は右回りのモーメント，反力 R_b は左回りのモーメントとなります。それぞれのモーメントの大きさは，次のようになります。

右回りのモーメント　$200 \times 0.3 + 300 \times 0.5 = 60 + 150 = 210$〔N・m〕
左回りのモーメント　$R_b \times 1.0 = R_b$〔N・m〕

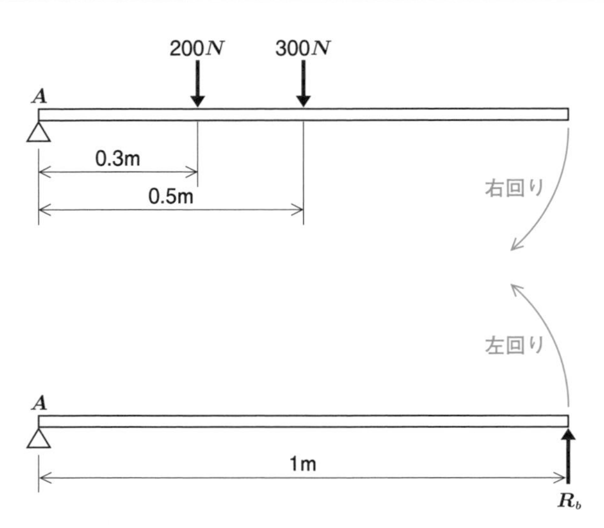

はりが静止している場合，右回りのモーメントと左回りのモーメントはつり合っているので，右回りのモーメント210〔N·m〕と，左回りのモーメント R_b〔N・m〕は等しくなります。したがって，R_b = 210〔N〕となります。

また，2つの荷重200Nと300Nの合計は，反力 R_a，R_b の合計に等しいので，

$$R_a + R_b = 200 + 300 = 500 \quad \therefore R_a = 500 - R_b = 500 - 210 = 290\ 〔N〕$$

となります。

解答（2）　参照 10ページ

問9　速度は距離÷時間で求めます。設問の場合，時間 t の単位が〔分〕，速度 v の単位が〔m/s〕（毎秒）になっているので，時間 t を〔秒〕に変換する必要があります。t〔分〕= $60t$〔秒〕なので，

$$v = \frac{S}{t}\ 〔m/分〕= \frac{S}{60t}\ 〔m/s〕$$

となります。

解答（3）　参照 11 ページ

問 10　時速 72km は，1 時間に 72km（＝ 72000m）を移動する速さです。1 時間は 60 × 60 ＝ 3600 秒なので，1 秒間では 72000 ÷ 3600 ＝ 20m 移動します。

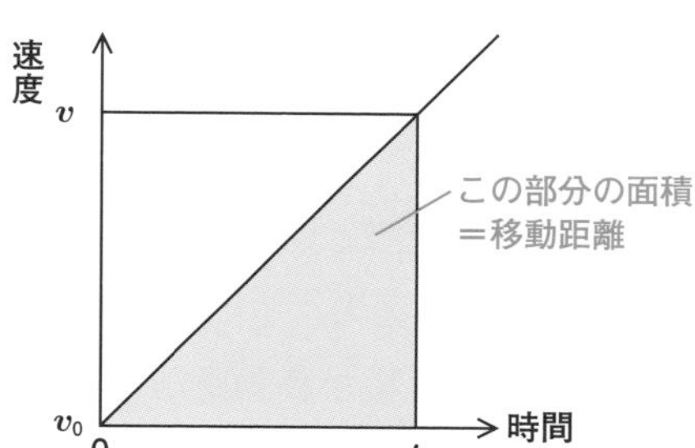

72〔km/ 時〕＝ 20〔m/s〕

加速度は単位時間当たりの速度の変化量なので，次のように計算できます。

$$\alpha = \frac{\Delta v}{t} = \frac{20-0}{4} = 5 \text{〔m/s}^2\text{〕}$$

また，移動した距離は次のように求められます。

$$S = v_0 t + \frac{1}{2} vt = 0 + \frac{1}{2} \times 20 \times 4 = 40 \text{〔m〕}$$

解答（3）　参照 11 ページ

問 11　速度は $v = gt$ で求められます。重力加速度 $g = 9.8$〔m/s^2〕なので，3 秒後の速度は，

$v = 9.8 \times 3 = 29.4$〔m/s〕

となります。

解答（3）　参照 12 ページ

問 12 ボールが最高点に達するとき，速度は 0 になります。初速 v_0，重力加速度 g，ボールが最高点に達する時間を t〔秒〕とすれば，

$v_0 - gt = 0$

が成り立ちます。この式に $v_0 = 49$〔m/s〕，重力加速度 $g = 9.8$〔m/s^2〕を代入すると，

$49 - 9.8t = 0 \quad \therefore t = 5$〔秒〕

t 秒 $v_0 - gt = 0$〔m/s〕
$g = -9.8$〔m/s^2〕
0 秒 $v_0 = 49$〔m/s〕

となります。速度と時間の関係をグラフで表すと右図のようになります。色網の部分の面積が移動距離となるので，

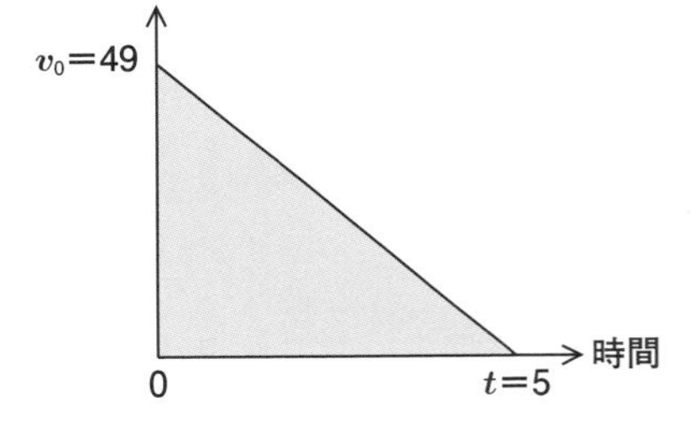

$$S = \frac{1}{2} v_0 t = \frac{1}{2} \times 49 \times 5 = 122.5 \text{〔m〕}$$

となります。

解答（4） 参照 13 ページ

問 13 ニュートンが発見した運動の法則には第 1 法則から第 3 法則までありますが，一般に「運動の法則」という場合は第 2 法則のことを指します。運動の第 2 法則は，次のような法則です。

- **物体に外部から力を加えると，その力の方向に加速度が生じる。**
- **加速度の大きさは力の大きさに比例し，物体の質量に反比例する。**

物体の質量を m，力を F とすると，加速度 α は，$\alpha = F/m$ という式で表せます。この式から，質量 m が大きいほど，加速度 α は小さくなります。したがって（2）が誤りです。

解答（2） 参照 14 ページ

問14　物体の重量をW，摩擦係数をμとすると，最大摩擦力Fは$F = \mu W$で表せます。$W = 1000$，$\mu = 0.6$とすれば，最大摩擦力は，

$$F = 1000 \times 0.6 = 600 \text{〔N〕}$$

となります。すなわち，600Nの力を加えれば，この物体は動き出します。

解答（1）　参照 16ページ

問15　斜面に置いた物体の重量Wを，斜面に平行な力Fと，斜面に垂直な力Nとに分解します。力Fは物体が斜面を滑り落ちる方向に作用し，力Nは物体が接触面とくっつく方向に作用します。

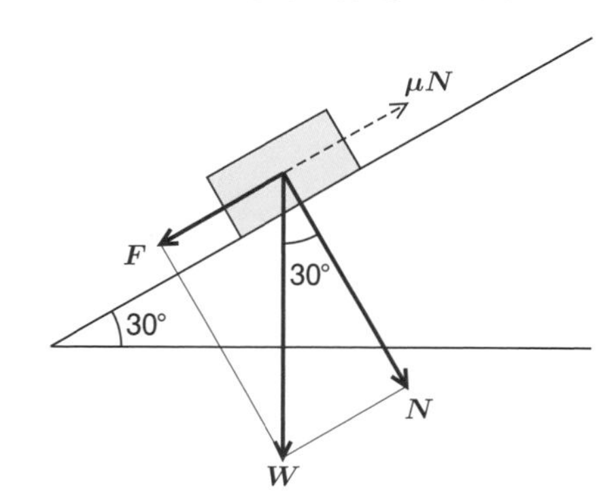

斜面の角度をθとすると，力Fと力Nは，それぞれ次のように表せます。

$$F = W \times \sin\theta$$

$$N = W \times \cos\theta$$

また，斜面の最大摩擦力は，$\mu \times N$（μは摩擦係数）で表すことができます。力Fがこの値と等しいとき，物体は滑り出しますから，

$$F = \mu N$$

が成り立ちます。したがって，

$$W \times \sin\theta = \mu \times W \times \cos\theta \quad \therefore \mu = \frac{\sin\theta}{\cos\theta} = \tan\theta$$

このように，物体の重量にかかわらず，摩擦係数＝ $\tan\theta$ となります。したがって，物体が角度 30° で滑りはじめた場合の摩擦係数は，tan30° ＝ 0.58 です。選択肢の中では (2) の 0.6 が最も近い値になります。

解答（2） 参照 16 ページ

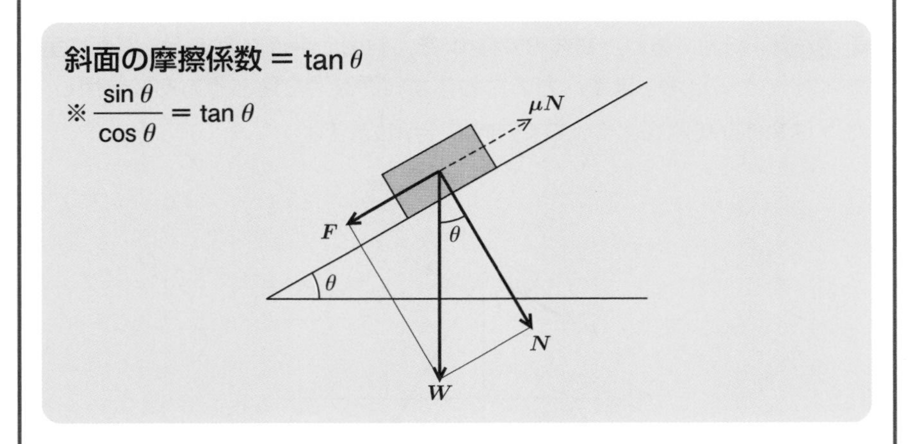

問 16　物体に力 F〔N〕が働き，その力の方向に物体が S〔m〕だけ移動したとき，力 F は物体に対して仕事をしたといいます。仕事の大きさ（仕事量）は，$W = F \times S$〔N・m〕で表します。

解答（1） 参照 16 ページ

問 17　単位時間当たりの仕事量を動力（仕事率）といいます。

$$P = \frac{W}{t} = \frac{FS}{t} = \frac{100 \times 2}{5} = 40 \text{〔W〕}$$

解答（2） 参照 17 ページ

問18 必要な力は動滑車1個につき重量の半分になります。設問では動滑車が3個あるので，必要な力 F は，

動滑車が3個

$$F = 400 \times \frac{1}{2} \times \frac{1}{2} \times \frac{1}{2} = \frac{400}{8} = 50 \text{〔N〕}$$

となります。

解答（1）　参照 19ページ

解答

問1 (3)	問6 (3)	問11 (3)	問16 (1)
問2 (1)	問7 (3)	問12 (4)	問17 (2)
問3 (4)	問8 (2)	問13 (2)	問18 (1)
問4 (4)	問9 (3)	問14 (1)	
問5 (2)	問10 (3)	問15 (2)	

2 材料について

この節の学習内容とまとめ

□ 荷重

①引張り荷重　②圧縮荷重　③せん断荷重
④曲げ荷重　⑤ねじり荷重

□ 応力

$$応力 = \frac{荷重〔N〕}{断面積〔mm^2〕}〔MPa〕$$

□ ひずみ

$$\varepsilon = \frac{l_1 - l}{l}$$

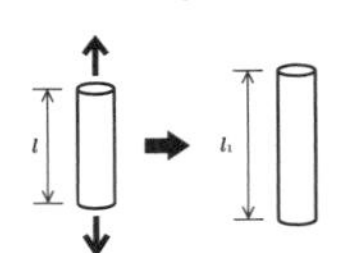

□ ひずみと応力の関係

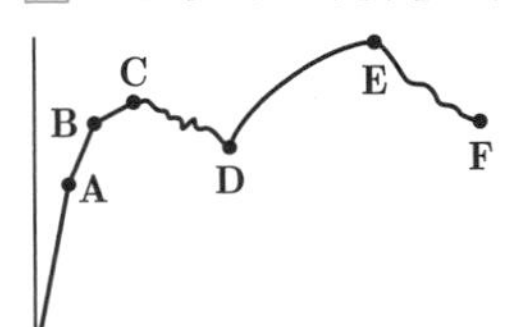

A：比例限度
B：弾性限度
C：上部降伏点
D：下部降伏点
E：極限強さ（引張り強さ）
F：破壊点

□ 安全率

$$安全率 = \frac{極限強さ（引張り強さ）}{許容応力}$$

□ 大気圧とゲージ圧

絶対圧力 ＝ ゲージ圧 ＋ 大気圧

□ パスカルの原理

$$\frac{P_1}{A_1} = \frac{P_2}{A_2}$$

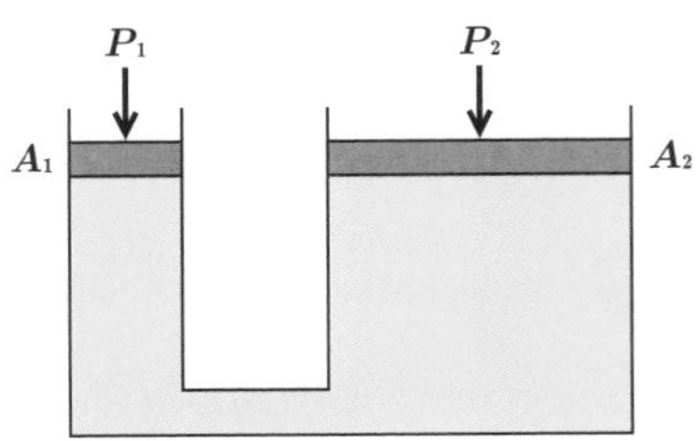

□ 合金

炭素鋼	鉄 ＋ 炭素（0.02～2%）
鋳鉄	鉄 ＋ 炭素（2%以上）
ステンレス鋼	鉄 ＋ ニッケル ＋ クロム
黄銅（真鍮）	銅 ＋ 亜鉛
青銅	銅 ＋ すず
ジュラルミン	アルミニウム ＋ 銅 ＋ マグネシウム ＋ マンガン
はんだ	鉛 ＋ すず他
ニクロム	ニッケル ＋ クロム

□ ボイル・シャルルの法則

気体の体積は圧力に反比例し，絶対温度に比例する。

$$\frac{PV}{T} = 一定$$

□ 金属の熱処理

①焼き入れ　②焼き戻し
③焼きなまし　④焼きならし

荷重と応力

1 荷重

機械を構成する各部品の材料は，外部から様々な力を受けます。材料に外部から作用するこれらの力を荷重（かじゅう）（または外力）といいます。材料は，荷重を受けて変形したり，破壊されたりします。

荷重は，作用する力の向きによって，次のような種類に分類されます。

①引張り荷重

物体を引き伸ばす

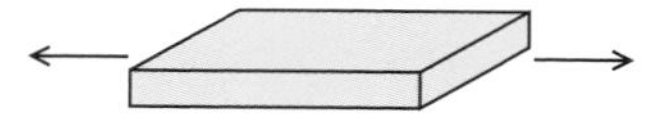

②圧縮荷重

物体を押し縮める

③せん断荷重

物体をひきちぎる

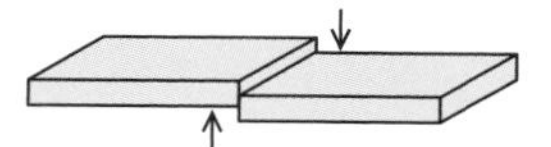

④曲げ荷重

物体を曲げる

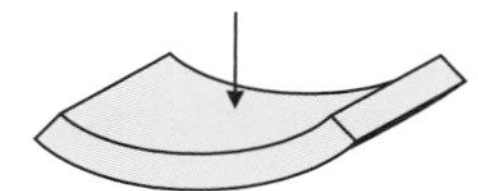

⑤ねじり荷重

物体をねじる

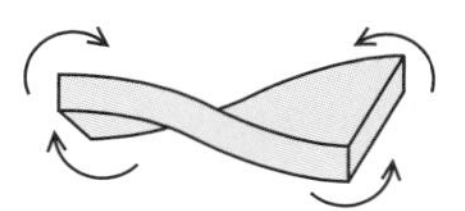

また，常に一定の大きさと向きの力が作用する場合を**静荷重**（せいかじゅう）といい，力の大きさや向きが時間とともに変化する場合を**動荷重**（どうかじゅう）といいます。

静荷重
- **集中荷重**　…力が一点に集中している場合
- **分布荷重**　…力が物体の表面に分布して加わる場合

動荷重
- **繰返し荷重**…連続的に繰返し加わる荷重
- **交番荷重**　…正負の力が交互に加わる荷重
- **衝撃荷重**　…瞬間に加わる荷重

2 応力

材料に荷重が加わると，それに抵抗する力が材料の内部から働きます。この力を**応力**（おうりょく）といいます。応力がなければ，材料は荷重に耐えきれずに破壊されてしまいます。

応力には，材料に作用する荷重の種類に応じて，引張り応力，圧縮応力，せん断応力，曲げ応力，ねじり応力などがあります。

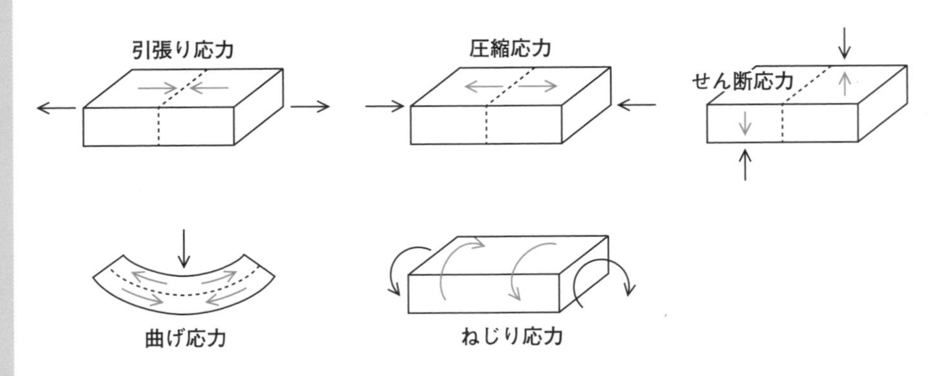

応力の大きさは荷重の大きさと等しく，向きは正反対で荷重とつり合っています。応力の大きさは,次のように単位面積〔mm^2〕当たりの荷重〔N〕で表します。単位には，一般に〔**MPa**（メガパスカル）〕が用いられます（1MPa ＝ 1000000Pa）。

$$応力（応力度）= \frac{荷重〔N〕}{面積〔mm^2〕}〔MPa〕$$

引張り応力と圧縮応力をまとめて垂直応力といい，記号σ（シグマ）で表します。また，せん断応力は記号τ（タウ）で表します。垂直応力σとせん断応力τについては，作用する荷重を材料の断面積で割って求めることができます。

垂直応力

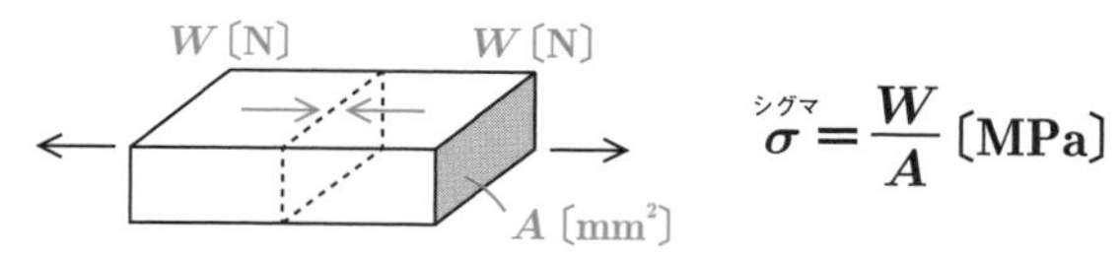

$$\overset{シグマ}{\sigma} = \frac{W}{A}〔MPa〕$$

せん断応力

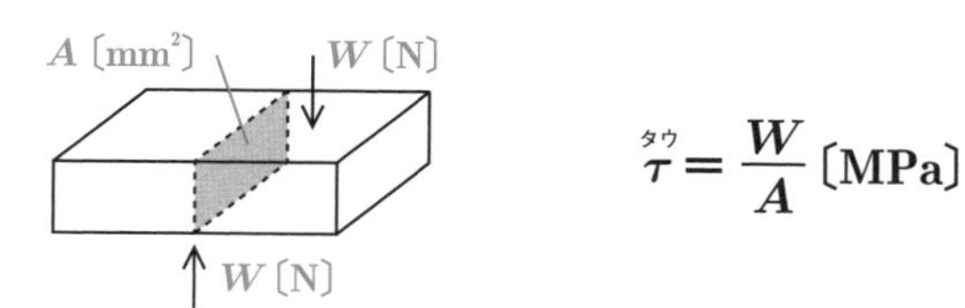

$$\overset{タウ}{\tau} = \frac{W}{A}〔MPa〕$$

例題 断面積32mm²の丸棒に，400Nの圧縮荷重をかけたときの応力として，正しいものは次のうちどれか。

(1) 10MPa (2) 12.5MPa
(3) 20MPa (4) 25MPa

解説 垂直応力 $\sigma = W/A$ より，

$\sigma = 400/32 = 12.5$〔MPa〕

解答 (2)

補足

1Pa = 1N/m²
1MPa = 1N/mm²
1MPa = 10^6Pa

補足

曲げ応力を求める式は，次のようになります。

$$曲げ応力 = \frac{曲げモーメント}{断面係数}$$

3 ひずみ

物体の変形の度合いをひずみといいます。物体が変形して，元の長さlがl_1に変化したとき，ひずみε（イプシロン）の大きさを次のように表します。

覚える

$$\varepsilon = \frac{l_1 - l}{l}$$

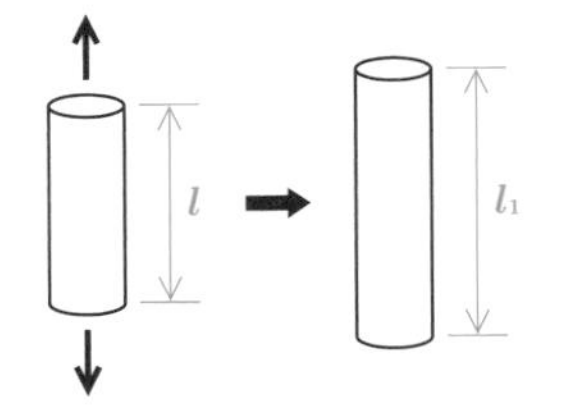

4 応力とひずみ

金属材料の試験片に引張り荷重を加え，引っ張る力を徐々に大きくしていくと，材料が伸びていき，最後には破壊されてしまいます。このときの荷重と材料の伸びの関係を，応力とひずみの関係に置き換えてグラフで表すと，次のようなグラフになります。A～Fの各点の意味を理解しておきましょう。

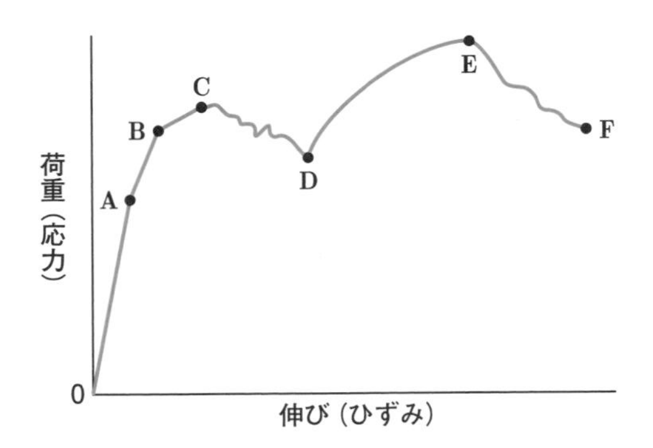

A：比例限度

0～A点までは，加えた荷重の大きさに比例してひずみも大きくなっていきますが，A点を超えると比例しなくなります。

B：弾性限度

0～B点までは，荷重を取り除けば材料はまだ元の形にもどります。B点を超えてしまうと，荷重を取り除いても元に戻らなくなってしまいます。

C，D：降伏点

C 点を超えると材料は急に抵抗力を失い，荷重を加えなくても D 点までは材料が伸びてしまいます。C 点を上部降伏点，D 点を下部降伏点といいます。

E：極限強さ（引張り強さ）

D 点を超えると，材料は再び抵抗力を取り戻しますが，荷重を加えるとひずみは大きくなっていき，E 点で荷重に耐えうる限界に達します。

F：破壊点

材料はさらに伸びて最後には F 点で破壊されます。

5 クリープ

物体に一定の荷重を長時間加え続けると，時間とともにひずみが増大していきます。この現象をクリープといい，クリープによって生じるひずみをクリープひずみといいます。

クリープは，一般に加える荷重が大きいほど，また温度が高いほど起こりやすくなります。

6 許容応力と安全率

機械を設計する際に，使用する材料に設定する応力の最大値を，許容応力といいます。

機械の材料は，外部からの力によって変形しても，元に戻る範囲で使う必要があります。そのため，許容応力は左ページの図の B 点（弾性限度）より低くなるように設計しなければなりません。

許容応力が，材料の極限強さに対してどのくらいの割合かを安全率といいます。

補足

フックの法則

荷重が小さければ，荷重と伸びは正比例するという法則。

補足

クリープ限度

荷重の大きさによっては，一定時間が経過すると，それ以上はひずみが増加しなくなります。このときの荷重の最大値をクリープ限度といいます。

$$\text{安全率} = \frac{\text{極限強さ(引張り強さ)}}{\text{許容応力}}$$

安全率が大きいほど，強度に余裕をもった設計といえます。

7 はり

「はり（梁)」は，主に曲げ荷重やせん断荷重を受ける棒状の部材です。代表的なはりの種類には，次のものがあります。

①片持ちはり
一端のみを固定したはり

②固定はり
両端を固定したはり

③両端支持はり
両端に支点があるはり

④張り出しはり
支点の外側に荷重が加わるはり

⑤連続はり
3 個以上の支点で支えられているはり

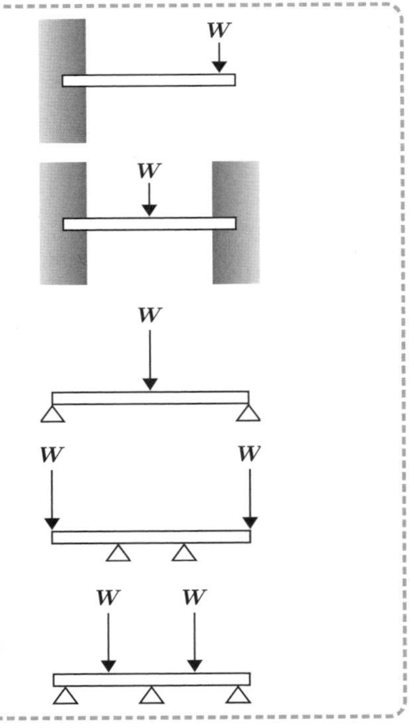

8 ねじ

ねじには様々な種類がありますが，形状や大きさは JIS 規格によって細かく規定されています。代表的なものに，次の種類があります。

メートルねじ	直径やピッチをミリメートルで表したねじ。表記には記号「M」を用いる。たとえば，直径10ミリのメートルねじは「M10」のように表記する。
ユニファイねじ	ピッチを1インチあたりの山数で表すねじ（インチねじ）。表記には記号「UNC」または「UNF」を用いる。たとえば，山数が1インチ当たり24のユニファイ並目ねじは「No.10-24UNC」などとなる。
管（くだ）用ねじ	管の接続などによく利用されるねじで，平行ねじ（記号「G」）とテーパねじ（記号「R」）がある。

ねじの直径を呼び径といい，隣り合うねじ山の距離をピッチといいます。ピッチが小さいほど，ねじの締め付けが強くなります。

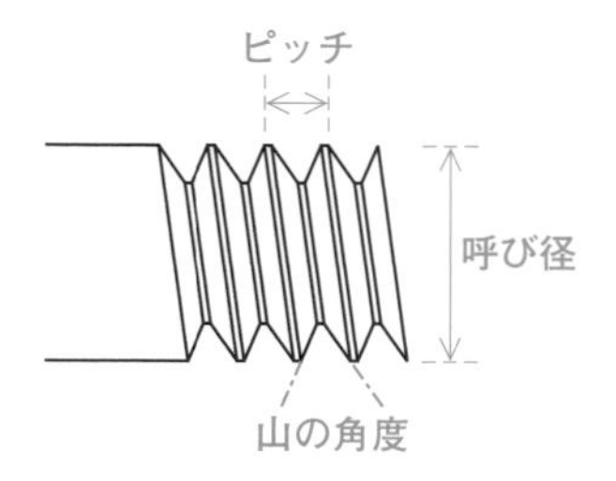

ねじの溝はらせん状になっていますが，これは直角三角形を丸めて円柱にしたときの斜辺に相当します。この斜辺の角度をリード角といいます。

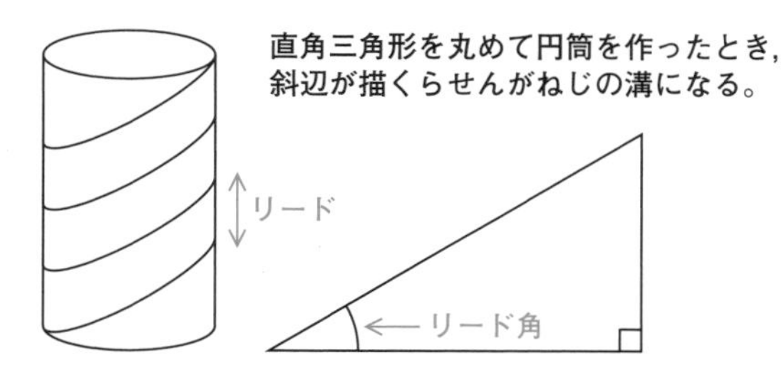

補足

はりの断面

鉄骨の断面は，次のようなI字型をしています。これは，上下方向に加わる荷重に対して，I字型の断面形状が最も強度があるためです（材質や断面積が同じ場合）。

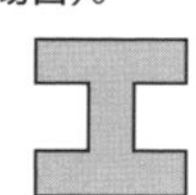

補足

小ねじ

外形が8mm以下のねじ。

補足

止めねじ

ねじの先端で部品間の動きを止めるねじ。

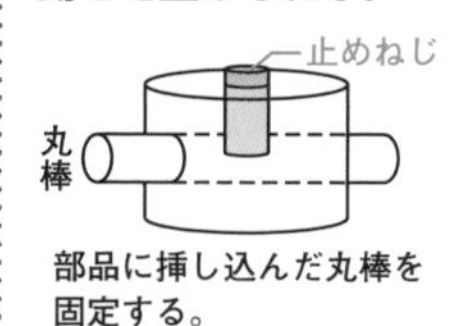

部品に挿し込んだ丸棒を固定する。

補足

座金（ワッシャー）

締め付け面との間に通して，緩み止めなどに使う。

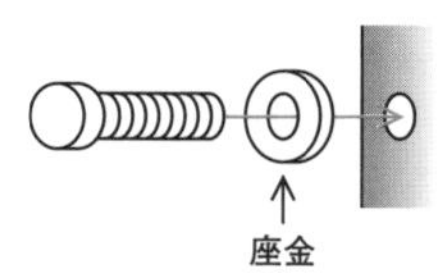

金属材料

1 金属の性質

機械部品の材料には，一般に丈夫で加工しやすく，入手しやすいことなどが求められます。金属は，こうした条件にかなった材料として，広く用いられています。消火器も，本体をはじめとする多くの部分は金属製です。

一般に金属には，次のような性質があります。

①常温で固体である。
②展性・延性に富む。
③可鋳(ちゅう)性がある（高温で溶け，成形できる）。
④可鍛(たん)性がある（熱してたたいて成形できる）。
⑤電気の良導体である。
⑥一般に水より重い（比重が１より大きい）。
⑦金属光沢がある。

2 合金

単体の金属に，他の元素を混ぜたものを合金といいます。合金にすることで，金属は一般に次のような性質をもちます。

①成分金属より硬くなり，強さが増す。
②成分金属より鋳造しやすくなる(可鋳性が増加)。
③成分金属より鍛造しにくくなる(可鍛性が減少)。
④耐食性が増大する。
⑤融点が低くなる（例：はんだ）。
⑥電気は伝わりにくくなる。

補足

主な金属の比重

金属	比重
白金	21.45
金	19.32
タングステン	19.3
水銀	13.55
鉛	11.34
銀	10.49
銅	8.92
ニッケル	8.91
鉄	7.87
⋮	
アルミニウム	2.7
マグネシウム	1.74

代表的な合金には，以下のような種類があります。

合金	成分
鉄鋼	鉄 ＋ 炭素
ステンレス	鉄 ＋ ニッケル＋クロム
黄銅（真鍮）	銅 ＋ 亜鉛
青銅	銅 ＋ すず
ジュラルミン	アルミニウム ＋ 銅 ＋ マグネシウム ＋ マンガン
はんだ	鉛 ＋ すず他
ニクロム	ニッケル ＋ クロム

3 金属の熱処理

金属を加熱・冷却することによって，その性質を変化させることを熱処理といいます。熱処理には次のような種類があります。

①焼き入れ……高温に加熱した後，水や油に入れて急冷する。
【効果】硬度を増す。

②焼き戻し……焼き入れ後，再加熱して徐々に冷却する。
【効果】焼き入れ後の鋼はもろくなるため，粘りを出して強くする。

③焼きなまし…一定時間加熱した後，徐々に冷却する。
【効果】組織を安定させる。

④焼きならし…加熱後，大気中で自然冷却する。
【効果】組織を均一にならす。

4 鉄鋼

鉄鋼（鋼）は，鉄を主成分とした合金です。もともと

補足

黄銅（おうどう）
真鍮（しんちゅう），ブラスともいう。金属楽器や五円硬貨に使われている。

補足

青銅（せいどう）
砲金，ブロンズともいう。銅像や十円硬貨に使われている。

補足

アルミニウム
軽量で加工しやすく，表面が酸化してできる皮膜によって耐食性も高い。

補足

マグネシウム
軽量で加工しやすいが酸化しやすく，耐食性が低いのが欠点。

鉄は硬くて加工しやすく，工業用の材料に適した元素ですが，鉄鋼にすることで鉄の性能をさらに高めることができます。

鉄鋼材料には，含有する成分によって様々な種類があり，それぞれ性質が異なっています。

①炭素鋼（鉄 ＋ 炭素）

鉄と炭素の合金で，炭素含有量が0.02～2%程度のもの。炭素含有量に応じて，次のように性質が変わります。

- **炭素含有量が多い**：硬さ・引張り強さは増加するが，もろくなる。
- **炭素含有量が少ない**：硬さ・引張り強さは減少するが，粘りが増大し，加工しやすくなる。

②鋳鉄（ちゅう）（鉄 ＋ 炭素）

炭素含有量が約2%以上のものを鋳鉄といいます。炭素鋼に比べるともろくて引張り強さが小さいですが，可鋳性に富み，主に鋳造に用いられます。

③合金鋼（特殊鋼）

炭素鋼に他の元素を混ぜたもの。ステンレスや耐熱鋼が代表的です。

- ステンレス鋼：炭素鋼にクロムやニッケルを混ぜ，耐食性を高めたもの。
- 耐熱鋼：炭素鋼に多くのクロムやニッケルを加え，高温での強度や耐食性を高めたもの。

圧力について

1 大気圧とゲージ圧

地球の表面は空気の層でおおわれています。空気も物質なので重さがあり，地上には空気の重みによる圧力がかかっています。この圧力を**大気圧**といいます。

標準的な大気圧の大きさは，

101325Pa ＝ 約 1013hPa（ヘクトパスカル） ＝ 約 0.1MPa（メガパスカル）

と定められています。これは，$1cm^2$ 当たり約 1kg の圧力に相当します。

物体に圧力をかけた場合には，実際はその圧力に加えて，大気圧もかかっています。ただし，測定するときは大気圧の影響を除いた値を用いるのが一般的になっています。このような圧力の値を**ゲージ圧**（相対圧力）といいます。

ふつう圧力といった場合には，ゲージ圧を指すので注意しましょう。大気圧を含めた圧力を指す場合には，**絶対圧力**という言い方をして区別します。

覚える　**絶対圧力 ＝ ゲージ圧 ＋ 大気圧**

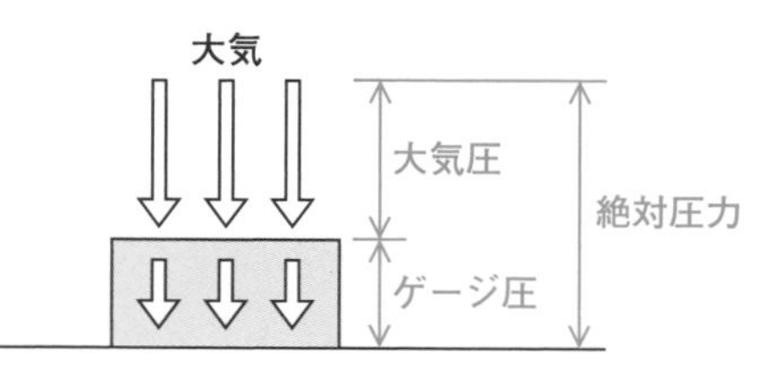

補足

金属疲労
継続的または繰り返し力を受け続けたために，金属材料の強度が低下する現象。同様の現象は金属だけでなく，プラスチックやガラスなどの材料でも生じます。

補足

18-8 ステンレス
クロム 18%，ニッケル 8%を含む代表的なステンレス鋼。

2 水圧の計算

図のように，静止している水が水中の物体に与える圧力の大きさPは，物体から水面までの高さh〔m〕に比例し，次のように求められます。

$$P = \rho g h \text{〔Pa〕}$$

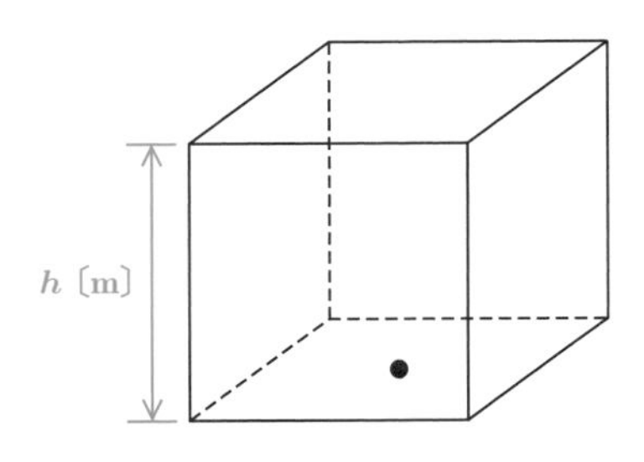

・ρ（ロー）は水の密度で，蒸留水の場合1000kg/m^3となります。また，gは重力加速度で，9.8m/s^2です。

・水中の一点にかかる圧力は，どの方向でも同じ大きさになります。

・この圧力は，容器の大きさや形状に関わりなく求めることができます。

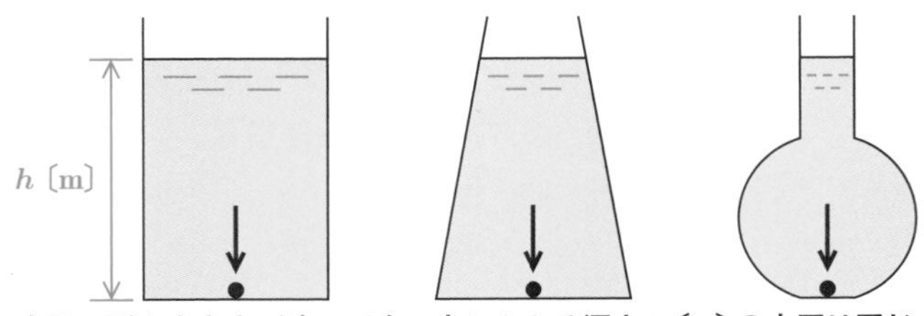

容器の形や大きさが違っても，点にかかる深さh〔m〕の水圧は同じ

3 パスカルの原理

密閉された容器に入れた液体の一部に圧力を加えると，その圧力は同じ強さで液体の各部に伝わります。これを**パスカルの原理**といいます。

図のようなU字型の管に液体を入れ，一方のピストンをP_1の力で押し下げます。すると，もう一方のピストンには押し上げる力 P_2 が働きます。それぞれのピストンの断面積を A_1，A_2 とすれば，パスカルの原理により，次の式が成り立ちます。

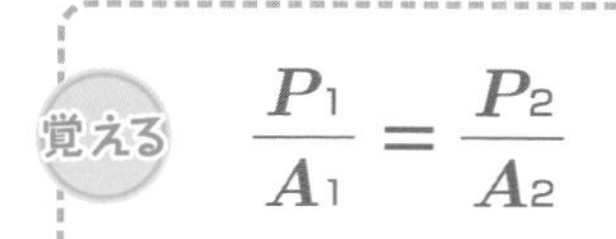

$$\frac{P_1}{A_1} = \frac{P_2}{A_2}$$

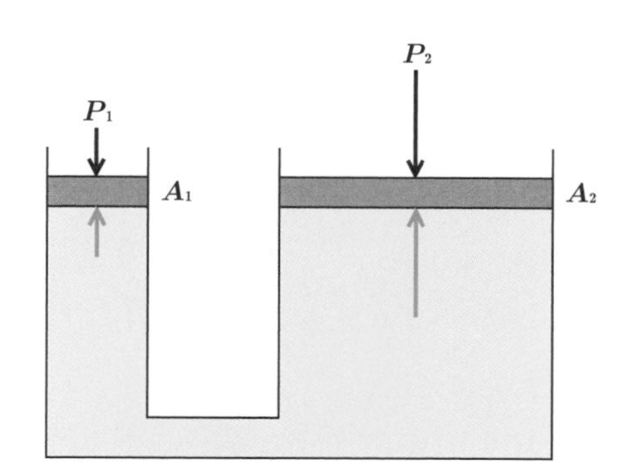

4 ボイル・シャルルの法則

気体の体積は，温度を一定にすると，圧力に反比例します。つまり，気体の体積が小さくなるほど，圧力は増加します（ボイルの法則）。

体積を V，圧力を P とすれば，この法則は次の式で表せます。

PV ＝一定

また，圧力を一定にすると，気体の体積は温度に比例します。つまり，体積が増加するほど，温度も上昇します（シャルルの法則）。

体積を V，絶対温度を T とすれば，この法則は次の

補足

パスカルの原理
パスカルの原理を応用したものに水圧機や油圧機がある。

補足

絶対温度
絶対温度＝摂氏温度＋273 度

式で表せます。

$$\frac{V}{T} = 一定$$

ボイルの法則とシャルルの法則をまとめると,「**気体の体積は圧力に反比例し，絶対温度に比例する**」ことがわかります。これを**ボイル・シャルルの法則**といいます。

ボイル・シャルルの法則は，次のような式で表せます。

覚える

$$\frac{PV}{T} = 一定$$

たとえば，気体を熱すると絶対温度Tが上昇するので，PV/Tを一定に保つように，体積Vか圧力Pのどちらかが増加します。

また，体積Vを小さくすると，圧力Pが増加するか，絶対温度Tが減少します。

チャレンジ問題

［解説］58ページ　［解答一覧］64ページ

問1

難	中	易

蓄圧式消火器本体に加わる主な荷重として，正しいものは次のうちどれか。

(1) 引張り荷重

(2) 圧縮荷重

(3) せん断荷重

(4) ねじり荷重

問2

難	中	易

荷重の説明として，誤っているものは次のうちどれか。

(1) 衝撃荷重…瞬間に衝撃的に加わる荷重

(2) 交番荷重…正負の力が交互に加わる荷重

(3) 分布荷重…連続的に繰り返し加わる荷重

(4) 静荷重…常に一定の大きさと向きの力が加わる荷重

問3

難	中	易

直径10mmの丸棒に，314Nの引張り荷重がかかったときの応力として，正しいものは次のうちどれか。ただし，円周率は3.14とする。

(1) 4MPa

(2) 5MPa

(3) 8MPa

(4) 10MPa

問4 難 中 易

2枚の鋼板をリベットによって接合した継手がある。図のように，鋼板を互いに反対方向に400Nの力で引っ張ったとき，リベットに生じるせん断応力として正しいものは次のうちどれか。ただし，リベットの断面積は$20mm^2$とする。

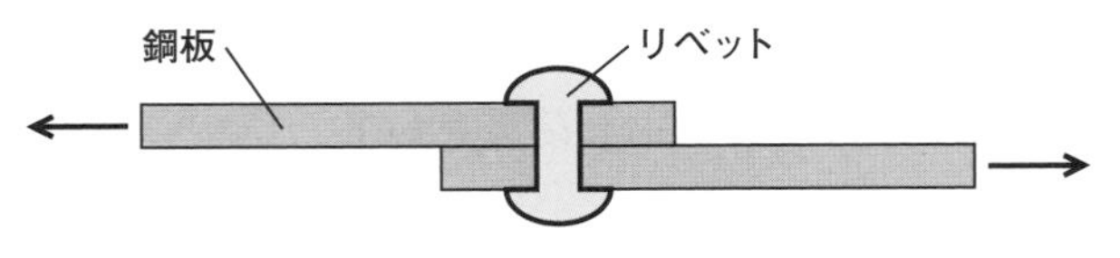

(1) 2MPa　(2) 10MPa　(3) 20MPa　(4) 25MPa

問5 難 中 易

材質が同じで直径の異なる丸棒A，Bがある。Aの直径は，Bの直径の1／2である。これらに同一の引張り荷重を加えた場合の応力に関する記述として，正しいものは次のうちどれか。

(1) Aの応力は，Bの応力の2倍となる。
(2) Aの応力は，Bの応力の4倍となる。
(3) Aの応力は，Bの応力の1／2倍となる。
(4) Aの応力は，Bの応力の1／4倍となる。

問6 難 中 易

長さ100cmの丸棒に引張り荷重を加えたところ，105cmに伸びた。このときのひずみの値として正しいものは次のうちどれか。

(1) 0.05　(2) 0.5　(3) 1.05　(4) 5

問7 難 中 易

図は，ある材料に徐々に荷重を加えた場合の荷重の大きさと材料の伸びの関係を表したものである。次の記述のうち，誤っているものはどれか。

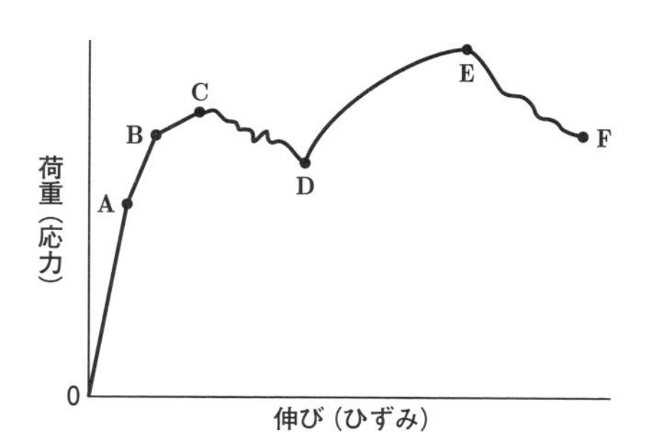

(1) A 点は比例限度である。

(2) B 点は弾性限度である。

(3) C 点は極限強さである。

(4) D 点は下部降伏点である。

問8

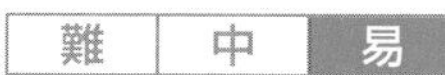

金属材料におけるクリープの説明として，誤っているものは次のうちどれか。

(1) 加えられる荷重が弾性限度内であれば発生しない。

(2) 一定の温度で一定の応力を加えると，時間とともにひずみが増大する。

(3) 応力が高いほど発生しやすい。

(4) 温度が高いほど発生しやすい。

問9

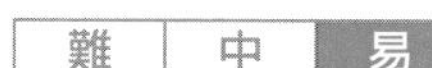

断面積 100mm^2，引張り強さ 500N/mm^2 の鋼材を使って，安全率を5とする場合，この鋼材の許容応力として正しいものは次のうちどれか。

(1) 100N/mm^2

(2) 200N/mm^2

(3) 250N/mm^2

(4) 500N/mm^2

問 10 難 中 易

はりの種類の説明として，誤っているものは次のうちどれか。

(1) 片持ちはりは，一端のみを固定し，他端を自由にしたはりである。

(2) 固定はりは，両端を固定したはりである。

(3) 張り出しはりは，支点の外側に荷重が加わっているはりである。

(4) 連続はりは，2 個以上の支点で支持されているはりである。

問 11 難 中 易

「M10」と表示されたネジの種類として，正しいものは次のうちどれか。

(1) 管用テーパねじ

(2) ユニファイ並目ねじ

(3) ミニチュアねじ

(4) メートル並目ねじ

問 12 難 中 易

ネジの緩みを防止するものとして，誤っているものは次のうちどれか。

(1) 止めねじを使用する。

(2) リード角の異なるねじを使用する。

(3) 座金を使用する。

(4) ピン・小ねじを使用する。

問 13 難 中 易

金属の特性の説明として，誤っているものは次のうちどれか。

(1) 鉄鋼は一般に耐食性に優れ，水中でも錆びない。

(2) 銅合金は酸化すると表面に緑青が生じる。

(3) アルミニウムは空気中で酸化して表面に皮膜を形成し，腐食を防ぐ働きがある。

(4) マグネシウム及びその合金は一般に酸化しやすく，耐食性は低い。

問 14

難	中	易

合金の説明として，誤っているものは次のうちどれか。

(1) 炭素鋼は鉄と炭素の合金である。

(2) ステンレス鋼は鉄とクロムとニッケルの合金である。

(3) 青銅は銅とすずの合金である。

(4) 黄銅は銅とクロムの合金である。

問 15

難	中	易

次のうち，鉄鋼材料でないものはどれか。

(1) 炭素鋼

(2) 鋳鉄

(3) ジュラルミン

(4) ステンレス

問 16

難	中	易

次の文章の（　　）内のA，Bにあてはまる語句の組合せとして，正しいものはどれか。

「18-8 ステンレス鋼は，（　A　）を 18%，（　B　）を 8%含んでいる。」

	A	B
(1)	ニッケル	マンガン
(2)	クロム	マンガン
(3)	クロム	ニッケル
(4)	銅	ニッケル

問 17

難	中	易

耐熱鋼の成分として，正しいものは次のうちどれか。

(1) 炭素鋼，クロム，ニッケル
(2) 炭素鋼，鉛，モリブデン
(3) 炭素鋼，ケイ素，すず
(4) 炭素鋼，マグネシウム，チタン

問 18

難	中	易

鋼の熱処理に関する説明として，誤っているものは次のうちどれか。

(1) 焼入れ…鋼を高温に加熱した後で急冷却し，硬度を増す。
(2) 焼戻し…鋼を再加熱した後で徐々に冷却し，粘りを減じる。
(3) 焼なまし…鋼を一定時間加熱した後で徐々に冷却し，組織を安定させる。
(4) 焼ならし…鋼を加熱した後，大気中で自然冷却することで，ひずみを取り除いて組織を均一化する。

問 19

難	中	易

鋼と炭素含有量の関係について，誤っているものは次のうちどれか。

(1) 鉄に炭素を加えたものが鋼である。
(2) 炭素含有量が多いほど硬度が増す。
(3) 炭素含有量が少ないほど加工しにくくなる。
(4) 炭素含有量が多いほどもろくなる。

問 20

難	中	易

ボイル・シャルルの法則の説明として，正しいものは次のうちどれか。

(1) 気体の体積は，絶対温度に比例し，圧力に比例する。
(2) 気体の体積は，絶対温度に比例し，圧力に反比例する。

(3) 気体の体積は，絶対温度に反比例し，圧力に比例する。
(4) 気体の体積は，絶対温度に反比例し，圧力に反比例する。

問21

ある気体に加える圧力を5倍にし，絶対温度を3倍にしたとき，この気体の体積は何倍になるか。

(1) 1／5倍
(2) 1／3倍
(3) 3／5倍
(4) 5／3倍

問22

難｜中｜易

図のように液体を密封した容器を使って，ピストンBに載せた重量1000Nの物体を持ち上げるとき，ピストンAに加える力の値として，正しいものは次のうちどれか。ただし，ピストンA，Bの面積はそれぞれ20cm²，100cm²とする。

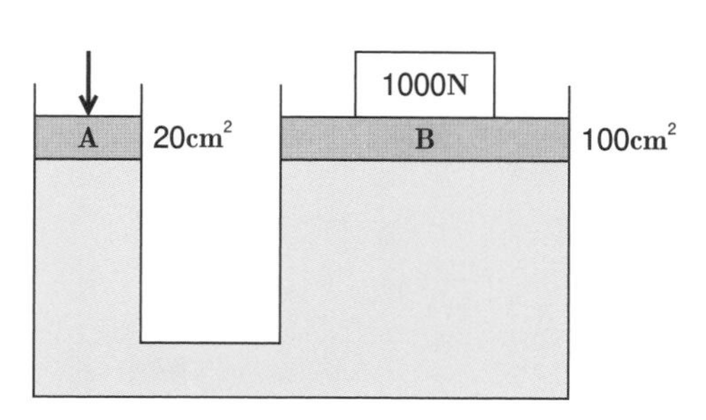

(1) 200N　(2) 500N　(3) 2000N　(4) 5000N

解　説

問1　蓄圧式消火器（153 ページ）の容器内には，高圧の窒素ガスが充てんされており，内部からふくらもうとする力が働きます。そのため消火器本体は内側から外側へ引っ張られます。

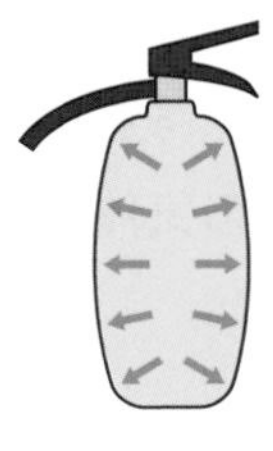

解答（1）　参照 37 ページ

問2　荷重には，常に一定の大きさの向きの力が作用する静荷重と，大きさや向きが変化する動荷重があります。静荷重と動荷重には，それぞれ次のような種類があります。

静荷重
- 集中荷重　…力が一点に集中している場合
- 分布荷重　…力が物体の表面に分布して加わる場合

動荷重
- 繰返し荷重…連続的に繰り返し加わる荷重
- 交番荷重　…正負の力が交互に加わる荷重
- 衝撃荷重　…瞬間に加わる荷重

選択肢 (3) の分布荷重は，力が物体の表面に分布している荷重です。連続的に繰り返し加わる力による荷重は，繰返し荷重です。

解答（3）　参照 38 ページ

問3　引張り荷重に対する引張り応力 σ は，$\sigma = W / A$ で求められます。荷重 W は設問より 314N，断面積 A は $5 \times 5 \times 3.14\text{mm}^2$ なので，

$$\sigma = \frac{314}{5 \times 5 \times 3.14} = \frac{100}{25} = 4 \text{〔N/mm}^2\text{〕〔MPa〕}$$

となります。

解答（1）　参照 39 ページ

問4　せん断応力 $\tau = W/A$ で求めます。荷重 W = 400N，断面積 A = 20mm² ですから，

$$\tau = \frac{400}{20} = 20 \text{〔N/mm}^2\text{〕〔MPa〕}$$

となります。

解答（3）　参照 39 ページ

問5　A の直径を d とすると，B の直径は $2d$ で表されます。それぞれの断面積は，

$$\text{Aの断面積} = \frac{d}{2} \times \frac{d}{2} \times \pi = \frac{d^2\pi}{4} \qquad \text{Bの断面積} = d \times d \times \pi = d^2\pi$$

となります。応力 $\tau = W/A$ より，

$$\text{Aの応力} = \frac{W}{d^2\pi/4} = \frac{4W}{d^2\pi} \qquad \text{Bの応力} = \frac{W}{d^2\pi}$$

以上から，A の応力は，Bの応力の 4 倍となります。

解答（2）　参照 39 ページ

問6　ひずみ ε は，$\varepsilon = \dfrac{l_1 - l}{l}$ で求めます。

$$\varepsilon = \frac{105 - 100}{100} = \frac{5}{100} = 0.05$$

解答（1）　参照 40 ページ

問7 図の各点は，次のようになります。

A：比例限度…荷重と伸びが比例する限界

B：弾性限度…伸びが元に戻る限界

C，D：降伏点…荷重を加えなくても伸びが増加する

E：極限強さ…材料が荷重に耐えうる限度

F：破壊点…材料が破壊される点

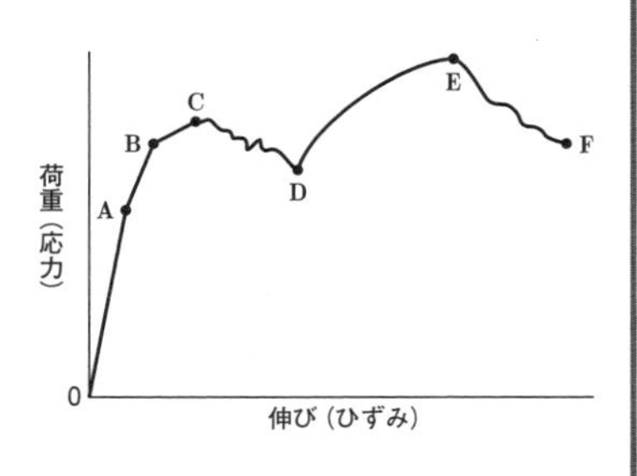

解答（3）　参照 40ページ

問8 クリープとは，材料に一定の荷重を加え続けると，時間経過とともにひずみが増大していく現象です。一般に，温度や応力が高いほどクリープは起こりやすくなります。また，長時間荷重を加え続ければ，荷重が弾性限度内であっても発生します。

解答（1）　参照 41ページ

問9 安全率＝引張り強さ÷許容応力より，

$$\text{許容応力} = \frac{\text{引張り強さ}}{\text{安全率}}$$

で求めます。したがって，許容応力は，$500 \div 5 = 100\text{N/mm}^2$ となります。断面積は関係ありません。

解答（1）　参照 41ページ

問10 はりの種類には，片持ちはり，固定はり，張り出しはり，連続はり，両端支持はりがあります。

連続張りは，3個以上の支点で支持されているはりなので，(4)は誤りです。

解答（4）　参照 42ページ

問11　「M10」の「M」はねじの種類を表す記号で，メートルねじを表します。メートルねじは，直径及びピッチをミリメートルで表したネジのことです。また「M10」の「10」は，呼び径が10mmであることを示します。

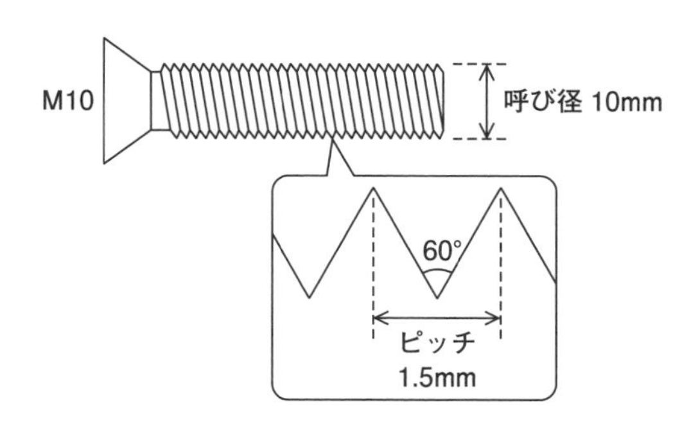

解答（4）　参照 43 ページ

問12

○（1）止めねじは，軸にハンドルを固定したり，ナットの緩み止めに使うネジです。

×（2）リード角が異なると，ネジを締めることができません。誤りです。

○（3）座金は，ナットやボルトの座面と材料の間にはさんで緩みを防止するために使います。

○（4）ピンや小ねじ（ビス）は，部品を固定したり，ナットの緩み止めに使います。

解答（2）　参照 43 ページ

問13　鉄鋼には錆びやすい性質があります。鉄鋼にクロムやニッケルを加え，錆びにくくした合金がステレンレス鋼です。

×（1）鉄鋼は水中で錆びやすいので，誤りです。

○（2）緑青（ろくしょう）は，銅が酸化して生成される青緑色の化合物です。

○ (3) アルミニウムは空気中で自然に酸化して，表面に酸化アルミニウムの被膜を形成し，内部の腐食を防ぐ働きがあります。

○ (4) マグネシウムやマグネシウム合金は水などに反応しやすく，耐食性は低いです。

解答 (1)　参照 44 ページ

問 14 銅合金のうち，青銅は銅とすずの合金，黄銅は銅と亜鉛の合金です。青銅をブロンズ（砲金），黄銅をブラス（真鍮）ともいいます。

解答 (4)　参照 45 ページ

問 15 ジュラルミンはアルミニウム，銅，マグネシウム，マンガンの合金で，鉄鋼は含まれていません。

解答 (3)　参照 45 ページ

問 16 ステンレス鋼として最も代表的なものは，炭素鋼にクロム18%，ニッケル 8%を加えたもので，オーステナイト系ステンレス鋼と呼ばれます。ナイフやフォークに「18-8」という刻印があったら，このステンレス鋼のことです。

解答 (3)　参照 47 ページ

問 17 耐熱鋼は，高温での強度や耐食性を高めた合金鋼です。成分はステンレス鋼と類似していて，炭素鋼にニッケルやクロムなどを加えます。

解答 (1)　参照 46 ページ

問 18 金属の熱処理として，①焼入れ，②焼戻し，③焼なまし，④焼ならしの 4 種類を覚えておきましょう。

熱処理	方法	効果
焼入れ	高温に加熱し，急冷却する	硬度・強さを増す
焼戻し	再加熱し，徐々に冷却する	粘りを持たせ，加工しやすくする
焼なまし	一定時間加熱後，徐々に冷却する	組織を安定させる
焼ならし	加熱後，大気中で自然冷却	ひずみの除去・組織の均一化

選択肢（2）の焼戻しは，粘りを減じるのではなく，粘りを増やす処理なので誤りです。

解答（2）　参照 45 ページ

問19　鋼は，鉄に 0.02 ～ 2%程度の炭素を加えたもので，炭素含有量によって，次のように性質が変わります。

・炭素含有量が多い……硬さ・引張り強さは増すが，もろくなる。
・炭素含有量が少ない…粘りが増大し，加工しやすくなる。

したがって選択肢（3）「炭素含有量が少ないほど加工しにくくなる」が誤りです。

解答（3）　参照 46 ページ

問20　気体は，圧力を一定にすれば，絶対温度が高いほど体積が増加します。また，絶対温度を一定にすれば，圧力が高いほど体積が減少します。ボイル・シャルルの法則は以上をまとめたもので，「気体の体積は絶対温度に比例し，圧力に反比例する」となります。

解答（2）　参照 49 ページ

問21　圧力P，絶対温度T，体積Vのとき，ボイル･シャルルの法則より，

$$\frac{PV}{T} = k \quad \rightarrow \quad V = k\frac{T}{P} \quad (※\ k = 一定)$$

圧力 P が 5 倍，絶対温度 T が 3 倍になると，体積 V の値は次のように変わります。

$$V = k\frac{3T}{5P} = \frac{3}{5} \times k\frac{T}{P}$$

このように，体積 V は 3／5 倍になります。

解答（3）　参照 50 ページ

問 22　ピストン A に加える力を P とすれば，パスカルの原理により，次の式が成り立ちます。

$$\frac{P}{\text{Aの面積}} = \frac{1000\text{N}}{\text{Bの面積}}$$

したがって，

$$P = 1000 \times \frac{\text{Aの面積}}{\text{Bの面積}} = 1000 \times \frac{20}{100} = 200\ 〔\text{N}〕$$

となります。

解答（1）　参照 48 ページ

解答

問 1　(1)	問 7　(3)	問 13　(1)	問 19　(3)
問 2　(3)	問 8　(1)	問 14　(4)	問 20　(2)
問 3　(1)	問 9　(1)	問 15　(3)	問 21　(3)
問 4　(3)	問 10　(4)	問 16　(3)	問 22　(1)
問 5　(2)	問 11　(4)	問 17　(1)	
問 6　(1)	問 12　(2)	問 18　(2)	

消防関係法令

消防関係法令（各類に共通する部分）

この節の学習内容とまとめ

□ 特定防火対象物

- 劇場，映画館
- 公会堂，集会場
- キャバレー，カフェー，ナイトクラブ等
- 遊技場，ダンスホール
- 性風俗関連店舗
- カラオケボックス等
- 待合，料理店等
- 飲食店
- 百貨店，マーケット，その他の店舗，展示場
- 旅館，ホテル，宿泊所等
- 病院，診療所，助産所
- 自力避難困難者入所施設
- その他の社会福祉施設
- 幼稚園，特別支援学校
- 蒸気浴場，熱気浴場（サウナ）
- 特定用途部分を含む複合用途防火対象物
- 地下街
- 準地下街

□ 防火管理者が必要な防火対象物

①収容人員 10 人以上の自力避難困難者入所施設
②収容人員 30 人以上の特定防火対象物（①以外）
③収容人員 50 人以上の非特定防火対象物

□ 防炎防火対象物

①特定防火対象物　②高層建築物
③工事中の建築物　④テレビ，映画スタジオ

□ 防火対象物点検が必要な防火対象物

①収容人員 300 人以上の特定防火対象物（準地下街を除く）
②収容人員 30 人以上の特定 1 階段等防火対象物※
③収容人員 10 人以上の自力避難困難者入所施設を含む特定 1 階段等防火対象物※

※地下街・準地下街を除く

□ 消防用設備等

消防の用に供する設備	消火設備	消火器，簡易消火用具，屋内消火栓設備，スプリンクラー設備，水噴霧消火設備，泡消火設備，不活性ガス消火設備，ハロゲン化物消火設備，粉末消火設備，屋外消火栓設備，動力消防ポンプ設備
	警報設備	自動火災報知設備，ガス漏れ火災警報設備，漏電火災警報器，消防機関へ通報する火災報知設備，非常警報器具，非常警報設備
	避難設備	滑り台，避難はしご，救助袋，緩降機，避難橋，誘導灯，誘導標識
消防用水		防火水槽，貯水池等
消火活動上必要な施設		排煙設備，連結散水設備，連結送水管，非常コンセント設備，無線通信補助設備

□ 消防用設備等の設置後に届出（完了後４日以内）が必要な場合

- カラオケボックス等，旅館・ホテル・宿泊所，病院・診療所・助産所（入院施設のあるもの），自力避難困難者入所施設，その他の福祉施設等（宿泊・入居施設のあるもの）
- 特定 1 階段等防火対象物
- 延べ面積 300m² 以上のその他の特定防火対象物
- 消防長または消防署長の指定を受けた非特定防火対象物

□ 消防設備士等による点検が必要な場合

①延べ面積 1,000m² 以上の特定防火対象物
②延べ面積 1,000m² 以上で，消防長または消防署長の指定を受けた非特定防火対象物
③特定 1 階段等防火対象物
④不活性ガス消火設備を設置した防火対象物

□ 消防設備士免状の交付・書換え・再交付

交付	都道府県知事
書換え	免状を交付した都道府県知事，居住地または勤務地の都道府県知事
再交付	免状の交付または書換えをした都道府県知事

防火対象物

1 防火対象物とは

防火対象物とは，火災予防の対象となるもののことで，消防法では「山林または舟車（しゅうしゃ），船きょもしくはふ頭に繋留（けいりゅう）された船舶，建築物その他の工作物もしくはこれらに属する物」と定義されています。

防火対象物は，その用途によって次ページの表（消防法施行令別表第1）のように区分されています。大まかに言えば，一戸建て住宅以外のほとんどの建造物はこの表に含まれています。また，その中に収容されているものも防火対象物になります。

2 消防対象物との違い

防火対象物とよく似ていてまぎらわしいものに，消防対象物があります。

消防対象物は，消防法で「山林または舟車，船きょもしくはふ頭に繋留された船舶，建築物その他の工作物または物件」と定義されています。最後の「または物件」の部分だけが防火対象物と違っていることに注意しましょう。「物件」には一般の土地建物も含まれるので，防火対象物より広範囲のものが該当すると考えられます。

防火対象物	消防対象物 山林または舟車，船きょもしくはふ頭に繋留された船舶，建築物その他の工作物 または物件	もしくはこれらに属するもの

補足

舟車
ボート，はしけなどの舟や自動車のこと。

補足

船きょ
ドックのこと。

消防法施行令別表第１

※□は特定防火対象物

項	用途
(1)	イ　劇場，映画館，演芸場または観覧場
	ロ　公会堂または集会場
(2)	イ　キャバレー，カフェー，ナイトクラブ等
	ロ　遊技場またはダンスホール
	ハ　性風俗関連特殊営業を営む店舗等
	ニ　カラオケボックス等
(3)	イ　待合，料理店等
	ロ　飲食店
(4)	百貨店，マーケットその他の物品販売業を営む店舗または展示場
(5)	イ　旅館，ホテル，宿泊所等
	ロ　寄宿舎，下宿または共同住宅
(6)	イ　病院・診療所・助産所（入院施設のあるものとないものに区分：次ページ「補足」参照）
	ロ　自力避難困難者入所施設（①要介護老人施設，②救護施設，③乳児院，④障害児入所施設，⑤障害者支援施設・短期入所等施設）
	ハ　ロ以外の社会福祉施設（①老人施設，②更生施設，③助産施設・保育所・認定こども園・児童施設，④児童発達支援センター・児童心理治療施設等，⑤身体障害者福祉センター・障害者支援施設・地域活動支援センター・福祉ホーム等）
	ニ　幼稚園または特別支援学校
(7)	小学校，中学校，義務教育学校，高等学校，中等教育学校，高等専門学校，大学，専修学校，各種学校その他これらに類するもの
(8)	図書館，博物館，美術館等
(9)	イ　蒸気浴場，熱気浴場（サウナ）等
	ロ　イ以外の公衆浴場
(10)	車両の停車場または船舶もしくは航空機の発着場
(11)	神社，寺院，教会等
(12)	イ　工場または作業場
	ロ　映画スタジオまたはテレビスタジオ
(13)	イ　自動車車庫または駐車場
	ロ　飛行機または回転翼航空機の格納庫
(14)	倉庫
(15)	前各項に該当しない事業場
(16)	イ　複合用途防火対象物（雑居ビル）のうち，その一部が特定防火対象物の用途に供されているもの
	ロ　イ以外の複合用途防火対象物
(16の2)	地下街
(16の3)	準地下街（次ページ「補足」参照）
(17)	重要文化財，史跡等に指定された建造物
(18)	延長50メートル以上のアーケード
(19)	市町村長の指定する山林
(20)	総務省令で定める舟車

3 特定防火対象物

防火対象物のうち，不特定多数の人が出入りする施設や，病院，幼稚園などのように避難(ひなん)が難しい人のいる施設については，特に厳重な防火管理が必要です。そのため，これらの施設は**特定防火対象物**に指定されています。具体的には，前ページの表のうち，色網のついている項目が特定防火対象物になります。

以下のように，特定防火対象物かどうかがまぎらわしいものもあるので注意しましょう。

特定防火対象物	非特定防火対象物
旅館，ホテル，宿泊所 病院，保育所，幼稚園 サウナ	寄宿舎，下宿，共同住宅 小学校，中学校，高校 図書館，美術館，博物館

4 複合用途防火対象物

前ページ表の (1) ～ (15) のうち，2つ以上の用途を含んでいる防火対象物を，**複合用途防火対象物**といいます。いわゆる「雑居ビル」のことです。

雑居ビルの中に，特定防火対象物となる用途（特定用途）の部分が含まれている場合は，そのビル全体が特定防火対象物となります（前ページ表 (16) のイ）。

5 無窓階

建築物の地上階のうち，避難上または消火活動上有効な開口部をもたない階を，**無窓階**(むそうかい)といいます。「窓がない階」という意味ではなく，窓があってもそれらの面積等が基準を満たさければ無窓階とみなします。

補足

病院・診療所・助産所

令別表第1(6)項イは，①特定診療科の病院，②特定診療科の有床診療所，③上記以外の病院・有床診療所・有床の助産所，④無床の診療所・助産所の４つに分類されており，①～③が入院施設あり，④が入院施設なしとなります。

補足

自力避難困難者入所施設

令別表第１（6）項ロは，自力での避難が困難な人が多く入所している社会福祉施設が該当します。それ以外の施設が（6）項ハとなります。なお，「自力避難困難者入所施設」は正式な用語ではありません。

補足

準地下街

地下道と，その地下道に連続して面した建築物の地階を合わせたもの（ただし，特定防火対象物の用途に供される部分が存するものに限る）。

火災の予防

1 消防の組織

日本の消防行政は，国や都道府県ではなく，市町村がそれぞれ自分の地域について責任を負うしくみになっています。

市町村ごとに設置される消防機関には，**消防本部**と**消防団**があります。

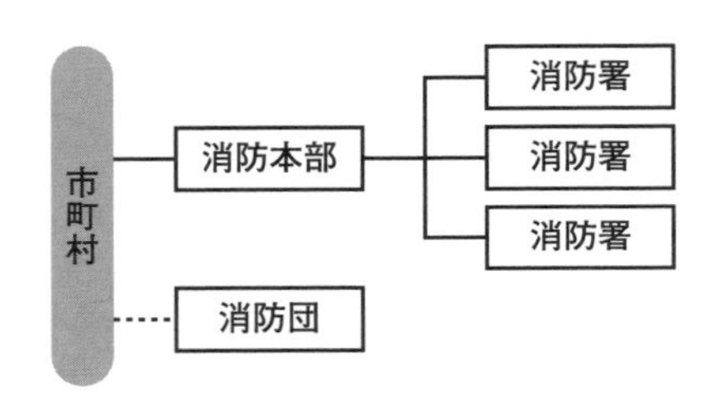

消防本部は市町村ごとに設置される行政組織で，管内にある複数（1つだけの場合もある）の**消防署**を統括します。

一方，消防団は一般市民の団員で構成される消防組織です。ほとんどの市町村には消防本部と消防団の両方が設置されていますが，消防本部のない市町村では，消防団がその地区の消防業務をになっています。

消防本部の長を**消防長**，消防署の長を**消防署長**といいます。また，消防本部や消防署で消防の任にあたる職員を**消防吏員**（りいん）といいます。消防吏員は全員が地方公務員です。

消防長（消防本部がない市町村では，市町村長），消防署長，消防吏員には，火災を予防するために，必要に応じて命令や立入検査を行う権限が与えられています。主なものを理解しておきましょう。

2 屋外における火災予防（消防法第３条）

消防長・消防署長・その他の消防吏員は，屋外で火災予防上危険であったり，消火活動に支障がある場合に，以下の命令を行うことができます。

・火遊び，喫煙，たき火などの禁止・停止・制限・消火準備
・残火（ざんか），取灰（とりばい）（かまどから取り出した灰），火粉（ひのこ）の始末
・危険物の除去
・放置された物件の整理，除去

消防団長や消防団員には，これらを命じる権限はありません。

3 立入検査（消防法第４条）

消防長または消防署長は，火災予防のために必要があるときは，関係者に資料の提出や報告を求めたり，消防職員などに立入検査を行わせることができます。

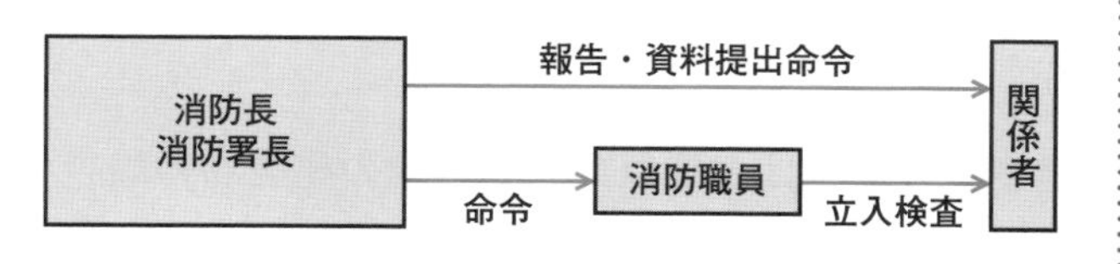

なお，立入検査はあらゆる仕事場・工場・その他の関係ある場所で行えます。ただし，個人の住居については承諾を得た場合や特に緊急の場合に限ります。

4 防火対象物に対する措置命令（消防法第５条）

消防長・消防署長または消防本部のない市町村の長は，防火対象物の位置・構造・設備や管理状況が火災

補足

東京消防庁
東京消防庁は，東京23区を管轄（かんかつ）する特殊な消防本部で，例外的に東京都の機関となっています。国の機関である消防庁とは別組織。

補足

関係者
防火対象物や消防対象物の所有者，管理者または占有者を，まとめて関係者といいます。

補足

関係のある場所
防火対象物や消防対象物のある場所を，それらに関係のある場所といいます。

補足

消防団員による立入検査
消防本部のない市町村では，常勤の消防団員に立入検査をさせることができます。また，火災予防上特に必要があるときは，消防対象物及び期日を指定して，管轄区内の消防団員に立入検査をさせることができます。

予防上危険であったり，消火や避難の支障になる等の場合には，権原のある関係者に対して，防火対象物の改修や移転，除去，工事の停止または中止などを命じることができます。

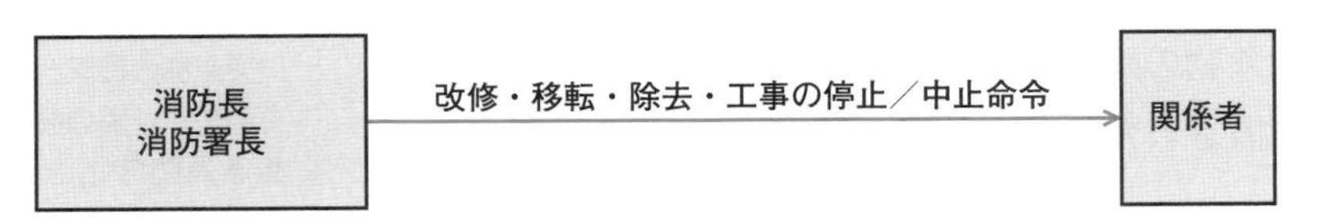

ただし，他の法令によって建築・増築・改築等の許可や認可を受け，その後事情の変更していない建築物等については例外となります。

5 消防の同意（消防法第７条）

建築物を新築・改築するときは，その建物が定められた基準に従っていることを特定行政庁（建築主事を置く市町村または都道府県の長）に確認してもらわなければなりません。この手続きを建築確認といいます。

実際の建築確認は，市町村長が任命する建築主事や，市町村長から委託された指定確認検査機関と呼ばれる民間機関が行っています。建築確認を求められた建築主事等は，その建築物が消防法上問題ないことについて，さらに所轄（しょかつ）の消防長または消防署長の同意を得なければなりません。これが消防同意という手続きです。

消防同意は，一般建築物の場合は３日以内，その他の建築物の場合は７日以内に，建築主事等に通知します。

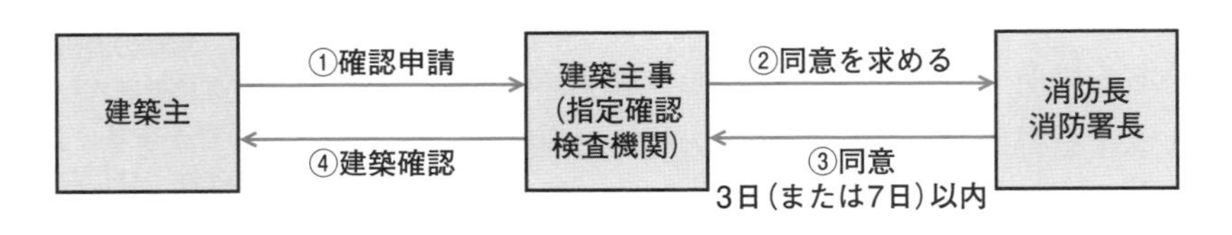

防火管理者

1 防火管理者とは（消防法第８条）

一定規模以上の防火対象物では，防火管理上必要な業務を行うために，防火管理者を選任しなければなりません。

防火管理者を選任するのは，その防火対象物の管理について権原（けんげん）をもつ者（＝管理権原者）です。具体的には，建物の所有者やテナントの事業主などが管理権原者となり，防火管理者を選任する義務が生じます。なお，管理権原者自身が防火管理者になってもかまいません。

管理権原者は，防火管理者を選任または解任したときは，その旨を遅滞（ちたい）なく，所轄消防長または消防署長に届け出なければなりません。

2 防火管理者を置かなければならない防火対象物

防火管理者の選任が必要なのは，多数の人が出入りしたり，勤務していたり，住んでいたりする防火対象物で，次のように定められています。

覚える　**防火管理者の選任が必要な防火対象物**

①自力避難困難者入所施設※1（令別表１（6）項ロの用途）	収容人員10人以上
②特定防火対象物（①以外）	収容人員30人以上
③非特定防火対象物	収容人員50人以上
④一定規模以上の新築工事中の建築物・建造中の旅客船	

※１自力避難困難者入所施設の用途を含む複合用途防火対象物についても同じ

補足

建築主事
建築確認を行うために市町村または都道府県に設置される公務員。

補足

指定確認検査機関
建築確認を行う民間の機関

補足

権原
ある行為を正当に行うことができる法律上の根拠のこと。具体的には所有権や賃借権などが該当し，権限ではなく権原と書きます。

補足

遅滞なく
「すぐに」という意味。

補足

令別表第１（68ページ）の防火対象物のうち，準地下街，アーケード，山林，舟車については，収容人員にかかわらず防火管理者は必要ありません。ただし，準地下街については統括防火管理者（74ページ）を定めます。

なお，管理権原者が同じ防火対象物が同一敷地内に２つ以上ある場合は，それらを１つの防火対象物とみなして収容人員を合計します。

3 防火管理者の業務

防火管理者が行わなければならない業務には，次のものがあります。

- 消防計画の作成
- 消防計画に基づく消火，通報及び避難訓練の実施
- 消防用設備，消防用水または消火活動上必要な施設の点検及び整備
- 火気の使用・取扱いに関する監督
- 避難または防火上必要な構造及び設備の維持管理
- 収容人員の管理
- その他防火管理上必要な業務

4 統括防火管理者 (消防法第 8 条の 2)

雑居ビルや地下街のようにいくつものテナントがある防火対象物では，管理権原者も複数になります。それらのうち，以下のものについては，建物全体の防火管理業務を行う統括防火管理者を選任し，統括消防長または消防署長に届け出ることが定められています。

覚える　**統括防火管理者の選任が必要なもの**

①高層建築物（高さ 31m を超える建築物）	
②自力避難困難者入所施設※1	地階を除く階数が 3 以上で，収容人員が 10人以上のもの
③特定防火対象物（②以外）	地階を除く階数が 3 以上で，収容人員が 30人以上のもの
④特定用途部分を含まない複合用途防火対象物	地階を除く階数が 5 以上で，収容人員が 50人以上のもの
⑤地下街	消防長または消防署長が指定するもの
⑥準地下街	

※ 1 自力避難困難者入所施設の用途を含む複合用途防火対象物についても同じ

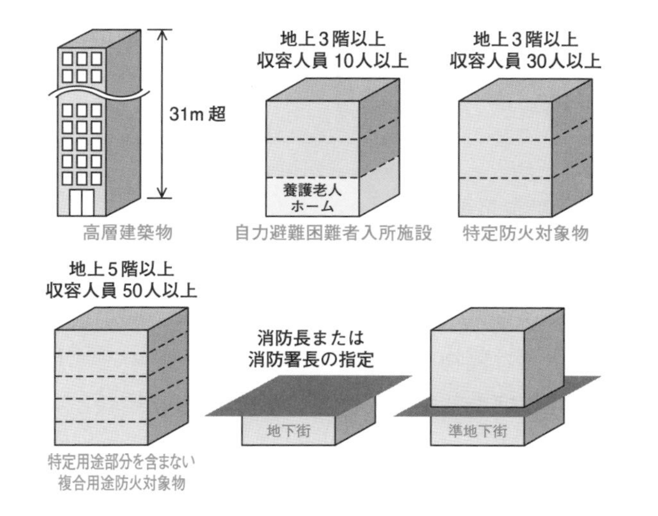

高層建築物　自力避難困難者入所施設　特定防火対象物
特定用途部分を含まない複合用途防火対象物

統括防火管理者は，防火対象物全体についての消防計画を作成し，それにもとづく消火訓練・避難訓練の実施，廊下・階段といった避難上必要な共用部分の管理などを行います。

5 防火対象物点検（消防法第8条の2の2）

以下の防火対象物の管理権原者は，建物の防火管理が適切に行われているかについて，防火対象物点検資格者による定期的なチェックを受け，その結果を消防長・消防署長に報告しなければなりません。

防火対象物点検が必要な防火対象物は，以下に該当するものです。

防火対象物点検が必要なもの

① 特定防火対象物（準地下街を除く）	収容人員 300 人以上
② 特定 1 階段等防火対象物※	収容人員 30 人以上
③ 地階または 3 階以上の階に自力避難困難者入居施設がある特定 1 階段等防火対象物※	収容人員 10 人以上

※地下街，準地下街を除く

補足

甲種防火管理者と乙種防火管理者

防火管理者の資格には甲種と乙種があり，次の防火対象物には，甲種防火管理者を選任しなければなりません。

- 特定防火対象物（収容人員 30 人以上）で延べ面積が 300m² 以上
- 非特定防火対象物（収容人員 50 人以上）で延べ面積が 500m² 以上

補足

高層建築物

高さが 31 メートルを超えるものを高層建築物というのは，以前の規制で建物に 100 尺（＝約 31 メートル）の高さ制限があったなごりです。

補足

特定 1 階段等防火対象物

特定防火対象物の用途部分が地階または 3 階以上の階にあり、その階から地上に出るための階段が、屋内階段 1 つしかない建物のこと。

防炎規制

1 防炎防火対象物（消防法第８条の３）

窓にかかっているカーテンや劇場のどん帳などは，火災発生時に燃えうつって延焼の原因になることがあります。

そのためこれらを特定の防火対象物で使用する場合は，一定の基準以上の防炎性能をもつものでなければなりません。この規制を**防炎規制**といいます。

防炎規制 ＝ **延焼の原因となるカーテンなどには，一定の防炎性能を備えたものを使用すること**

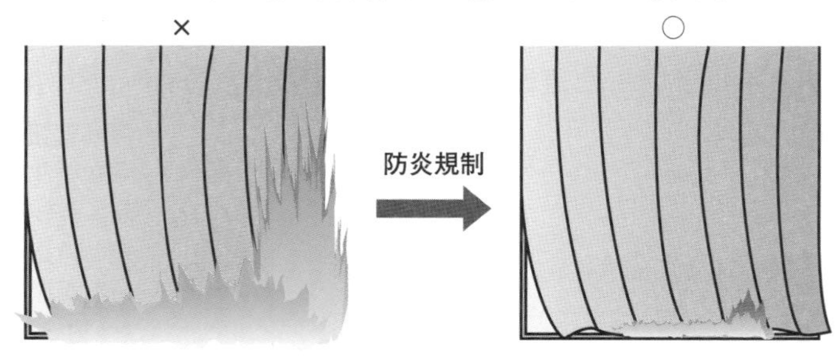

防炎規制を受ける防火対象物（＝防炎防火対象物）の種類は，以下のとおりです。

覚える

①特定防火対象物（地下街を除く）
②高層建築物（高さ 31m 超）
③工事中の建築物
④テレビスタジオ，映画スタジオ

工事中の建築物は特定防火対象物ではありませんが，工事用シートを使うので防炎規制を受けます。また，テレビや映画のスタジオは暗幕や舞台セットなどを大量に使うため，防炎防火対象物に加えられています。

2 防炎対象物品

防炎規制の対象となる物品には，以下の種類があります。

- カーテン
- 布製のブラインド
- 暗幕
- じゅうたん等
- 展示用の合板
- どん帳その他舞台において使用する幕
- 舞台において使用する大道具用の合板
- 工事用シート

これらの物品を防炎防火対象物で使用する場合には，基準以上の防炎性能が必要です。

危険物施設

1 危険物とは

ここでいう危険物は，消防法で定められたものを指します。具体的にどんな物質が危険物になるかは，消防法の「別表第 1」に掲げられています。

類別	性質	主な品名
第 1 類	酸化性固体	塩素酸塩類，過塩素酸塩類，無機過酸化物，亜塩素酸塩類，臭素酸塩類，硝酸塩類，よう素酸塩類，過マンガン酸塩類，重クロム酸塩類など
第 2 類	可燃性固体	硫化りん，赤りん，硫黄，鉄粉，金属粉，マグネシウム，引火性固体など
第 3 類	自然発火性物質及び禁水性物質	カリウム，ナトリウム，アルキルアルミニウム，アルキルリチウム，黄りん，アルカリ金属など
第 4 類	引火性液体	特殊引火物，第 1 石油類，アルコール類，第 2 石油類，第 3 石油類，第 4 石油類，動植物油類
第 5 類	自己反応性物質	有機過酸化物，硝酸エステル類，ニトロ化合物，ニトロソ化合物，アゾ化合物，ジアゾ化合物など
第 6 類	酸化性液体	過塩素酸，過酸化水素，硝酸など

表のように，危険物はその性質によって，第 1 類～第 6 類の 6 種類に区分されています。身近なものでは，ガソリンや灯油，軽油などが，第 4 類の危険物です。

また，消防法上の危険物はすべて常温で固体か液体です。気体はありません。たとえば，プロパンガスは消防法上の危険物ではありません。

2 製造所等

危険物には，その危険度に応じて指定数量が決められており，指定数量以上の危険物は，定められた危険物施設以外で貯蔵したり，取り扱うことができません。

たとえば，ガソリンの指定数量は200リットルなので，200リットル以上のガソリンを貯蔵するのは，原則として危険物施設でなければなりません。

危険物施設には，大きく製造所，貯蔵所，取扱所の3種類があります。法令では，これらをまとめて「製造所等」といいます。

危険物施設	内容
製造所	危険物を製造する施設
屋内貯蔵所	容器に入った危険物を屋内に貯蔵する倉庫
屋外貯蔵所	容器に入った危険物を屋外に貯蔵する施設
屋内タンク貯蔵所	屋内のタンクに危険物を貯蔵する施設
屋外タンク貯蔵所	屋外のタンクに危険物を貯蔵する施設
地下タンク貯蔵所	地下タンクに危険物を貯蔵する施設
簡易タンク貯蔵所	簡易タンクに危険物を貯蔵する施設
移動タンク貯蔵所	車両に固定したタンクに危険物を貯蔵する施設（タンクローリー）
給油取扱所	自動車等に給油をする取扱所（ガソリンスタンド）
販売取扱所	危険物を販売のために取り扱う店舗
移送取扱所	配管やポンプで危険物を移送する施設（パイプライン）
一般取扱所	給油･販売･移送以外の危険物取扱所（ボイラー施設，クリーニング工場など）

3 製造所等の設置・変更

危険物を扱う製造所等は，勝手に設置することはできません。

補足

仮貯蔵・仮取扱い
所轄消防長または消防署長の承認を得て，指定数量以上の危険物を，製造所等以外の場所で貯蔵または取り扱うこと。10日以内に限って認められています。

製造所等を新たに設置したり，既存の製造所等の一部を変更するときは，事前に**市町村長等**に申請して，**許可**を得なければなりません。

市町村長等というのは，市町村長，都道府県知事，総務大臣のいずれかです。このうちの誰に申請するかは，製造所等を設置する場所によって，以下のように決まります。

①消防本部及び消防署のある市町村の区域　→　市町村長
②消防本部及び消防署のない市町村の区域　→　都道府県知事
③移送取扱所が，２つ以上の市町村にまたがって設置される場合
→　都道府県知事
④移送取扱所が，２つ以上の都道府県にまたがって設置される場合
→　総務大臣

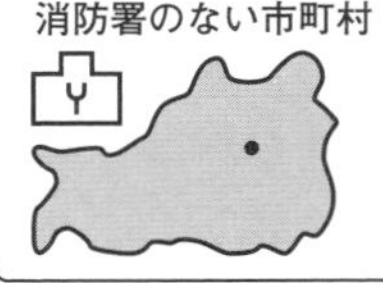

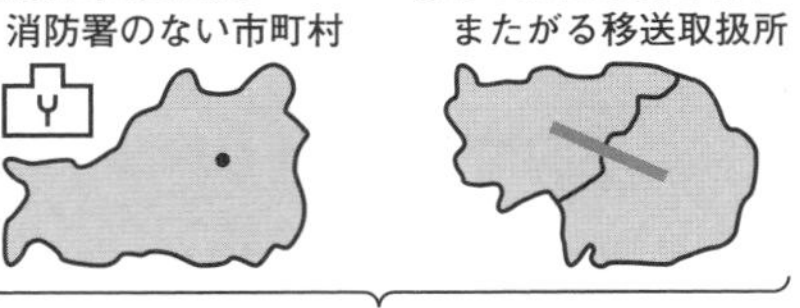

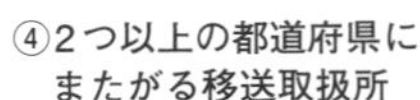

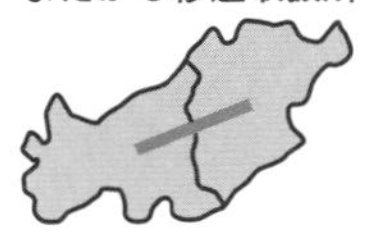

市町村長　　都道府県知事　　総務大臣

4 危険物取扱者

製造所等での危険物の取扱いは，**危険物取扱者**が行います。危険物取扱者の資格には甲種，乙種，丙種の３種類があります。

甲種危険物取扱者	すべての危険物を取り扱うことができる。
乙種危険物取扱者	第１類～第６類のうち，免状に指定された類の危険物のみ取り扱うことができる。
丙種危険物取扱者	第４類危険物の一部のみ取り扱うことができる。

危険物取扱者以外の人が，製造所等で危険物を取り扱う場合には，**甲種または乙種危険物取扱者の立会い**が必要です（丙種危険物取扱者の立会いは不可）。

消防用設備等の設置

1 消防用設備等の種類（消防法第17条第1項）

防火対象物には，火災が発生したときに対処できるように，以下のような設備を技術上の基準に従って設置・維持しなければなりません。これらの設備をまとめて消防用設備等といいます。

消防用設備等は，大きく「消防の用に供する設備」「消防用水」「消火活動上必要な施設」の3種類に分かれ，さらにそれぞれに次のような種類があります。

補足

特殊消防用設備等
現行の法令が想定していない技術によって，通常の消防用設備等と同等以上の性能をもつ消防用設備等で，総務大臣の認定を受けたもの。

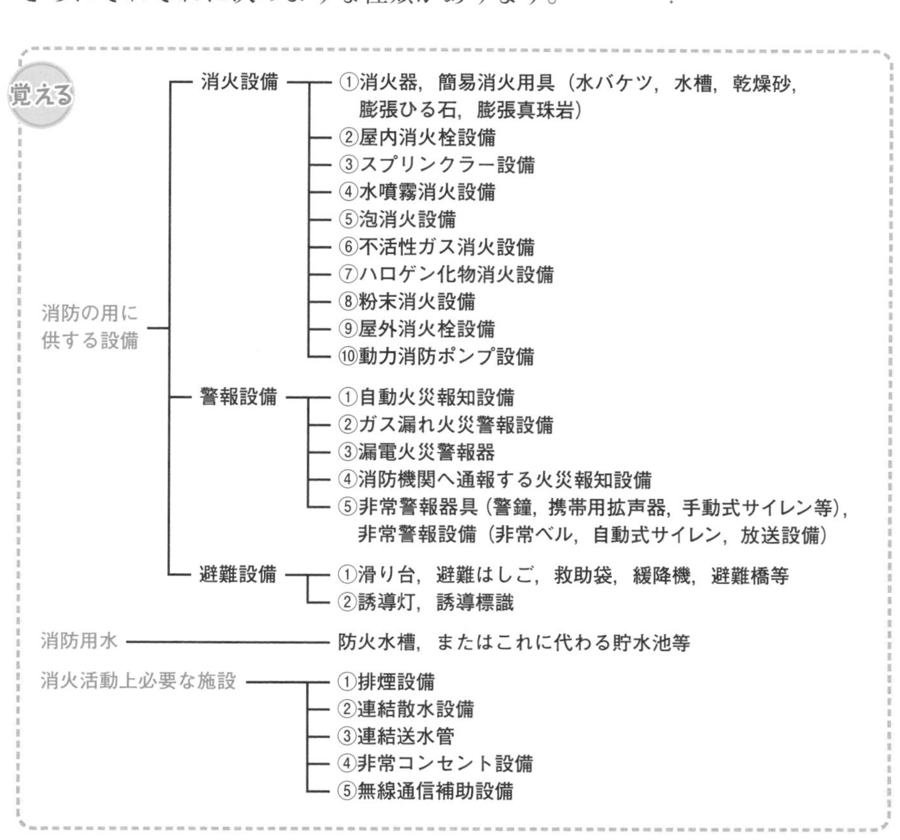

消防用設備等の設置義務があるのは，防火対象物（68ページ表（1）～（20））の関係者です。消防用設備等の設置工事や整備を行うには，一部を除いて消防設備士の資格が必要になります。

2 消防用設備等の設置単位

消防用設備等は，原則として1棟の防火対象物全体を1単位として設置します。ただし，これには次のような例外があります。

①防火対象物が開口部のない耐火構造の床または壁で区画されている場合

この場合は，区画された各部分をそれぞれ別の防火対象物とみなして，技術上の基準を適用します。

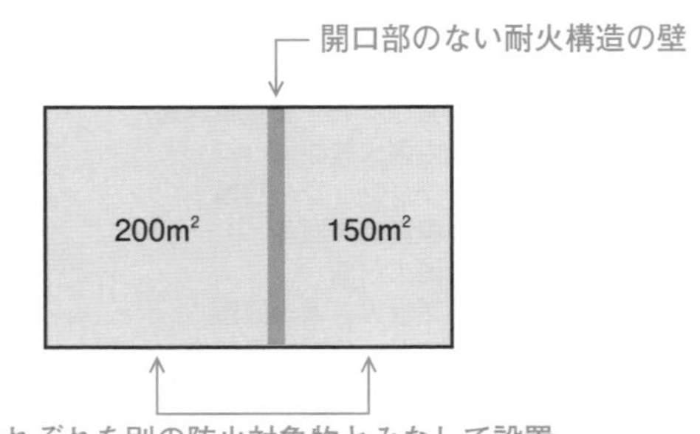

たとえば，延べ面積300m²以上の特定防火対象物には，原則として自動火災報知設備の設置が必要です。しかし上図のように耐火構造の壁で区画した場合は，各部分が300m²未満となるため，自動火災報知設備の設置は不要になります。

②複合用途防火対象物の場合

複合用途防火対象物の場合は，原則として同じ用途部分ごとに1つの防火対象物とみなします。

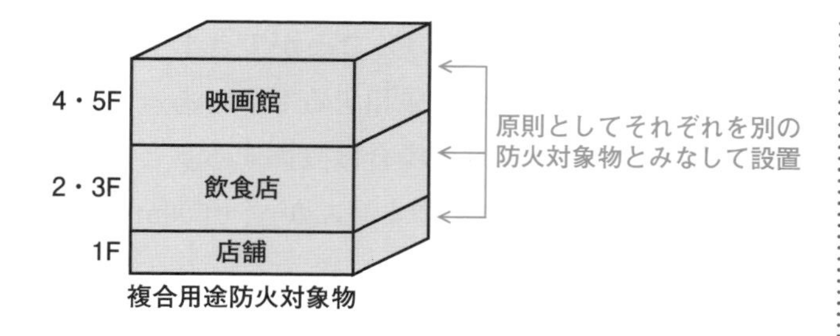

複合用途防火対象物

たとえば，上図のように1棟に映画館，飲食店，店舗が混在している場合は，映画館の部分で1つ，飲食店の部分で1つ，店舗の部分で1つの防火対象物とみなして，それぞれに消防用設備等を設置します。

③地下街

地下街は，テナントごとに複数の用途に使われていますが，全体として1つの防火対象物とみなします。

また，特定防火対象物の地階で，地下街と一体のものとして消防長または消防署長の指定を受けた場合には，特定の消防用設備等については地下街の一部とみなして設置します（スプリンクラー設備，自動火災報知設備，ガス漏れ火災警報設備，非常警報設備）。

④渡り廊下などで防火対象物を接続した場合

渡り廊下や地下連絡路などで2つの防火対象物を接続した場合は，原則としてあわせて1棟とみなされます。ただし，一定の防火措置を講じた場合には，それぞれ別の棟として基準を適用できます。

3 附加条例（消防法第17条第2項）

その地方または風土の特殊性によっては，通常の設置基準がうまく適用できない場合があります。その場

補足

開口部
扉や窓，換気口など。

補足

耐火構造
鉄筋コンクリート造やれんが造など。

補足

複合用途防火対象物の例外
以下の消防用設備等については，複合用途防火対象物であっても1棟全体を設置単位とします。

- スプリンクラー設備
- 自動火災報知設備
- ガス漏れ火災警報設備
- 漏電火災警報器
- 非常警報設備
- 避難器具
- 誘導灯

合には，市町村条例によって，異なる規定を設けることができます。

なお，条例による規定は，通常の設置基準を緩和するものであってはなりません。たとえば「延べ面積が500m²以上の場合は設置する」という基準を，条例で「300m²以上」とするのは問題ありませんが，「1,000m²以上」にすることはできません。

4 既存防火対象物に対する適用除外（消防法第17条の2の5）

法令の改正によって設置基準が変更になった場合でも，すでに建っている防火対象物については，改正前の基準法令に従えばよいことになっています。これは，法令が改正されるたびに設備を変更するのは大変だからです。

ただし，次のいずれかの場合については，既存の防火対象物であっても，現行の基準法令に従わなければなりません。

①特定防火対象物の場合

特定防火対象物については，法令の改正で設置基準が変われば，それに合わせて必要な設備も変更しなければなりません。

②一部の消防用設備等

次の消防用設備等については，常に改正後の基準法令に適合させる必要があります。

- **消火器及び簡易消火用具**
- **自動火災報知設備**（特定防火対象物または重要文化財等に設置する場合）
- **漏電火災警報器**
- **ガス漏れ火災警報設備**（特定防火対象物または温泉採取施設に設置する場合）
- **不活性ガス消火設備**（一部の基準のみ）
- **非常警報器具及び非常警報設備**
- **避難器具**
- **誘導灯及び誘導標識**

③基準法令に適合するに至った場合

関係者が自発的に改正後の基準法令に適合させるのは問題ありません。

④改正前の基準法令に適合していない場合

そもそも改正前の基準法令に違反していた場合は，改正前ではなく，改正後の基準法令に適合するように設置しなければなりません。

⑤改正後に大規模な増改築・修繕・模様替えをした場合

基準法令の改正後，床面積1000m^{2}以上，または延べ面積の2分の1以上を増改築した場合には，増改築後の消防用設備等は改正後の基準法令に従って設置します。大規模な修繕や模様替えを行った場合にも同様です。

5 用途を変更した場合の適用除外（消防法第17条の3）

防火対象物の用途を変更して，新しい用途では基準法令に適合しなくなった場合でも，原則として古い用途での基準法令に適合していればいいことになっています。

ただし，次のいずれかの場合については，新しい用途での基準に適合させる必要があります（①～⑤の詳細は前項と同様です）。

①特定防火対象物に用途変更した場合
②一部の消火用設備等
③基準法令に適合するに至った場合
④用途変更前の基準法令に適合していなかった場合
⑤用途変更後に大規模な増改築・修繕・模様替えをした場合

補足

延べ面積
建物の各階の床面積を合計したもの。

消防用設備等の検査と点検

1 設置したら検査が必要（消防法第17条の3の2）

消防用設備等（または特殊消防用設備等）を設置したときには，その旨を消防長または消防署長に届け出て，設置した設備等が技術上の基準に適合しているかどうかの検査を受けます。

◆届出・検査が必要な防火対象物

① 延べ面積にかかわらず検査が必要な場合
- カラオケボックス等
- 旅館・ホテル・宿泊所
- 病院・診療所・助産所（入院施設のあるものに限る）
- 自力避難困難者入所施設
- その他の社会福祉施設（宿泊施設のあるものに限る）
- 上記の用途部分を含む複合用途防火対象物・地下街・準地下街
- 特定1階段等防火対象物（次ページ「補足」参照）

② 延べ面積300m^{2}以上で検査が必要な場合
- ①以外の特定防火対象物
- 消防長または消防署長の指定を受けた非特定防火対象物

◆届出・検査が必要ない消防用設備等

簡易消火用具，非常警報器具を設置した場合は，届出は必要ありません。

その他の消防用設備等（81ページ）を設置した場合には届出が必要になります。

◆届け出る人・届出先

防火対象物の関係者（所有者，管理者または占有者）が，所轄消防長または消防署長に届け出ます。

◆届出期間

設置工事の完了から4日以内に届け出ます。

2 消防用設備等の点検と報告
（消防法第17条の3の3）

防火対象物に設置した消防用設備等（または特殊消防用設備等）は，定期的に点検を行い，機能などに問題がないかどうかを確認します。また，点検を行ったときは，その結果を消防長または消防署長に報告します。

◆消防用設備等の点検が必要な防火対象物

以下の防火対象物については，消防設備士または消防設備点検資格者が点検しなければなりません。

①延べ面積 1,000m² 以上の特定防火対象物
②延べ面積 1,000m² 以上で，消防長または消防署長の指定を受けた非特定防火対象物
③特定1階段等防火対象物
④全域放出方式の不活性ガス消火設備（二酸化炭素を放出するものに限る）が設置されているもの

上記以外の防火対象物については，防火対象物の関係者が点検を行います。

補足

特定1階段等防火対象物
特定防火対象物の用途部分が地階または3階以上の階にあり、その階から地上に出るための階段が、屋内階段1つしかない建物のこと。

◆点検の内容と期間

点検には，**機器点検**と**総合点検**の2種類があります。

点検の種類	点検期間	点検内容
機器点検	6か月ごと	非常電源の作動，外観から判別できる損傷の有無，機能等を確認する
総合点検	1年ごと	設備を作動させ，総合的な機能を確認する

◆点検結果の報告

防火対象物の関係者は，点検結果を維持台帳に記録し，消防長または消防署長に報告します。報告期間は以下のとおりです。

特定防火対象物	1年ごと
非特定防火対象物	3年ごと

3 消防用設備等の設置・維持命令（消防法第17条の4）

消防長または消防署長は，消防用設備等が技術上の基準に従って設置されていない場合や，設置されていてもきちんと維持されていない場合には，防火対象物の関係者で権原のある者に対して，設置または維持するため必要な措置（そち）を命じることができます。

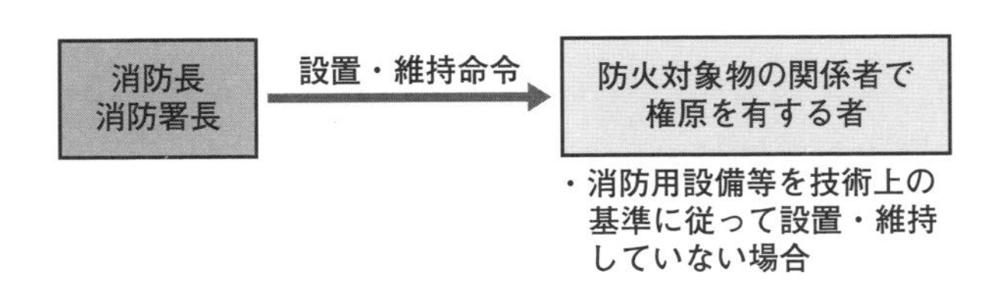

これらの措置命令に違反すると，罰則が科せられます。設置命令に違反した場合には1年以下の懲役または100万円以下の罰金。維持命令に違反した場合には30万円以下の罰金または拘留（こうりゅう）です。

消防設備士制度

1 消防設備士でなければできない業務
(消防法第17条の5)

消防設備士は，防火対象物や危険物施設に消防用設備等や特殊消防用設備等の設置工事をしたり，整備をするための資格です。これらの業務は，消防設備士の免状がなければ行ってはいけません。

◆消防設備士の業務対象設備

消防設備士でなければ工事や整備ができない設備は，以下のとおりです。

覚える

甲種（設置工事・整備）：特類～第5類
乙種（整備のみ）：第1類～第7類

区分	工事整備対象設備
特類	特殊消防用設備等
第1類	屋内消火栓設備，屋外消火栓設備，スプリンクラー設備，水噴霧消火設備
第2類	泡消火設備
第3類	不活性ガス消火設備, ハロゲン化物消火設備,粉末消火設備
第4類	自動火災報知設備，ガス漏れ火災警報設備,消防機関へ通報する火災報知設備
第5類	金属製避難はしご（固定式のみ），救助袋，緩降機
第6類	消火器
第7類	漏電火災警報器

上記のうち，消防設備士でなければ設置ができないのは，特類と第1類～第5類の消防用設備等です。これらの設置には，甲種消防設備士の免状が必要です。

また，第6類の消火器と第7類の漏電火災警報器については，設置は消防設備士でなくても行えますが，整備には乙種消防設備士の免状が必要です。

上記以外の消防用設備等（81ページ参照）の工事・整備については，消防設備士の免状は必要ありません。

◆消防設備士でなくてもできる業務

以下の業務については，消防設備士でなくても行うことができます。

①屋内消火栓設備の表示灯の交換その他の軽微な整備（次ページ「補足」参照）
②電源，水源，配管部分の工事・整備
③任意に設置した消防用設備等の工事・整備

2 消防設備士の免状

消防設備士の免状には，甲種と乙種の2種類があります。

甲種消防設備士	工事と整備の両方ができる資格で，対象設備によって特類および第1類～第5類の6種類に分類されます。
乙種消防設備士	整備のみできる資格で，対象設備によって第1類～第7類の7種類に分類されます。

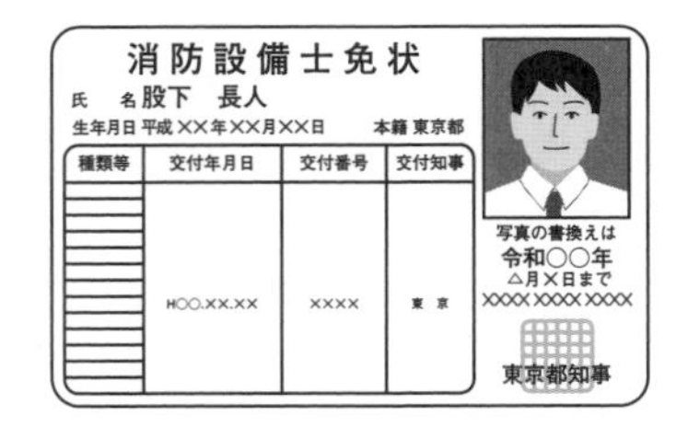

3 免状の交付・書換え・再交付

消防設備士免状の交付・書換え・再交付などの手続きは，次のようになります。

◆免状の交付

消防設備士の免状は，消防設備士試験の合格者に対して，都道府県知事が交付します。

◆免状の書換え

免状の記載事項（氏名，本籍など）に変更が生じたとき，または免状に貼付（ちょうふ）されている写真が撮影後10年を経過したときは，必要な書類とともに，免状を交付した都道府県知事か，居住地または勤務地の都道府県知事に，免状の書換えを申請します。

◆免状の再交付

免状を亡失・滅失・汚損または破損した場合は，その免状を交付または書換えした都道府県知事に，免状の再交付を申請できます。

亡失によって再交付を受けた後，亡失した免状を発見した場合は，その免状を10日以内に再交付を受けた都道府県知事に提出しなければなりません。

◆免状の不交付

都道府県知事は，消防設備士試験に合格した者でも，次のいずれかの場合には免状を交付しないことができます。

・免状の返納を命じられてから1年を経過しない者。
・消防法令に違反して罰金以上の刑に処された者で，その執行が終わり，または執行を受けることがなくなった日から起算して2年を経過しない者。

補足

消防設備士でなくても工事や整備ができる消防用設備等

動力消防ポンプ装置
簡易消火用具
非常警報器具・非常警報設備
滑り台，避難橋
誘導灯，誘導標識
消防用水
無線通信補助設備
非常コンセント設備
排煙設備
連結散水設備
連結送水管
消火器（整備は不可）
漏電火災警報器（整備は不可）

補足

軽微な整備

屋内消火栓設備または屋外消火栓設備のホース・ノズル・ヒューズ類・ネジ類等の交換，消火栓箱・ホース格納箱等の補修，その他これらに類するもの

◆免状の返納

都道県知事は，消防設備士が法令の規定に違反した場合に，免状の返納を命じることができます。

4 消防設備士の義務等

◆消防設備士の責務

消防設備士は，その責務を誠実に行い，工事整備対象設備等の質の向上に努めなければならないとされています。

◆免状の携帯義務

消防設備士は，その業務に従事するときは，消防設備士免状を携帯しなければなりません。

◆着工届出義務

甲種消防設備士は，設置工事に着手する10日前までに，着工届を消防長または消防署長に届け出なければなりません。

着工届は防火対象物の関係者ではなく，工事を行う消防設備士の義務であることに注意しましょう。

◆講習の受講

すべての消防設備士は，技術の進展や基準法令の改正に対応するために，都道府県知事が行う講習を受講しなけなければなりません。

講習は免状の交付を受けた日以後最初の４月１日から２年以内，または最後の受講日以後最初の４月１日から５年以内ごとに受講します。受講しなかった場合は免状の返納を命じられることがあります。

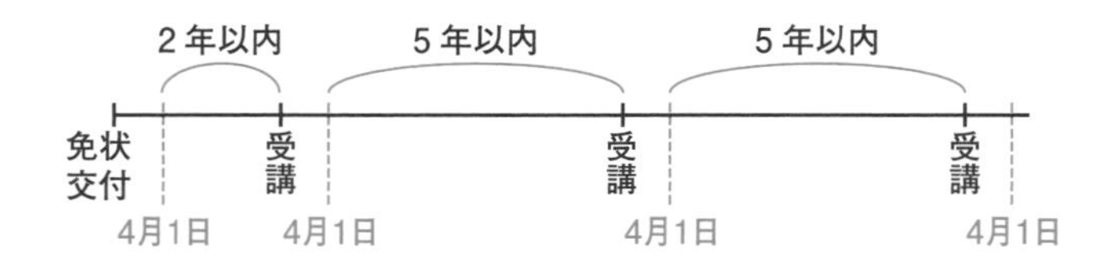

検定制度

1 検定制度とは

検定制度は，一部の消防用機械器具について，その形状や構造，材質，成分，性能などが，定められた技術上の規格に適合しているかどうかを試験する制度です。この試験を受けて合格していない機械器具は，販売や陳列，工事などに使用することができません。

検定は，型式承認と型式適合検定の2段階で行われます。

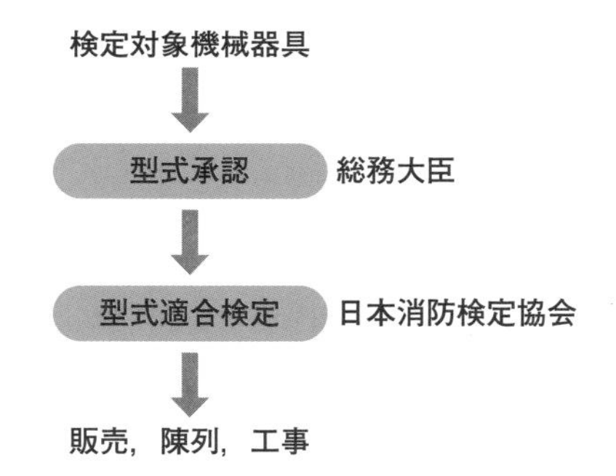

①型式承認

型式承認は，対象となる機械器具の型式にかかわる形状等が，総務省令で定める技術上の規格に適合していることを書類審査して承認することです。型式承認は総務大臣が行います。

②型式適合検定

型式適合検定は，対象となる機械器具の個々の形状等が，型式承認で承認されたものと同一かどうかを検定します。

補足

消防用設備等の設置届と着工届は，紛らわしいので注意しましょう。

●設置届（86ページ）

届出義務	防火対象物の関係者
届出期間	工事完了後4日以内

●着工届（92ページ）

届出義務	甲種消防設備士
届出期間	着工の10日前まで

型式適合検定は**日本消防検定協会**が行い，検定に合格したものには**検定合格ラベル**を表示できます。このラベルを表示していないものは，販売や陳列，工事などに使用できません。

検定合格ラベルの例

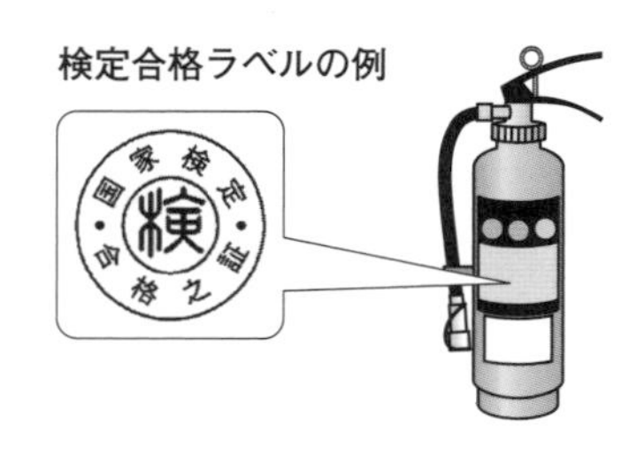

2 検定対象機械器具

検定の対象となる機械器具は，以下の 12 品目です。

- **消火器**
- **消火器用消火薬剤**（二酸化炭素を除く）
- **泡消火薬剤**（水溶性液体用のものを除く）
- **感知器・発信機**（火災報知設備）
- **中継器**（火災報知設備またはガス漏れ火災警報設備）
- **受信機**（火災報知設備またはガス漏れ火災警報設備）
- **住宅用防災警報器**
- **閉鎖型スプリンクラーヘッド**
- **流水検知装置**
- **一斉開放弁**（大口径のものを除く）
- **金属製避難はしご**
- **緩降機**

チャレンジ問題

［解説］106 ページ　［解答一覧］117 ページ

問 1

難　中　易

消防法に規定する用語について，誤っているものは次のうちどれか。

(1) 防火対象物とは，山林または舟車，船きょ，もしくはふ頭に繋留された船舶，建築物その他の工作物または物件をいう。

(2) 複合用途防火対象物とは，防火対象物で政令で定める 2 以上の用途に供されるものをいう。

(3) 関係者とは，防火対象物または消防対象物の所有者，管理者もしくは占有者をいう。

(4) 舟車には，車両も含まれる。

問 2

難　中　易

消防法令における無窓階の定義として，正しいものは次のうちどれか。

(1) 採光上または排煙上有効な開口部を有しない階

(2) 床が地盤面下にある階で，地上に直通する有効な開口部を有しないもの

(3) 避難上または消火活動上有効な開口部を有しない階

(4) 直接地上へ通じる出入口のない階

問 3

難　中　易

消防法令上，特定防火対象物のみからなる組合せは，次のうちどれか。

(1) 幼稚園，保育園，小学校

(2) 図書館，美術館，博物館

(3) テレビスタジオ，劇場，映画館

(4) サウナ，カラオケボックス，地下街

問4 　難　中　易

消防法令でいう特定防火対象物にならないものは，次のうちどれか。

(1) 飲食店　(2) 重要文化財　(3) 公会堂　(4) デパート

問5 　難　中　易

屋外において火災の予防に危険であると認められる行為を行っている者に対し，火災予防上必要な措置を命ずることができない者は次のうちどれか。

(1) 消防吏員

(2) 消防署長

(3) 消防本部を置かない市町村の長

(4) 消防団長

問6 　難　中　易

屋外における火災の予防または消防活動の障害除去のための措置命令（法第3条）として，誤っているものは次のうちどれか。

(1) 放置された物件の改修または移転

(2) 危険物の除去その他の処理

(3) 火遊び，喫煙，たき火等の禁止，停止もしくは制限

(4) 残火，取灰または火粉の始末

問7 　難　中　易

消防法に関する記述として，正しいものは次のうちどれか。

(1) 市町村長は，火災予防のために必要があるときは，関係者に対して資料の提出を命じることができる。

(2) 消防長または消防署長は，火災予防のために必要があるときは，消防職員に命じて制限なくあらゆる場所に立ち入って検査させることができる。

(3) 立入検査を行うときは，事前に関係者に通告しなければならない。
(4) 火災予防のため特に必要があるときは，消防団員（消防本部を置かない市町村においては，非常勤の消防団員）に立入検査をさせることができる。

問 8　難　中　易

消防法第 7 条に規定する消防同意に関する記述として，正しいものは次のうちどれか。

(1) 建築物を新築しようとする者は，建築確認を申請する前に消防同意を得なければならない。
(2) 消防同意は，建築主事または指定確認検査機関が行う。
(3) 建築主事等は，消防同意を得なければ確認をすることができない。
(4) 消防同意の期間は，一般建築物については 3 日以内，その他の建築物については 10 日以内である。

問 9　難　中　易

防火管理者を選任しなくてもよい防火対象物は次のうちどれか。

(1) 収容人員が 40 人のレストラン
(2) 収容人員が 80 人の美術館
(3) 延長 50 メートル以上のアーケードで，消防長または消防署長が指定するもの
(4) 同一の敷地内にあり，所有者が同じ収容人員 40 人の工場と，収容人員 30 人の事務所

問 10　難　中　易

防火管理者の業務として，誤っているものは次のうちどれか。

(1) 消防計画の作成
(2) 危険物の取扱作業に関する保安の監督

(3) 消防計画に基づく消火，通報及び避難訓練の実施
(4) 消防用設備等の点検及び整備

問 11 難 **中** 易

防火対象物点検資格者による点検が必要な防火対象物は，次のうちどれか。ただし，避難階は1階とし，階段はすべて避難階に直通するものとする。

(1) 屋内階段が1である地階を除く階数が2の複合用途防火対象物（1階が展示場，2階が飲食店）で，収容人員が100人のもの。
(2) 屋内階段が2である地階を除く階数が5の共同住宅で，収容人員が400人のもの。
(3) 屋内階段が1である地階を除く階数が2の複合用途防火対象物（地下1階が飲食店，1階と2階が物品販売店舗で，収容人員が50人のもの。
(4) 屋内階段が2である地階を除く階数が3のホテルで，収容人員が100人のもの。

問 12 難 中 **易**

消防法第8条の3に規定する防炎規制の対象とならない防火対象物は，次のうちどれか。

(1) 複合用途防火対象物の中にある一般事務所
(2) テレビスタジオ
(3) 工事中の図書館
(4) 高さ31mを超える高層マンション

問 13 難 中 **易**

危険物の製造所等を設置しようとする者が設置許可を申請する申請先として，正しいものは次のうちどれか。

(1) 消防本部及び消防署を置く市町村の区域内に設置する場合は，消防長または消防署長
(2) 消防本部及び消防署のない市町村の区域内に設置する場合は，市町村長
(3) 2以上の市町村の区域にわたって移送取扱所を設置する場合は，都道府県知事
(4) 2以上の都道府県の区域にわたって移送取扱所を設置する場合は，当該区域内のいずれかを管轄する都道府県知事

問14　難　中　易

危険物の製造所等における危険物の取扱いについて，誤っているものは次のうちどれか。

(1) 危険物取扱者以外の者は，危険物取扱者の立会いがなければ，たとえ指定数量以下の危険物であっても取り扱うことはできない。
(2) 甲種危険物取扱者は，すべての危険物について自ら取り扱うことができる。
(3) 甲種または乙種危険物取扱者の立会いがあれば，危険物取扱者以外の者でもすべての危険物を取り扱うことができる。
(4) 丙種危険物取扱者は，たとえ免状に指定された種類の危険物の取扱いであっても立ち会うことはできない。

問15　難　中　易

消防法第17条に規定する消防設備等に関する記述として，正しいものは次のうちどれか。

(1) 消防の用に供する設備には，消火設備，警報設備，消防用水の3種類がある。
(2) 誘導灯及び誘導標識は，警報設備である。
(3) 水バケツや水槽は，消防用水である。

(4) 動力消防ポンプ設備は，消火設備である。

問16 難 中 易

消防法施行令に定める「消火活動上必要な施設」に該当しないものは，次のうちどれか。

(1) 携帯用拡声器

(2) 連結送水管

(3) 非常コンセント設備

(4) 無線通信補助設備

問17 難 中 易

消防法第17条に定める消防用設備等を設置し，維持しなければならない義務を負う者は，次のうちどれか。

(1) 製造所等の危険物保安監督者

(2) 管理権原者が選任する防火管理者

(3) 防火対象物の管理者

(4) 設置工事及び整備を行う消防設備士

問18 難 中 易

消防法第17条第1項により，消防用設備等を設置しなければならない防火対象物として，正しいものは次のうちどれか。

(1) 延べ面積300m^{2}以上の一戸建て住宅

(2) 一般事務所

(3) 市町村長の指定のない山林

(4) 延長40mの商店街のアーケード

問19 難 中 易

1棟の建物内であっても，別の防火対象物とみなして消防用設備等

の設置基準を適用する場合は，次のうちどれか。

(1) 床を耐火構造とし，出入口以外の開口部を有しない壁で区画する場合
(2) 開口部のない耐火構造の床または壁で区画する場合
(3) 耐火構造の床または壁で区画し，両者を接続する部分に随時開けることのできる自動閉鎖の特定防火設備を設ける場合
(4) 耐火構造または準耐火構造の床もしくは壁で区画する場合

問20　難　中　易

気候または風土の特殊性に応じて，政令で定める技術上の基準と異なる規定を設けることができるのは，次のうちどれか。

(1) 消防長または消防署長の定める基準
(2) 都道府県知事が定める告示基準
(3) 市町村の条例
(4) 都道府県の条例

問21　難　中　易

既存の防火対象物に対する消防用設備等の技術上の基準の適用について，誤っているものは次のうちどれか。

(1) 既存の防火対象物の過半を改築した場合は，現行の基準が適用される。
(2) 倉庫を飲食店に用途変更した場合は，現行の基準が適用される。
(3) 自動火災報知設備については，既存防火対象物であっても現行の基準が適用される。
(4) 床面積 1,000m^2 以上の図書館には，常に現行の基準が適用される。

問22　難　中　易

既存防火対象物に設置されている消防用設備等のうち，技術上の基

準が改正された場合は，原則としてすべての防火対象物が現行の基準を適用しなければならないものは次のうちどれか。

(1) スプリンクラー設備
(2) 消火器
(3) 排煙設備
(4) 非常コンセント設備

問23

難	中	易

消防用設備等または特殊消防用設備等の設置工事が完了した場合に，検査を受けなくてもよい防火対象物は次のうちどれか。

(1) 延べ面積 300m^2 の映画館
(2) 消防長等の指定を受けた，延べ面積 300m^2 の博物館
(3) 延べ面積 200m^2 の飲食店
(4) 延べ面積 200m^2 の要介護福祉施設

問24

難	中	易

消防用設備等または特殊消防用設備等の設置の届出及び検査に関する記述のうち，正しいものは次のうちどれか。

(1) 設置工事の完了後 4 日以内に届け出なければならない。
(2) 設置工事を施工した消防設備士が届け出る。
(3) 特定防火対象物は，延べ面積に関係なく検査を受けなければならない。
(4) 設置した消防用設備等の種類に関係なく検査を受けなければならない。

問25

難	中	易

消防用設備等の定期点検を消防設備士または消防設備点検資格者にさせなければならない防火対象物は次のうちどれか。ただし，消防長または消防署長の指定を受けたものを除く。

(1) 延べ面積 1,000m^2 の映画館

(2) 延べ面積 800m² の病院

(3) 延べ面積 1,200m² の小学校

(4) 延べ面積 900m² の倉庫

問26　難　中　易

消防用設備等または特殊消防用設備等の定期点検及び報告に関する記述で，正しいものは次のうちどれか。

(1) 機器点検は1年に1回以上，総合点検は3年に1回以上実施する。

(2) 延べ面積が 1,000m² 未満の防火対象物では，定期点検を行う必要はない。

(3) 点検の結果は，点検後遅滞なく消防長または消防署長に報告しなければならない。

(4) 点検結果の報告先は，消防本部を置かない市町村にあっては，当該市町村長である。

問27　難　中　易

防火対象物の消防用設備等が，技術上の基準に従って設置されていない場合に発令される措置命令について，必要な措置を命ずる者と，命ぜられる者の組合せとして正しいものは次のうちどれか。

	命ずる者	命ぜられる者
(1)	消防長または消防署長	工事・点検を行う消防設備士
(2)	市町村長	工事・点検を行う消防設備士
(3)	消防長または消防署長	防火対象物の関係者で権原を有する者
(4)	都道府県知事	防火対象物の関係者で権原を有する者

問28　難　中　易

消防法令で設置義務のある消防用設備等のうち，消防設備士でなければ行ってはならない工事として，正しいものは次のうちどれか。

(1) 映画館に非常コンセント設備を設置する工事
(2) 飲食店に消火器を設置する工事
(3) 工場に粉末消火設備を設置する工事
(4) 病院に漏電火災警報器を設置する工事

問29

難 | 中 | 易

消防設備士の業務に関する記述について，正しいものは次のうちどれか。

(1) 自動火災報知設備の電源部分の工事には，甲種または乙種の消防設備士免状が必要である。
(2) 乙種消防設備士が業務に従事するときは，消防設備士免状を携帯しなくてもよい。
(3) 乙種消防設備士は，都道府県知事が行う講習を受講しなくてもよい。
(4) 消防設備士は，その責務を誠実に行い，工事整備対象設備等の質の向上に努めなければならない。

問30

難 | 中 | 易

消防設備士免状に関する記述として，消防法令上誤っているものは次のうちどれか。

(1) 免状の記載事項に変更が生じた場合は，免状を交付した都道府県知事，または居住地もしくは勤務地を管轄する都道府県知事に書換えを申請する。
(2) 亡失により免状の再交付を受けた後，亡失した免状を発見した場合は，その免状を10日以内に再交付を受けた都道府県知事に提出しなければならない。
(3) 消防長または消防署長は，消防設備士が法令に違反したときには免状の返納を命じることができる。
(4) 消防設備士免状は，交付を受けた都道府県以外に，全国の都道府県で有効である。

問 31　難 中 易

消防用設備等の着工届に関する記述について，正しいものは次のうちどれか。

(1) 乙種消防設備士には，着工届を行う義務はない。
(2) 着工届は，施行する場所を管轄する都道府県知事に対して行う。
(3) 着工届の届出期間は，工事を完了した日から 10 日以内である。
(4) 着工届を怠ると，防火対象物の関係者にも罰則がある。

問 32　難 中 易

消防の用に供する機械器具等の検定に関する記述のうち，正しいものは次のうちどれか。

(1) 型式承認は，日本消防検定協会が行う。
(2) 検定対象機械器具等であっても，海外から輸入されたものについては，型式適合検定を省略できる。
(3) 型式承認を受けていても，型式適合検定に合格しなければ，検定対象機械器具等を販売することはできない。
(4) 型式適合検定では，検定対象機械器具等の型式に係る形状等が技術上の基準に適合しているかどうかを書類審査する。

問 33　難 中 易

次に掲げる消防の用に供する機械器具等のうち，消防法第 21 条の 2 に規定する検定の対象とされていないものはどれか。

(1) 住宅用防災警報器
(2) 非常警報設備のうち非常ベル
(3) 金属製避難はしご
(4) 火災報知設備の受信機

解　説

問１　防火対象物と消防対象物の違いに注意します。

防火対象物…山林または舟車，船きょ，もしくはふ頭に繋留された船舶，建築物<u>もしくはこれらに属するもの</u>

消防対象物…山林または舟車，船きょ，もしくはふ頭に繋留された船舶，建築物<u>または物件</u>

（1）は防火対象物ではなく，消防対象物の定義です。

解答（1）　参照 67 ページ

問２　無窓階とは，建築物の地上階のうち，「避難上または消火活動上有効な開口部を有しない階」をいいます。窓がないという意味ではなく，窓はあっても，その開口部が一定の基準を満たしていなければ無窓階とみなされ，防火上の基準がより厳しくなります。

解答（3）　参照 69 ページ

問３　特定防火対象物には，防火対象物のうち，特に不特定多数の人が出入りするものや，避難の困難なものが指定されます。

×（1）幼稚園と保育園は特定防火対象物ですが，小学校は非特定防火対象物です。

×（2）図書館，美術館，博物館は，いずれも非特定防火対象物です。

×（3）劇場と映画館は特定防火対象物ですが，テレビスタジオは非特定防火対象物です。

○（4）サウナ（熱気浴場），カラオケボックス，地下街は，いずれも特定防火対象物です。

解答（4）　参照 68 ページ

問4　重要文化財は特定防火対象物ではありません。

解答（2）　参照 68 ページ

問5　消防長（消防本部のない市町村の場合は市町村長），消防署長その他の消防吏員は，屋外において火災の予防に危険であると認める行為者等に対し，火災予防上必要な措置（火遊び，喫煙，たき火の禁止等）を命ずることができます（消防法第3条第1項）。命令権者には，消防団長や消防団員は含まれていません。

解答（4）　参照 70 ページ

問6　屋外において火災予防や消防活動に支障がある場合に，消防長等が命ずることができる措置命令には，次のものがあります（消防法第3条第1項）。

①**火遊び，喫煙，たき火，火を使用する設備の使用等の禁止，停止，制限またはこれらの行為を行う場合の消火準備**

②**残火，取灰または火粉の始末**

③**危険物等の除去その他の処理**

④**放置された物件の整理または除去**

放置された物件の改修などを命ずることはできません。

解答（1）　参照 71 ページ

問7　消防長等は，火災予防のために必要があるときは，関係者に対して資料の提出や報告を求めたり，消防職員に命じて立入検査を行わせることができます（消防法第4条）。

×（1）消防本部のない市町村であれば，市町村長でも資料の提出を命じることができますが，そうでなければ消防長または消防署長に権限があります。

×（2）個人の住居を立入検査できるのは，承諾を得た場合か，火災発生のおそれが大きく特に緊急の必要がある場合に限られます。

× (3) 立入検査には，原則として事前通告や時間的制限は必要ありません。

○ (4) 立入検査を行うのは，原則として消防職員(消防本部のない市町村では常勤の消防団員でも可)です。ただし，火災予防のため特に必要があるときは，消防対象物及び期日または期間を指定して，管轄区域内の消防団員に立入検査をさせることができます(消防法第４条の2)。

解答 (4)　参照 71 ページ

問8　消防同意とは，建築確認の際に，その建築物の計画が防火に関する法令に違反していないことについて，消防長または消防署長が同意する手続きです。

× (1) 消防同意を得るのは建築主ではなく，建築主事等です。

× (2) 消防同意を行うのは，消防長（消防本部がない市町村では市町村長）または消防署長です。

○ (3) 正しい記述です。

× (4) 消防同意の期間は，一般建築物については 3 日以内，その他の建築物については 7 日以内です。

解答 (3)　参照 72 ページ

問9　防火管理者の選任が必要なのは，①収容人員 10 人以上の要介護福祉施設等，②収容人員 30 人以上の特定防火対象物，③収容人員 50 人以上の非特定防火対象物です。

○ (1) レストランは特定防火対象物なので，収容人員 30 人以上なら防火管理者が必要です。

○ (2) 美術館は非特定防火対象物なので，収容人員が 50 人以上なら防火管理者が必要です。

× (3) アーケードには防火管理者の選任は不要です。

○ (4) 同一敷地内にあり所有者も同じ建物が複数ある場合は，両方の収容人員を合計します。工場と事務所はどちらも非特定防火対象物なので，収容人員の合計が 50 人以上なら，防火管理者が必要です。

解答（3）　参照 73 ページ

問 10　防火管理者が行う業務には，以下のものがあります（消防法第 8 条第 1 項）。

- **消防計画の作成**
- **消防計画に基づく消火，通報及び避難訓練の実施**
- **消防用設備等の点検及び整備**
- **火気の使用，取扱いに関する監督**
- **避難または防火上必要な構造及び設備の維持管理**
- **収容人員の管理**
- **その他防火管理上必要な業務**

（2）の「危険物の取扱作業に関する保安の監督」は，危険物保安監督者の業務です。

解答（2）　参照 74 ページ

問 11

×（1）特定 1 階段等防火対象物には該当せず，収容人員が 300 人に満たないので点検の対象外です。

×（2）特定防火対象物ではないので点検の対象外です。

○（3）特定 1 階段等防火対象物に該当し，収容人員が 30 人以上なので，点検が必要です。

×（4）特定 1 階段等防火対象物には該当せず，収容人員が 300 人に満たないので点検の対象外です。

解答（3）　参照 73 ページ

問 12　防炎規制の対象になるのは，①高層建築物，②特定防火対象物，

③テレビスタジオ，映画スタジオ，④工事中の建築物その他の工作物です。

× （1）一般事務所は特定防火対象物ではないので，防炎規制の対象外です。

○ （2）テレビスタジオは防炎規制の対象になります。

○ （3）工事中の建築物は，用途に関係なく防炎規制の対象になります。

○ （4）高さ 31m を超える建築物は，用途に関係なく防炎規制の対象になります。

解答（1）　参照 76 ページ

問 13　製造所等の設置許可の申請先は，市町村長，都道府県知事，総務大臣のいずれかです。

× （1）消防本部及び消防署を置く市町村の区域内に設置する場合は，市町村長に許可を申請します。

× （2）消防本部及び消防署のない市町村の区域内に設置する場合は，都道府県知事に許可を申請します。

○ （3）2 以上の市町村の区域にわたって移送取扱所を設置する場合は，都道府県知事に許可を申請します。

× （4）2 以上の都道府県の区域にわたって移送取扱所を設置する場合は，総務大臣に許可を申請します。

解答（3）　参照 79 ページ

問 14　製造所等で危険物を取り扱うには，原則として危険物取扱者の資格が必要です。ただし，危険物取扱者の立会いがあれば，無資格者でも危険物を取り扱うことができます（丙種危険物取扱者の立会いは不可）。

○ （1）製造所等において，無資格者が危険物を取り扱う場合は，たとえ指定数量以下であっても危険物取扱者の立会いが必要です。

○ （2）甲種危険物取扱者は，すべての類の危険物を取り扱うことができます。

× （3）乙種危険物取扱者は，免状に指定した類の危険物についてのみ，立ち会うことができます。

○（4）丙種危険物取扱者は，いかなる種類の危険物でも，取扱いの立会いはできません。

解答（3）　参照 80 ページ

●問 15●

×（1）消防の用に供する設備は，消火設備，警報設備，避難設備の 3 種類です。

×（2）誘導灯及び誘導標識は，避難設備です。

×（3）水バケツや水槽は，消火設備です。

○（4）正しい記述です。

解答（4）　参照 81 ページ

●問 16●　「消火活動上必要な施設」は，①排煙設備，②連結散水設備，③連結送水管，④非常コンセント設備，⑤無線通信補助設備の 5 種類です。携帯用拡声器は警報設備のひとつです。

解答（1）　参照 81 ページ

●問 17●　防火対象物に消防設備等を設置し，維持しなければならないのは，その防火対象物の関係者（所有者，管理者または占有者）です。なお，関係者が防火管理者を兼ねる場合は，防火管理者でも義務を負う場合があります。

解答（3）　参照 88 ページ

●問 18●　消防法第 17 条第 1 項の消防用設備等を設置し，維持しなければならない防火対象物とは，消防法施行令別表第 1 に掲げる（1）～（20）の防火対象物です（68 ページ参照）。

×（1）一戸建て住宅は延べ面積には関係なく，防火対象物に含まれません。

○（2）一般の事務所は設置，維持の対象になります。

×（3）市町村長の指定のある山林が対象となります。

×（4）アーケードは延長 50m 以上が対象となります。

解答（2） 参照 68 ページ

問 19 消防用設備等を設置する際は，原則として 1 棟の建物を 1 つの防火対象物とみなして設置基準を適用します。ただし，建物内を開口部のない耐火構造の床または壁で区画した場合は，それぞれの区画を 1 つの防火対象物とみなすことができます（消防法施行令第 8 条）。

解答（2） 参照 82 ページ

問 20 市町村は，その地方の気候または風土の特殊性により，政令で定める技術上の基準だけでは防火の目的を達成するのが難しいと認める場合には，条例によって基準と異なる規定を設けることができます（消防法第 17 条第 2 項）。このような条例を附加条例といいます。

附加条例は，政令による技術上の基準を緩和するものであってはなりません。

解答（3） 参照 83 ページ

問 21 基準法令が改正されても，既存の防火対象物は，原則として従前の技術上の基準に従えばよいとされています（消防法第 17 条の 2 の 5）。ただし，これにはいくつかの例外があります。

○（1）既存防火対象物の床面積 1,000m^2 以上，または延べ面積の 2 分の 1 以上を増改築した場合は，新たに現行の基準が適用されます。

○（2）既存防火対象物の用途を，特定防火対象物に変更した場合は，新たに現行の基準が適用されます。

○（3）消火器，自動火災報知設備，漏電火災警報器等，一部の消防用設備等については，常に現行の基準が適用されます。

×（4）特定防火対象物には，常に現行の基準が適用されます。ただし，図書館は特定防火対象物ではないので，この場合は従前の基準でかまいません。

解答（4）　参照 84 ページ

問22　既存防火対象物であっても現行の基準を適用しなければならない消防設備等は，消火器及び簡易消火用具，避難器具，自動火災報知設備，ガス漏れ火災警報設備，漏電火災警報器，非常警報器具及び非常警報設備，誘導灯及び誘導標識です（消防法施行令第 34 条）。

したがって（2）の消火器が正解です。

解答（2）　参照 84 ページ

問23

×（1）延べ面積 300m^2 以上の特定防火対象物では，検査が必要です。

×（2）延べ面積 300m^2 以上の非特定防火対象物で，消防長または消防署長の指定を受けたものは，検査が必要です。

○（3）飲食店は特定防火対象物ですが，延べ面積が 300m^2 未満なので検査は不要です。

×（4）要介護福祉施設では，延べ面積にかかわらず検査が必要です。

解答（3）　参照 86 ページ

問24

○（1）正しい記述です。設置工事の完了後 4 日以内に，消防長または消防署長に届け出ます。

×（2）届出を行うのは，防火対象物の関係者です。

×（3）特定防火対象物（自力避難困難者入所施設等を除く）は，延べ面積 300m^2 以上の場合に検査が必要です。

×（4）簡易消火用具および非常警報器具を設置した場合は，検査は必要ありません。

解答（1）　参照 86 ページ

問 25 消防用設備等の定期点検を，消防設備士または消防設備点検資格者に行わせなければならないものは次のとおりです。

①延べ面積 1,000m^2 以上の特定防火対象物

②延べ面積 1,000m^2 以上の非特定防火対象物で，消防長または消防署長の指定を受けたもの

③特定 1 階段等防火対象物

④不活性ガス消火設備（二酸化炭素）を設置したもの

（1）～（4）のうち，特定防火対象物は（1）と（2）ですが，（2）は延べ面積が 1,000m^2 未満なので，（1）が正解となります。

解答（1） **参照** 87 ページ

問 26

×（1）機器点検は 6 か月に 1 回以上，総合点検は 1 年に 1 回以上実施します。

×（2）延べ面積が 1,000m^2 未満の防火対象物では，防火対象物の関係者が定期点検を行う必要があります。

×（3）点検結果の報告は，特定防火対象物では 1 年に 1 回，非特定防火対象物では 3 年に 1 回です。

○（4）正しい記述です。

解答（4） **参照** 87 ページ

問 27 消防用設備等の設置・維持命令（消防法第 17 条の 4）は，消防長（消防本部を置かない市町村では市町村長）または消防署長が，防火対象物の関係者で権原を有する者に対して発令します。

なお，設置命令に違反した場合は 1 年以下の懲役または 100 万円以下の罰金，維持命令に違反した場合は 30 万円以下の罰金または拘留が科せられます。

解答（3） **参照** 88 ページ

問28　消防設備士でなければ設置工事できない消防用設備等は，次のとおりです。

必要免状	工事対象設備
甲種特類	特殊消防用設備等
甲種第1類	屋内消火栓設備，屋外消火栓設備，スプリンクラー設備，水噴霧消火設備
甲種第2類	泡消火設備
甲種第3類	不活性ガス消火設備，ハロゲン化物消火設備，粉末消火設備
甲種第4類	自動火災報知設備，ガス漏れ火災警報設備，消防機関へ通報する火災報知設備
甲種第5類	金属製避難はしご（固定式のみ），救助袋，緩降機

以上から，（3）粉末消火設備の設置工事には，甲種第3類消防設備士の免状が必要です。

なお，第6類の消火器と第7類の漏電火災警報器（89ページ）には乙種の免状しかないので，整備には免状が必要ですが，設置工事については免状がなくても行えます。

解答（3）　参照 89ページ

問29

×（1）設備の電源・水源・配管部分の工事，その他軽微な整備には，消防設備士免状は必要ありません。

×（2）乙種消防設備士にも免状の携帯義務があります。

×（3）乙種消防設備士にも5年に1回の受講義務があります（免状交付後，初回受講のみ2年以内）。

○（4）正しい記述です。

解答（4）　参照 90，92ページ

問30　免状の返納を命じることができるのは都道府県知事です。

解答（3）　参照 91，92 ページ

問31

○（1）着工届は，設置工事を行う甲種消防設備士が行います。乙種消防設備士は整備のみを行うので，着工届の義務はありません。

×（2）着工届の届出先は，消防長（消防本部のない市町村は市町村長）または消防署長です。

×（3）届出は，工事に着工する 10 日前までに行います。

×（4）着工届の義務は消防設備士が負うので，怠った場合でも防火対象物の関係者に罰則はありません。

解答（1）　参照 92 ページ

問32

×（1）型式承認は総務大臣，型式適合検定は日本消防検定協会が行います。

×（2）海外から輸入されたものについても，型式適合検定を受ける必要があります。

○（3）正しい記述です。

×（4）型式承認についての説明です。

解答（3）　参照 93 ページ

問33　検定対象機械器具等には，以下の 12 品目です。非常警報設備は検定対象ではありません。

①消火器

②消火器用消火薬剤（二酸化炭素を除く）

③泡消火薬剤（水溶性液体用のものを除く）

④火災報知設備の感知器または発信機

⑤火災報知設備またはガス漏れ火災警報設備に使用する中継器

⑥火災報知設備またはガス漏れ火災警報設備に使用する受信機
⑦住宅用防災警報器
⑧閉鎖型スプリンクラーヘッド
⑨流水検知装置
⑩一斉開放弁（大口径のものを除く）
⑪金属製避難はしご
⑫緩降機

解答（2）　参照 94 ページ

解答

問1	(1)	問10	(2)	問19	(2)	問28	(3)
問2	(3)	問11	(3)	問20	(3)	問29	(4)
問3	(4)	問12	(1)	問21	(4)	問30	(3)
問4	(2)	問13	(3)	問22	(2)	問31	(1)
問5	(4)	問14	(3)	問23	(3)	問32	(3)
問6	(1)	問15	(4)	問24	(1)	問33	(2)
問7	(4)	問16	(1)	問25	(1)		
問8	(3)	問17	(3)	問26	(4)		
問9	(3)	問18	(2)	問27	(3)		

消防関係法令（第6類に関する部分）

この節の学習内容とまとめ

□ 消火器の設置

設置基準	用途	能力単位の算定式
①すべて	劇場，映画館，キャバレー，ナイトクラブ，遊技場，ダンスホール，性風俗店，カラオケボックス，地下街，準地下街，重要文化財，舟車	延べ面積／50m^2
	待合・料理店・飲食店（火を使うもの），病院・診療所（入院施設あり），自力避難困難者入所施設	延べ面積／100m^2
②延べ面積 150m^2以上	公会堂，集会場，待合・料理店・飲食店（火を使わないもの），百貨店，マーケット，旅館，ホテル，寄宿舎，下宿，共同住宅，診療所・助産所（入院施設なし），有料老人ホーム等（要介護除く），幼稚園，特別支援学校，蒸気浴場，熱気浴場，工場，作業場，映画スタジオまたはテレビスタジオ，自動車車庫，駐車場，格納庫，倉庫	
③延べ面積 300m^2以上	学校，図書館，博物館，美術館，停車場，発着場，神社，寺院，教会，事務所	延べ面積／200m^2
その他	地階，無窓階，3階以上の階で，床面積50m^2以上	
	少量危険物を貯蔵または取り扱う場所	数量／指定数量
	指定可燃物を貯蔵または取り扱う場所	数量／危政令別表4に定める数量×50
	電気設備がある場所	消火器個数＝床面積／100m^2
	多量の火気を使用する場所	床面積／25m^2
	指定可燃物を，危政令別表4で定める数量の500倍以上を貯蔵または取り扱う場所	大型消火器を設置

□ 消火器の設置距離

小型消火器	階ごとに，歩行距離20m以内
大型消火器	階ごとに，歩行距離30m以内

□ 二酸化炭素消火器とハロゲン化物消火器を設置できない場所

- 地下街
- 準地下街
- 地階，無窓階，居室（換気について有効な開口部の面積が床面積の1／30以下で，床面積が20m^2以下のもの）

□ 消火器の設置個数を減少できる消火設備

設置する消火設備	減少できる能力単位
大型消火器	1／2
屋内消火栓設備・スプリンクラー設備	1／3
水噴霧消火設備，泡消火設備，不活性ガス消火設備，ハロゲン化物消火設備，粉末消火設備	1／3

□ 消火器具に関する基準の細目

①床面からの高さが1.5m以下の箇所に設置する。
②水や消火剤が凍結・変質したり，噴出したりするおそれが少ない箇所に設置する。
③地震による震動等による転倒を防止するための措置を講じる（粉末消火器その他を除く）。
④消火器具の種類に応じて，見やすい位置に標識を設ける。

消火器の設置

1 消火器の設置が必要な防火対象物

消火器（正確には消火器具）を設置しなければならない防火対象物の種類を覚えましょう。

消火器の設置が必要な防火対象物（消防法施行令別表第1）は，大きく次の3つのグループに分類できます。

①延べ面積に関係なく設置が必要
②延べ面積 150m² 以上で設置が必要
③延べ面積 300m² 以上で設置が必要

①延べ面積に関係なく消火器の設置が必要な場合

次の防火対象物は，延べ面積に関係なく，すべてに消火器を設置しなければなりません。

覚える 延べ面積に関係なく消火器の設置が必要

(1)	イ　劇場，映画館など
(2)	イ　キャバレー，ナイトクラブなど ロ　遊技場，ダンスホール ハ　性風俗店など ニ　カラオケボックス，インターネットカフェなど
(3)	イ　待合，料理店など ロ　飲食店 （イ・ロ：火を使用する設備・器具があるもの）
(6)	イ　病院・診療所・助産所（入院施設のあるもの） ロ　自力避難困難者入所施設
(16の2)	地下街
(16の3)	準地下街
(17)	重要文化財など
(20)	総務省令で定める舟車

ゴロ合わせ

病院の地下牢で食べて楽しい文化祭
（病院＝病院　地下＝地下街　牢＝老人ホーム等　食べて＝飲食店　楽しい＝娯楽施設　文化祭＝重要文化財）

補足

消防法施行令別表第1
→ 68 ページ参照

補足

消火器具
法令では，消火器と簡易消火用具をまとめて「消火器具」といいます。実際には，ほとんどの場合消火器を設置します。

補足

(1) 項イと (2) 項は、まとめて娯楽関連施設と覚えましょう。

補足

(3) 項イとロは、火を使用する設備または器具（防火上有効な措置として総務省令で定める措置が講じられた場合を除く）を設けたものに限ります。

②延べ面積 150m² 以上で消火器の設置が必要な場合

次の防火対象物は，延べ面積が 150m² 以上の場合に消火器の設置が必要です。

覚える　**延べ面積 150m² 以上で消火器の設置が必要**

(1)	ロ　公会堂，集会場
(3)	イ　待合，料理店など ロ　飲食店 （火を使わないもの）
(4)	百貨店，マーケット
(5)	イ　旅館，ホテルなど ロ　寄宿舎，下宿，共同住宅
(6)	イ　入院施設のない診療所・助産所 ハ　その他の社会福祉施設 ニ　幼稚園，特別支援学校
(9)	イ　蒸気浴場，熱気浴場など ロ　イ以外の公衆浴場
(12)	イ　工場，作業場 ロ　映画スタジオ，テレビスタジオ
(13)	イ　自動車車庫，駐車場 ロ　飛行機やヘリコプターの格納庫
(14)	倉庫

消防法施行令別表第 1（1）項，（3）～（5）項，（6）項イ，ハ，ニ，（9）項，（12）～（14）項

※①，③のゴロ合わせ以外が②と覚える。

③延べ面積 300m² 以上で消火器の設置が必要な場合

次の防火対象物は，延べ面積が 300m² 以上の場合に消火器の設置が必要です。

覚える　**延べ面積 300m² 以上で消火器の設置が必要**

(7)	学校（小・中・高・大学・専修学校等）
(8)	図書館，博物館，美術館など
(10)	車両の停車場，船舶・航空機の発着場
(11)	神社，寺院，教会など
(15)	事務所など

消防法施行令別表第 1（7）項，（8）項，（10）項，（11）項，（15）項

ゴロ合わせ

GACKT（ガクト）の事務員，定時に参拝

GACKT：学校・図書館　事務員：事務所　定：停車場　時：神社　参拝：300m²

◆消火器の設置が必要な防火対象物まとめ

※□は特定防火対象物

項	用途		設置
(1)	イ　劇場，映画館，演芸場または観覧場		すべて
	ロ　公会堂または集会場		150m²以上
(2)	イ　キャバレー，カフェー，ナイトクラブ等		すべて
	ロ　遊技場またはダンスホール		
	ハ　性風俗関連特殊営業を営む店舗等		
	ニ　カラオケボックス等		
(3)	イ　待合，料理店等		すべて[※1]
	ロ　飲食店		
(4)	百貨店，マーケットその他の物品販売業を営む店舗または展示場		150m²以上
(5)	イ　旅館，ホテル，宿泊所等		150m²以上
	ロ　寄宿舎，下宿または共同住宅		
(6)	イ　病院，診療所または助産所	入院施設あり	すべて
		入院施設なし	150m²以上
	ロ　自力避難困難者入所施設		すべて
	ハ　その他の社会福祉施設（老人デイサービスセンター，老人福祉センター，保育所，児童養護施設，身体障害者福祉センター等）		150m²以上
	ニ　幼稚園または特別支援学校		
(7)	小学校，中学校，高等学校，大学，専修学校等		300m²以上
(8)	図書館，博物館，美術館等		300m²以上
(9)	イ　蒸気浴場，熱気浴場（サウナ）等		150m²以上
	ロ　イ以外の公衆浴場		
(10)	車両の停車場または船舶もしくは航空機の発着場		300m²以上
(11)	神社，寺院，教会等		300m²以上
(12)	イ　工場または作業場		150m²以上
	ロ　映画スタジオまたはテレビスタジオ		
(13)	イ　自動車車庫または駐車場		150m²以上
	ロ　飛行機または回転翼航空機の格納庫		
(14)	倉庫		150m²以上
(15)	前各項に該当しない事業場		300m²以上
(16)	イ　複合用途防火対象物（雑居ビル）のうち，その一部が特定防火対象物の用途に供されているもの		／
	ロ　イ以外の複合用途防火対象物		
(16の2)	地下街		すべて
(16の3)	準地下街		すべて
(17)	重要文化財，史跡等に指定された建造物		すべて
(18)	延長50メートル以上のアーケード		／
(19)	市町村長の指定する山林		／
(20)	総務省令で定める舟車		すべて

※1　火を使う設備・器具がないものは，150m²以上

2 階数や設備によって設置が必要になる場合

上記以外でも，防火対象物の階数や設備によって，以下のように消火器の設置が必要な場合があります。

①地階，無窓階，3 階以上の階で，床面積 50m² 以上
②少量危険物・指定可燃物を貯蔵または取り扱う防火対象物
③電気設備（変圧器，配電盤等）がある防火対象物
④多量の火気を使用する場所（鍛造場，ボイラー室，乾燥室等）がある防火対象物

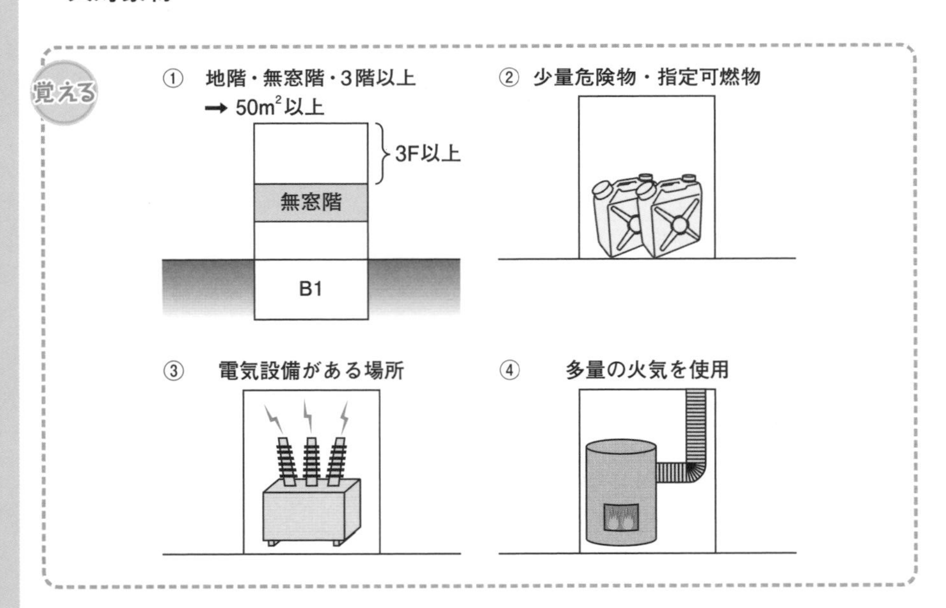

能力単位

1 必要な消火器本数の求め方

消火器の消火能力は，能力単位と呼ばれる数値を基準にして表されます。たとえば，ある消火器の表示に「能力単位　A-3・B-7・C」とあったら，「A火災の消火能力が3単位，B火災の消火能力が7単位，C火災対応」という意味です（C火災には能力単位の表示はありません）。

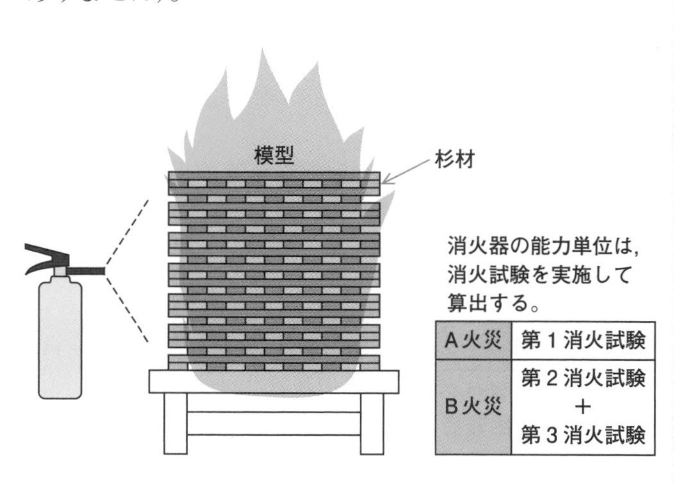

A火災	第1消火試験
B火災	第2消火試験 ＋ 第3消火試験

一方，建築物のほうでは，建物の用途や延べ面積などによって「どれくらいの消火能力の消火設備が必要か」が算定されるので，それに応じた能力単位の消火器を設置します。

たとえば，能力単位が6以上の消火器が必要な建築物には，能力単位3の消火器を2本，あるいは能力単位2の消火器を3本設置すればよいということになります（A火災の消火能力を基準にします）。

補足

A火災	普通火災
B火災	油火災
C火災	電気火災

※155ページ参照

補足

A火災の能力単位の算出方法

杉の角材を組んだ模型を並べて点火し，消火器を放射し終えるまでに消火した模型の数をもとに能力単位を算出します（第1消火試験）。模型には，第1模型と第2模型があります。

- 第1模型をS個消火した場合→能力単位＝S×2
- 第1模型S個と第2模型を1個消火した場合→能力単位＝S×2＋1

補足

B火災の能力単位の算出方法

鉄板製の箱に水とガソリンを入れた模型に点火し，消火器で消火します。第2消火試験と第3消火試験の2種類を実施し，消火できた模型の大きさと個数をもとに，能力単位を算出します。

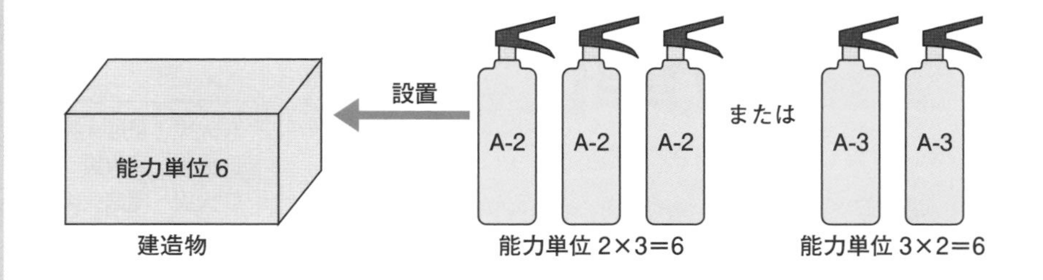

2 能力単位の算定基準面積

建築物に必要な能力単位は，次の計算式を使って求めます。

$$必要な能力単位=\frac{延べ面積または床面積}{算定基準面積}$$

算定基準面積は，119ページでグループ分けした建築物の用途によって，次のように定められています。

能力単位の算定基準面積

グループ	算定基準面積
①延べ面積に関係なく消火器の設置が必要なもの（待合・料理店，飲食店，病院，自力避難困難者入所施設，舟車を除く）※1	$50m^2$
②延べ面積 $150m^2$ 以上で消火器の設置が必要なもの※2 待合・料理店，飲食店 病院・診療所・助産所 自力避難困難者入所施設	$100m^2$
③延べ面積 $300m^2$ 以上で消火器の設置が必要なもの※3	$200m^2$

※1　令別表第1（1）項イ、（2）項、（16の2）項、（16の3）項、（17）項
※2　令別表第1（1）項ロ、（4）～（6）項、（9）項、（12）～（14）項
※3　令別表第1（7）項、（8）項、（10）項、（11）項、（15）項

なお，建築物の主要構造部が耐火構造で，かつ壁・天井などの内装仕上げが難燃材料（不燃材料，準不燃材料を含む）の場合は，算定基準面積を

2倍にします。

例題 延べ面積4000m^{2}のデパート（主要構造部は耐火構造で，かつ内装仕上げは不燃材料とする）に消火器を設置する場合に最低限必要な能力単位の数値はいくつか。

解説 デパート(百貨店)は，前ページの表の②延べ面積150m^{2}以上で消火器の設置が必要な建築物のグループに該当します。このグループの算定基準面積は100m^{2}です。

ただし，主要構造部が耐火構造かつ内装仕上げが難燃材料の場合には，算定基準面積を2倍にできます。算定基準面積は200m^{2}となるので，必要な能力単位は次のようになります。

$$必要な能力単位 = \frac{4000m^2}{200m^2} = 20$$

以上から，必要な能力単位は20となります。能力単位2の消火器なら，10本以上設置する必要があります。

解答 20

3 少量危険物・指定可燃物・電気設備・火気を使用する場所

少量危険物や指定可燃物を貯蔵する場所や，電気設備のある場所，多量の火気を使用する場所には，次の基準にしたがって消火器を設置します。

①少量危険物を貯蔵・取り扱う場所

少量危険物を貯蔵または取り扱う場所には，危険物の数量を，その危険物の指定数量で割った数値以上の

補足

少量危険物
指定数量の1／5以上，指定数量未満の危険物。都道府県ごとの火災予防条例によって，貯蔵や取扱いの基準が定められています。

補足

指定数量
78ページ参照

能力単位の消火器を設置します。

$$\text{必要な能力単位} \geqq \frac{\text{少量危険物の数量}}{\text{指定数量}}$$

②指定可燃物を貯蔵・取り扱う場所

指定可燃物を貯蔵または取り扱う場所には，指定可燃物の数量を，「危険物の規制に関する政令別表第 4」で規定する数量の 50 倍で割った数値以上の能力単位の消火器を設置します。

$$\text{必要な能力単位} \geqq \frac{\text{指定可燃物の数量}}{\text{危政令別表第4で定める数量} \times 50}$$

③電気設備のある場所

変圧器，配電盤といった電気設備のある場所には，床面積 100m^2 以下につき 1 個の消火器具を設置します。なお，設置する消火器具は，電気設備の消火に適応するもの（消防法施行令別表第 2）でなければなりません。

$$\text{消火器の個数} \geqq \frac{\text{床面積}}{100\text{m}^2}$$

④多量の火気を使用する場所

多量の火気を使用する場所（鍛造所，ボイラー室，乾燥室など）には，その床面積を 25m^2 で割った数値以上の能力単位の消火器を設置します。

$$\text{必要な能力単位} \geqq \frac{\text{床面積}}{25\text{m}^2}$$

4 消火器の設置距離

小型消火器は，防火対象物の階ごとに，各部分から消火器までの歩行距離が20m以下となるように設置します。直線距離ではなく，歩行距離であることに注意しましょう。壁や通路の形によっては，設置個数が増える場合があります。

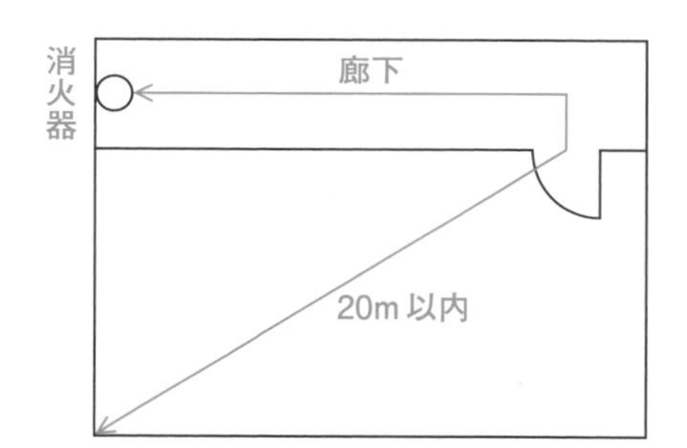

5 大型消火器の設置

指定可燃物を，「危険物の規制に関する政令別表第4」で定める数量の500倍以上を貯蔵または取り扱う場所には，大型消火器を設置します。

大型消火器は，防火対象物の階ごとに，各部分から消火器までの歩行距離が30m以下となるように設置します。

また，設置する大型消火器は，指定可燃物の種類ごとにその消火に適応するもの（消防法施行令別表第2）でなければなりません。

補足

指定可燃物
危険物には指定されていないが，火災になると拡大が速かったり，消火が困難になるもの。わら，木毛，紙くずなど。「危険物の規制に関する政令」別表第４に，品名と数量が規定されています。

補足

消防法施行令別表第2
→ 129ページ

補足

大型消火器
→ 189ページ

消火器具の設置基準

1 消火器具の種類と適応性

消火器と簡易消火用具とを合わせて，消火器具といいます。消火器には小型消火器と大型消火器があり，簡易消火用具には，水槽，水バケツ，乾燥砂，膨張ひる石，膨張真珠岩があります。

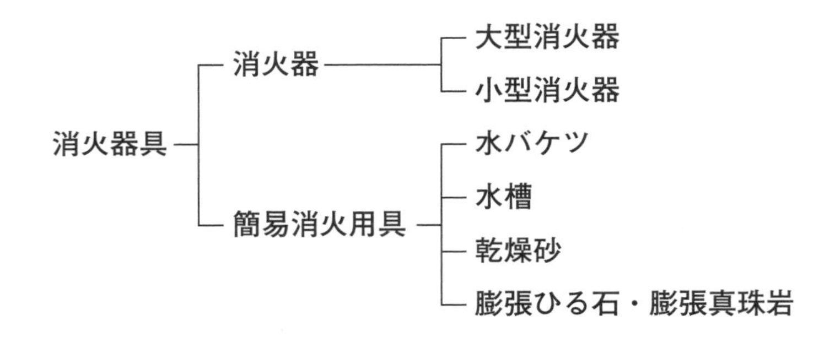

消火器具には，種類によって消火しやすい火災と，消火しにくい火災があります。そのため，設置する場所に応じて適切な種類の消火器具を選ばなければなりません。

各消火器具がどんな火災に適応するかについては，「消防法施行令別表第2」に定められています（次ページ）。

表を暗記するのはたいへんなので，ポイントを押さえておきましょう。

①建築物・工作物に適応する消火器具

「二酸化炭素消火器，ハロゲン化物消火器，炭酸水素塩類を使用する粉末消火器，乾燥砂，膨張ひる石・膨張真珠岩」以外

②電気設備に適応する消火器具

「棒状の水または強化液を放射する消火器，泡消火器，水バケツ，水槽，乾燥砂，膨張ひる石・膨張真珠岩」以外

③第４類危険物（ガソリンなど）に適応する消火器具

「棒状の水または強化液を放射する消火器，霧状の水を放射する消火器，水バケツ，水槽」以外

■■補足■■

簡易消火用具の能力単位については145ページ参照。

◆消防法施行令別表第２

消火器具の区分		対象物の区分														
		建築物その他の工作物	電気設備	危険物										指定可燃物		
				第一類		第二類			第三類		第四類	第五類	第六類			
				アルカリ金属の過酸化物又はこれを含有するもの	その他の第一類の危険物	鉄粉，金属粉若しくはマグネシウム又はこれらのいずれかを含有するもの	引火性固体	その他の第二類の危険物	禁水性物品	その他の第三類の危険物				可燃性固体類又は合成樹脂類（不燃性又は難燃性でないゴム製品，ゴム半製品，原料ゴム及びゴムくずを除く。）	可燃性液体類	その他の指定可燃物
棒状の水を放射する消火器		○			○		○	○		○		○	○	○		○
霧状の水を放射する消火器		○	○		○		○	○		○		○	○	○		○
棒状の強化液を放射する消火器		○			○		○	○		○		○	○	○		○
霧状の強化液を放射する消火器		○	○		○		○	○		○	○	○	○	○	○	○
泡を放射する消火器		○			○		○	○		○	○	○	○	○	○	○
二酸化炭素を放射する消火器			○				○				○			○	○	
ハロゲン化物を放射する消火器			○				○				○			○	○	
消火粉末を放射する消火器	りん酸塩類等を使用するもの	○	○		○		○	○			○		○	○	○	○
	炭酸水素塩類等を使用するもの		○	○		○	○		○		○			○	○	
	その他のもの			○		○			○							
水バケツ又は水槽		○			○		○	○		○		○	○	○		○
乾燥砂				○	○	○	○	○	○	○	○	○	○	○	○	
膨張ひる石又は膨張真珠岩				○	○	○	○	○	○	○	○	○	○	○	○	

○印は，対象物の区分の欄に掲げるものに，各項の消火器具がそれぞれ適応するものであることを示す。

2 地下街等に設置できない消火器

二酸化炭素消火器とハロゲン化物消火器（ハロン 1301 消火器を除く）は，次の場所に設置することはできません。

- 地下街
- 準地下街
- 地階，無窓階，居室（換気について有効な開口部の面積が床面積の 1／30 以下で，床面積が $20m^2$ 以下のもの）

3 消火器具の設置個数の減少

消火器具を設置しなければならない部分に，別の消火設備も設置する場合，その消火設備の適応性が消火器の適応性と同じであれば，消火器具の設置個数を減らしてもいいことになっています。

対象となる消火設備には，次の３種類があります。

覚える　消火器具の設置個数を減少できる消火設備

設置する消火設備	減少できる能力単位
大型消火器	1／2
屋内消火栓設備・スプリンクラー設備	1／3
水噴霧消火設備，泡消火設備，不活性ガス消火設備，ハロゲン化物消火設備，粉末消火設備	1／3

たとえば，必要な能力単位が６の建築物にスプリンクラー設備を設置すれば，６×１／３＝２単位分の能力単位を減らすことができ，必要な能力単位は４になります（適合性が同じ消火器具の場合）。能力単位２の小型消火器なら，２本設置すればよいことになります。

ただし，建築物の 11 階以上の部分は，この規定にかかわらず，消火器具の設置個数を減らすことはできません。

4 消火器具に関する基準の細目

消火器具は，以下の基準にしたがって設置します。

①床面からの高さが1.5m以下の箇所に設置する。
②水や消火剤が凍結・変質したり，噴出したりするおそれが少ない箇所に設置する。
③地震による震動等による転倒を防止するための措置を講じる。ただし，粉末消火器その他転倒により消火剤が漏れ出るおそれのない消火器については，この限りではない。
④消火器具を設置した箇所には，消火器具の種類に応じて，以下の標識を見やすい位置に設ける。

消火器具	標識
消火器	「消火器」
水バケツ	「消火バケツ」
水槽	「消火水槽」
乾燥砂	「消火砂」
膨張ひる石，膨張真珠岩	「消火ひる石」

標識は地が赤で文字は白，24cm以上×8cm以上の大きさとします。

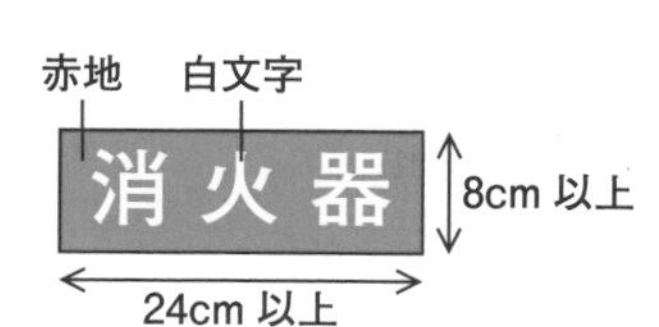

5 危険物施設に設置する消火器

消火器を製造所等の危険物施設に設置する場合は，危険物規制にしたがいます。危険物施設に設置する消火設備は第1種から第5種までの5種類に分類されており，大型消火器は第4種消火設備，小型消火器は第5種消火設備に属します。

補足

二酸化炭素消火器
ハロゲン化物消火器
消火剤として，二酸化炭素，ハロゲン化物を放射する消火器。いずれも人体に有害なため，換気のしにくい地下街などでの使用が禁止されています。ただし，ハロン1301は人体への影響が比較的少ないため，使用が認められています。

補足

消火器の設置
消火器を壁にかける場合などには，消火器の上部が高さ1.5mを超えないようにします。

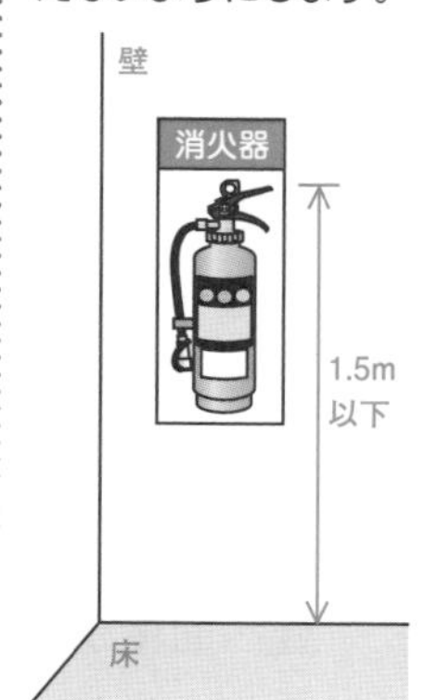

チャレンジ問題

［解説］140 ページ　［解答一覧］148 ページ

問 1　難　中　**易**

延べ面積に関係なく消火器具を設置しなければならない防火対象物として，誤っているものは次のうちどれか。

(1)　飲食店（火を使う設備のあるもの）
(2)　地下街
(3)　ホテル
(4)　重要文化財

問 2　難　中　**易**

消防法令上，消火器具を設置しなければならない防火対象物は次のうちどれか。ただし，いずれも 2 階以下の普通階とする。

(1)　延べ面積 250m^2 の中学校
(2)　延べ面積 100m^2 の診療所（入院施設なし）
(3)　延べ面積 200m^2 の事務所
(4)　延べ面積 150m^2 の集会場

問 3　難　中　**易**

延べ面積が 300m^2 以上の場合に消火器具を設置しなければならない防火対象物として，誤っているものは次のうちどれか。

(1)　美術館
(2)　神社
(3)　幼稚園
(4)　小学校

問4

難　中　易

消防法令上，消火器具を設置しなくてもよい防火対象物は次のうちどれか。ただし，いずれも2階以下の普通階とする。

(1) 延べ面積 250m^2 の美術館
(2) 延べ面積 150m^2 の公会堂
(3) 延べ面積 200m^2 の寄宿舎
(4) 延べ面積 100m^2 の劇場

問5

難　中　易

延べ面積が 150m^2 以上の場合に消火器具を設置しなければならない防火対象物として，正しいものは次のうちどれか。

(1) 中学校
(2) 博物館
(3) 百貨店
(4) ナイトクラブ

問6

難　中　易

防火対象物またはその部分に設ける消火器具の説明として，消防法令上，誤っているものは次のうちどれか。

(1) 指定数量の5分の1以上の少量危険物を貯蔵する場合は，当該危険物の数量を指定数量で除した数値以上の能力単位となるように消火器具を設ける。
(2) 指定可燃物を貯蔵する場合は，当該指定可燃物の数量を危険物の規制に関する政令別表第4に定める数量の50倍で除した数値以上の能力単位となるように消火器具を設ける。
(3) 変圧器，配電盤等の電気設備がある場所には，床面積 100m^2 以下ごとに1個の消火器を設ける。
(4) 鍛造場，ボイラー室，乾燥室その他多量の火気を使用する場所には，床面積を $100m^2$ で除した数値以上の能力単位となるように消火器具を設ける。

問7

難 中 易

防火対象物またはその部分に設置する消火器具の能力単位を算定する際の算定基準面積として，誤っているものは次のうちどれか。ただし，いずれも耐火構造ではないものとする。

(1) 映画館…… $50m^2$

(2) 倉庫………$100m^2$

(3) 中学校……$100m^2$

(4) 事務所……$200m^2$

問8

難 中 易

防火対象物またはその部分に設置する消火器具の能力単位を算定する際の算定基準面積として，誤っているものは次のうちどれか。ただし，いずれも主要構造部は耐火構造で，かつ内装仕上げは不燃材料とする。

(1) カラオケボックス……$100m^2$

(2) 病院……………………$100m^2$

(3) 倉庫……………………$200m^2$

(4) 図書館…………………$400m^2$

問9

難 中 易

延べ面積 $1,000m^2$ の共同住宅に消火器具を設置する際，必要な能力単位の数値として正しいものは次のうちどれか。ただし，共同住宅の主要構造部は耐火構造とし，かつ内装仕上げは不燃材料とする。

(1) 5

(2) 10

(3) 15

(4) 20

問 10　難 中 易

延べ面積 500m^2 の木造の倉庫に消火器具を設置する際，必要な能力単位の数値として正しいものは次のうちどれか。

(1) 2

(2) 3

(3) 5

(4) 10

問 11　難 中 易

防火対象物の各部分から一（いち）の消火器具（大型消火器を除く。）までの距離として正しいものは次のうちどれか。

(1) 歩行距離 30m 以下

(2) 水平距離 30m 以下

(3) 歩行距離 20m 以下

(4) 水平距離 20m 以下

問 12　難 中 易

指定可燃物を，危険物の規制に関する政令別表第 4 で定める数量の 500 倍以上貯蔵する防火対象物に大型消火器を設置する場合，貯蔵する場所の各部分から一の大型消火器までの距離として，正しいものは次のうちどれか。

(1) 歩行距離 30m 以下

(2) 水平距離 30m 以下

(3) 歩行距離 20m 以下

(4) 水平距離 20m 以下

問 13 難 中 易

能力単位を1とすることができる消火器具として，正しいものは次のうちでどれか。

(1) 容量 5L の水バケツ 3 個
(2) 容量 5L の水バケツ 4 個
(3) 容量 8L の水バケツ 3 個
(4) 容量 10L の水バケツ 2 個

問 14 難 中 易

電気設備の火災に適応する消火器具として，正しいものは次のうちどれか。

(1) 棒状の水を放射する消火器
(2) 棒状の強化液を放射する消火器
(3) 泡を放射する消火器
(4) 霧状の水を放射する消火器

問 15 難 中 易

灯油の火災に適応する消火器具として，正しいものは次のうちどれか。

(1) 水バケツまたは水槽
(2) 霧状の水を放射する消火器
(3) 霧状の強化液を放射する消火器
(4) 棒状の強化液を放射する消火器

問 16 難 中 易

消火器具の適応性についての記述として，消防法令上，誤っているものは次のうちどれか。

(1) 二酸化炭素を放射する消火器は，建築物その他の工作物の火災に適応する。

(2) りん酸塩類を使用する粉末消火器は，建築物その他の工作物の火災に適応する。

(3) 炭酸水素塩類を使用する粉末消火器は，鉄粉の火災に適応する。

(4) 乾燥砂は，第4類危険物の火災に適応する。

問17　難｜中｜易

消防法令上，地下街または準地下街に設置することができる消火器として，正しいものは次のうちどれか。

(1) 二酸化炭素消火器

(2) ハロン1211消火器

(3) ハロン2402消火器

(4) ハロン1301消火器

問18　難｜中｜易

二酸化炭素消火器を設置してはならない地階，無窓階，居室の条件として，正しいものは次のうちどれか。

(1) 換気について有効な開口部の面積が床面積の20分の1以下で，かつ，当該床面積20m^{2}以下

(2) 換気について有効な開口部の面積が床面積の20分の1以下で，かつ，当該床面積30m^{2}以下

(3) 換気について有効な開口部の面積が床面積の30分の1以下で，かつ，当該床面積20m^{2}以下

(4) 換気について有効な開口部の面積が床面積の30分の1以下で，かつ，当該床面積30m^{2}以下

問19　難｜中｜易

ある特定の消火設備を技術上の基準に従って設置した場合は，その

有効範囲内の部分において，当該消火設備と適応性が同一の消火器具の能力単位の合計を軽減できる。このような消火設備に該当するものとして，誤っているものは次のうちどれか。

(1) 屋内消火栓設備

(2) 屋外消火栓設備

(3) スプリンクラー設備

(4) 不活性ガス消火設備

問20　難　中　易

消火器具の設置が必要な防火対象物に粉末消火設備を設置すると，粉末消火設備と適応性が同一の消火器具の能力単位の数値の合計を減少することができる。もともと必要な能力単位の合計が6であった場合，粉末消火設備の設置によって，必要な能力単位の合計はいくつになるか。

(1) 2

(2) 3

(3) 4

(4) 5

問21　難　中　易

消火器具の設置が必要な防火対象物の部分に，大型消火器を技術上の基準に従って設置した場合，その有効範囲内の部分において，当該大型消火器と適応性が同一の消火器具の能力単位の数値の合計を減少することができる。減少割合として正しいものは次のうちどれか。

(1) 2／3

(2) 1／2

(3) 1／3

(4) 1／4

問22 難 中 易

消火器具の設置および維持に関する技術上の基準の細目として，誤っているものは次のうちどれか。

(1) 床面からの高さが 1.8m 以下の箇所に設ける。
(2) 水その他消火剤が凍結，変質または噴出するおそれが少ない箇所に設ける。
(3) 原則として地震による震動等による転倒を防止するための措置を講じる。
(4) 消火器を設置した箇所には「消火器」と表示した標識を見やすい位置に設ける。

問23 難 中 易

消火器具と，当該消火器具を設置した箇所に設ける標識の表示として，誤っているものは次のうちどれか。

(1) 水バケツ ……… 「消火バケツ」
(2) 水槽 …………… 「防火水槽」
(3) 乾燥砂 ………… 「消火砂」
(4) 膨張真珠岩 …… 「消火ひる石」

解　説

問1　延べ面積に関係なく，消火器具の設置が必要な防火対象物には，次のものがあります。

◆延べ面積に関係なく消火器具の設置が必要

- 劇場，映画館
- キャバレー，ナイトクラブ
- 遊技場，ダンスホール
- 性風俗店
- カラオケボックス等

（以上、娯楽施設）

- 待合・料理店・飲食店（火を使うもの）
- 病院，診療所，助産所（入院施設のあるもの）
- 自力避難困難者入所施設
- 地下街
- 準地下街
- 重要文化財
- 舟車（総務省令で定めるもの）

病院の地下牢で食べて楽しい文化祭
病院　地下街　老人ホーム等　飲食店　娯楽施設　重要文化財

(3)ホテルは，延べ面積 150m² 以上の場合に消火器具の設置が必要です。

解答（3）　**参照** 119，120ページ

問2

×（1）中学校などの学校は，延べ面積 300m² 以上の場合に消火器具の設置が必要です。

×（2）入院施設のない診療所・助産所は，延べ面積 150m² 以上の場合に消火器具の設置が必要です。

×（3）事務所は，延べ面積 300m² 以上の場合に消火器具の設置が必要です。

○（4）集会場は，延べ面積150m²以上の場合に消火器具の設置が必要です。

◆延べ面積 150m² 以上の場合に消火器具の設置が必要

・公会堂，集会場	・幼稚園，特別支援学校
・待合，料理店 ｝火を使わない場合	・蒸気浴場，熱気浴場
・飲食店 ｝火を使わない場合	・工場，作業場
・百貨店，マーケット	・映画スタジオまたはテレビスタジオ
・旅館，ホテル	・自動車車庫，駐車場
・寄宿舎，下宿，共同住宅	・格納庫
・入院施設のない診療所，助産所	・倉庫
・その他の社会福祉施設等	

解答（4）　参照 120 ページ

問3　延べ面積 300m² 以上の場合に消火器具の設置が必要な防火対象物には，次のものがあります。

◆延べ面積 300m² 以上の場合に消火器具の設置が必要

・学校
・図書館，博物館，美術館
・停車場，発着場
・神社，寺院，教会
・事務所

GACKT（ガクト）の事務員，定時に参拝
（GACKT＝学校・図書館，事務員＝事務所，定＝停車場，時＝神社，参拝＝300m²）

(3) 幼稚園は，延べ面積 150m² 以上の場合に消火器具の設置が必要な防火対象物です。

解答（3）　参照 120 ページ

問4

○（1）美術館は，延べ面積が 300m² 以上の場合に消火器具の設置が必要です。

×（2）公会堂は，延べ面積が 150m² 以上の場合に消火器具の設置が必要

です。

×（3）寄宿舎は，延べ面積が 150m^2 以上の場合に消火器具の設置が必要です。

×（4）劇場は延べ面積に関係なく消火器具の設置が必要です。

解答（1）　参照 119，120 ページ

問5

×（1）中学校は，延べ面積 300m^2 以上の場合に消火器具の設置が必要です。

×（2）博物館は，延べ面積 300m^2 以上の場合に消火器具の設置が必要です。

○（3）正解です。百貨店は，延べ面積 150m^2 以上の場合に消火器具の設置が必要です。

×（4）ナイトクラブは，延べ面積に関係なく消火器具の設置が必要です。

解答（3）　参照 119，120 ページ

問6　少量危険物や指定可燃物を貯蔵する場所，電気設備のある場所，多量の火気を使用する場所では，以下の基準にしたがって消火器具を設置します。

設置場所	算定式
少量危険物を貯蔵・取り扱う場所	能力単位　≧　$\frac{\text{少量危険物の数量}}{\text{指定数量}}$
指定可燃物を貯蔵・取り扱う場所	能力単位　≧　$\frac{\text{指定可燃物の数量}}{\text{危政令別表第4で定める数量} \times 50}$
電気設備のある場所	消火器の個数　≧　$\frac{\text{床面積}}{100\text{m}^2}$
多量の火気を使用する場所	能力単位　≧　$\frac{\text{床面積}}{25\text{m}^2}$

（4）が誤り。多量の火気を使用する場所には，能力単位が床面積／

$25m^2$ 以上の数値となるように消火器具を設けます。

解答（4）　参照 125，126ページ

問7　防火対象物に設置する消火器具は，その能力単位の合計が，$\frac{延べ面積}{算定基準面積}$ 以上となるように設置する必要があります。算定基準面積は，防火対象物のグループごとに，以下のように定められています。

防火対象物のグループ	算定基準面積
①延べ面積に関係なく消火器具の設置が必要なもの（待合，飲食店，病院，自力避難困難者入所施設，舟車を除く）	$50m^2$
②延べ面積 $150m^2$ 以上で消火器具の設置が必要なもの（待合，飲食店，病院，自力避難困難者入所施設を含む）	$100m^2$
③延べ面積 $300m^2$ 以上で消火器具の設置が必要なもの	$200m^2$

○（1）映画館は上記①のグループに含まれるので，算定基準面積は $50m^2$ になります。

○（2）倉庫は上記②のグループに含まれるので，算定基準面積は $100m^2$ になります。

×（3）中学校は上記③のグループに含まれるので，算定基準面積は $200m^2$ です。

○（4）事務所等は上記③のグループに含まれるので，算定基準面積は $200m^2$ です。

解答（3）　参照 124ページ

問8　主要構造部を耐火構造とし，かつ内装仕上げを難燃材料とする場合には，算定基準面積を2倍にすることができます。

○（1）カラオケボックスは上記①のグループに含まれるので，算定基準面積は $50 \times 2 = 100m^2$ になります。

×（2）病院は②のグループに含まれるので，算定基準面積は $100 \times 2 =$

$200m^2$ になります。

○ (3) 倉庫は②のグループに含まれるので，算定基準面積は 100 × 2 = $200m^2$ になります。

○ (4) 図書館は③のグループに含まれるので，算定基準面積は 200 × 2 = $400m^2$ になります。

解答 (2)　参照 124 ページ

問 9　共同住宅は②のグループに含まれます。耐火構造の場合は算定基準面積を 2 倍にするので，算定基準面積は 100 × 2 = $200m^2$ になります。したがって，必要な能力単位は次のようになります。

$$\frac{1000m^2}{200m^2} = 5$$

解答 (1)　参照 124 ページ

問 10　倉庫は②のグループに含まれます。耐火構造ではないので，算定基準面積は $100m^2$ になります。したがって，必要な能力単位は次のようになります。

$$\frac{500m^2}{100m^2} = 5$$

解答 (3)　参照 124 ページ

問 11　大型消火器以外の消火器具は，防火対象物の**階ごと**に，各部分から消火器具までの**歩行距離**が **20m 以下**となるように設置します。

解答 (3)　参照 127 ページ

問 12　指定可燃物を，危険物の規制に関する政令別表第 4 で定める数量の **500 倍以上**貯蔵する防火対象物には，指定可燃物の種類ごとにその消火に適応する大型消火器を設置します。大型消火器は防火対象物の**階ごと**

に，貯蔵する場所の各部分からどれか1つの大型消火器に至る**歩行距離**が**30m以下**となるように設けなければなりません。

解答（1）　参照 127ページ

問13　簡易消火用具の能力単位の数値は，次のように定められています。

簡易消火用具	容量×個数	能力単位
水バケツ	8L×3個	1.0
水槽（消火専用バケツ3個付）	80L	1.5
水槽（消火専用バケツ6個付）	190L	2.5
乾燥砂（スコップ付）	50L	0.5
膨張ひる石・膨張真珠岩（スコップ付）	160L	1.0

水バケツは，容量8Lのものが3個で，能力単位1とみなします。

解答（3）　参照 128ページ

問14　棒状の水または強化液を放射する消火器や泡消火器は，感電のおそれがあるため，電気設備の火災には適応しません。霧状の水または強化液を放射する消火器は適応します。

解答（4）　参照 129ページ

問15　ガソリン，灯油などの第4類危険物の火災に適応する消火器具は，「棒状の水または強化液を放射する消火器，霧状の水を放射する消火器，水バケツ，水槽」以外の消火器です。したがって，（3）霧状の強化液を放射する消火器は，灯油の火災に適応します。

解答（3）　参照 129ページ

問16

×（1）建築物その他の工作物に適応する消火器は，「二酸化炭素消火器，ハロゲン化物消火器，炭酸水素塩類を使用する粉末消火器」以外の消火器です。

○（2）粉末消火器のうち，りん酸塩類を使用する粉末消火器は，建築物その他の工作物にも適応しています。

○（3）炭酸水素塩類を使用する粉末消火器は，第 2 類危険物の鉄粉の火災に適応します。

○（4）乾燥砂は，第 4 類危険物の火災に適応します。

解答（1）　参照 129 ページ

問 17　地下街または準地下街には，二酸化炭素消火器とハロゲン化物消火器を設置することはできません。ただし，ハロゲン化物消火器のうち，ハロン 1301（ブロモトリフルオロメタン）については，例外として設置が認められています。

解答（4）　参照 130 ページ

問 18　二酸化炭素消火器・ハロゲン化物消火器（ハロン 1301 を除く）は，換気について有効な開口部の面積が床面積の 1／30 以下で，かつ，床面積が 20m^2 以下の地階，無窓階，居室に設置することができません。

解答（3）　参照 130 ページ

問 19　下記の消火設備を技術上の基準に従って設置した場合には，その消火設備と適応性が同一の消火器具の能力単位を軽減できます。

- **屋内消火栓設備**
- **スプリンクラー設備**
- **水噴霧消火設備，泡消火設備，不活性ガス消火設備，ハロゲン化物消火設備，粉末消火設備**

屋外消火栓設備は，消火器具の能力単位を軽減できません。

解答（2）　参照 130 ページ

問20　粉末消火設備の設置によって，消火器具の能力単位の合計の数値を１／３減少させることができます（数値が１／３になるのではなく，減少分が１／３であることに注意）。

したがって，減少後の能力単位の合計は，もとの数値６の２／３になります。

$$6 \times \frac{2}{3} = 4$$

解答（3）　参照 130 ページ

問21　設置する消火設備と，その消火設備と適応性が同じ消火器具の能力単位の合計の減少割合は下記のように定められています。

消火設備	能力単位の減少割合
大型消火器	１／２
屋内消火栓設備	１／３
スプリンクラー設備	
水噴霧消火設備，泡消火設備，不活性ガス消火設備，ハロゲン化物消火設備，粉末消火設備	

大型消火器を設置した場合，消火器の能力単位の減少割合は１／２になります。

解答（2）　参照 130 ページ

問22　消火器具に関する基準の細目は，以下のとおりです。

- **床面からの高さが 1.5m 以下の箇所に設ける。**
- **水その他消火剤が凍結，変質または噴出するおそれが少ない箇所に設ける。**
- **原則として地震による震動等による転倒を防止するための措置を講じ**

る（粉末消火器を除く）。
・消火器具を設置した箇所には，その消火器具の標識を見やすい位置に設ける。

消火器具は，床面からの高さが 1.8m でなく，1.5m 以下の箇所に設けます。

解答（1）　参照 131 ページ

問23　消火器具を設置した箇所に設ける標識の表示は，次のとおりです。

消火器具	標識
消火器	「消火器」
水バケツ	「消火バケツ」
水槽	「消火水槽」
乾燥砂	「消火砂」
膨張ひる石・膨張真珠岩	「消火ひる石」

水槽の標識は「防火水槽」ではなく「消火水槽」になります。

解答（2）　参照 131 ページ

解答

問1 (3)	問7 (3)	問13 (3)	問19 (2)
問2 (4)	問8 (2)	問14 (4)	問20 (3)
問3 (3)	問9 (1)	問15 (3)	問21 (2)
問4 (1)	問10 (3)	問16 (1)	問22 (1)
問5 (3)	問11 (3)	問17 (4)	問23 (2)
問6 (4)	問12 (1)	問18 (3)	

第3章

消火器の構造と機能

消火器の構造

まとめ&丸暗記

この節の学習内容とまとめ

□　消火器の種類別特徴

消火器の種類	加圧方式	主な消火効果			適応火災			備考
		冷却効果	窒息効果	抑制効果	普通（A）	油（B）	電気（C）	
水	蓄圧式	○			○		○ （霧状）	・浸潤剤を添加 ・棒状放射は電気火災に不適
強化液	蓄圧式 ガス加圧式	○		○	○	○ （霧状）	○ （霧状）	・アルカリ性と中性がある ・霧状放射は全火災に適応
機械泡	蓄圧式 ガス加圧式	○	○		○	○		・発泡ノズルで空気を混入
化学泡	反応式	○	○		○	○		・ひっくり返して使用 ・転倒式，破蓋転倒式，開蓋転倒式がある
二酸化炭素	蓄圧式		○			○	○	・指示圧力計はない ・容器の1/2を緑色で塗装
ハロゲン化物	蓄圧式		○	○		○	○	・指示圧力計はない ・容器の1/2をねずみ色で塗装 ・現在は生産停止
粉末	蓄圧式		○	○	○ （ABC）	○	○	・粉末（ABC）以外は普通火災に不適
粉末	ガス加圧式		○	○	○ （ABC）	○	○	・粉末（ABC）以外は普通火災に不適 ・ガス導入管 ・逆流防止装置 ・粉上り防止用封板 ・開閉バルブ式と開放式がある

燃焼と消火の理論

1 燃焼の三要素

燃焼とは，簡単にいえばモノが燃えることです。モノが燃えるためには，絶対に欠かせない要素が３つあり，これを燃焼の三要素といいます。

①可燃物
②酸素供給源
③点火源
} 燃焼の三要素

可燃物とは，燃えるモノのことです。また，モノが燃えるには酸素が必要なので，酸素供給源も欠かせません（もっとも身近な酸素供給源は空気です）。

また，ロウソクも花火も，最初にマッチやライターなどの点火源で火を付けなければ，燃えはじめることはできません。

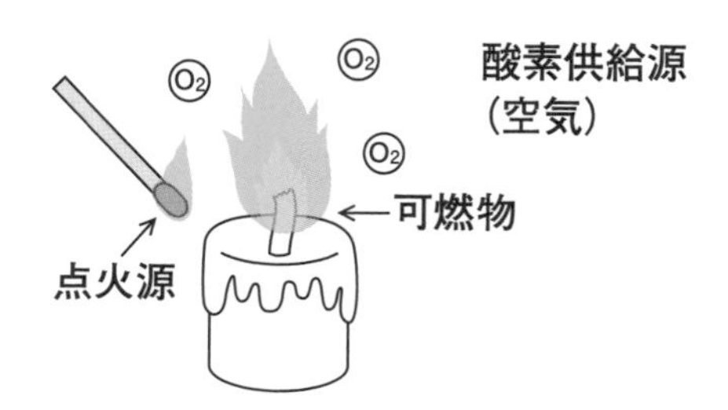

2 消火の四要素

以上のように，可燃物，酸素供給源，点火源の３つがそろってはじめて，モノは燃えることができます。言い換えると，３つのうちのどれか１つを取り除けば，

補足

燃焼
物質が熱と光を発して酸化する現象。

補足

空気
空気の組成は，窒素が約78%，酸素が約21%。

燃えている火を消すことができる，ということになります。

①可燃物を取り除く→除去効果
②酸素供給源を取り除く→窒息効果
③点火源を取り除く→冷却効果

この３つの消火方法に**抑制効果**をあわせて，**消火の四要素**といいます。

①除去効果

たとえば，ガスの元栓を閉めてガスコンロの火を消すのは，可燃物であるガスを取り除いて燃焼を止める方法です。このときの効果を**除去効果**といいます。

②窒息効果

たとえば，アルコールランプにふたをして火を消すのは，酸素供給源である空気を遮断して燃焼を止める方法です。また，燃えているものに砂や土をかけるのも，空気を遮断して火を消す方法です。このときの効果を**窒息効果**といいます。

③冷却効果

モノが燃えて温度が上がると，その熱が新たな点火源となって燃焼が続きます。水をかけて火を消すのは，燃焼物から点火源となる熱をうばって，燃焼が続かないようにする方法です。このような効果を**冷却効果**といいます。

④抑制効果（負触媒効果）

以上のほか，ハロゲン化物やりん酸塩類などの薬剤をかけて，可燃物の酸化を抑制して燃焼を中断させる方法もあります。この効果を**抑制効果（負触媒効果）**といいます。

消火器に使われている消火剤は，四要素のうちの窒息効果，冷却効果，抑制効果のいずれかによって燃焼を止めます。

消火器の分類

1 消火剤による分類

消火器には，使われている消火剤によって次のような種類があります。

- 水消火器
- 強化液消火器
- 泡消火器（機械泡消火器，化学泡消火器）
- 二酸化炭素消火器
- ハロゲン化物消火器
- 粉末消火器

このうち，ハロゲン化物消火器は現在では生産されていません。現在もっとも多く生産されている消火器は，粉末消火器と強化液消火器です。

それぞれの消火剤の特徴については，次節でくわしく説明します。

2 加圧方式

消火剤を放射するためには，消火器内部に圧力を加える必要があります。圧力を加える方式によって，消火器は蓄圧式（ちくあつ）と加圧式に分かれます。また，加圧式にはガス加圧式と反応式の2種類があります。

①蓄圧式

本体容器内に，あらかじめ圧縮ガスが充てんしてあ

補足

消火器の定義

『消火器の技術上の規格を定める省令』では，消火器を次のように定義しています。

「水その他消火剤を圧力により放射して消火を行う器具で人が操作するもの（収納容器に結合させることにより人が操作するものを含み，固定した状態で使用するもの及び消防庁長官が定めるエアゾール式簡易消火具を除く。）をいう。」

補足

酸アルカリ消火器

炭酸水素ナトリウムと硫酸を反応させ，発生した炭酸ガスの圧力で薬剤を放射する消火器。現在は使用されていません。

るもの。指示圧力計がついていて，圧力がわかるようになっています。

②ガス加圧式

本体容器と別に，圧縮ガスを充てんした加圧用ガス容器を設け，使用時には加圧用ガス容器から本体に圧縮ガスを送って，消火剤を放射するもの。

③反応式

薬剤の化学反応によってガスを発生させ，その圧力によって消火剤を放射するもの。外筒と内筒に別々の薬剤が入っていて，使用時に本体をひっくり返すと，両者が混ざって化学反応を起こす構造になっています。

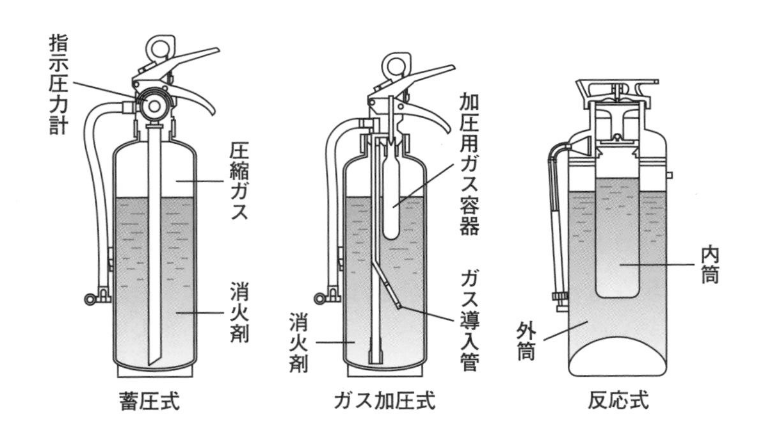

加圧方式は，消火器の種類によってある程度決まっています。

消火器の種類		蓄圧式	加圧式	
			ガス加圧式	反応式
水消火器		○		
強化液消火器		○	○（大型）	
泡	化学泡消火器			○
	機械泡消火器	○	○（大型）	
二酸化炭素消火器		○		
ハロゲン化物消火器		○		
粉末消火器		○	○	

3 適応火災

火災は，普通火災（木材，紙などによる火災），油火災（引火性液体による火災），電気火災（電線，モーターなどによる火災）の3種類に分類されます。普通火災＝A火災，油火災＝B火災，電気火災＝C火災ともいいます。

消火器は，使用する消火剤によって適応する火災の種類が異なります。消火器本体には，適応する火災の種類がすぐわかるように，まるい絵表示がついています。

4 運搬方法

以上のほかにも，運搬方法の違いによって，消火器は以下の4種類に分類できます。

①手さげ式

本体容器を手にさげて使用するもの。いちばんよく見かけるタイプです。

補足

指示圧力計

蓄圧式の消火器の例外として，二酸化炭素消火器とハロゲン化物消火器には，指示圧力計は付いていません（202ページ）。

②据置式

本体を据え置いたままの状態で，ホースを長く伸ばして使用するもの。消火器本体とホースは収納容器に収納されています。

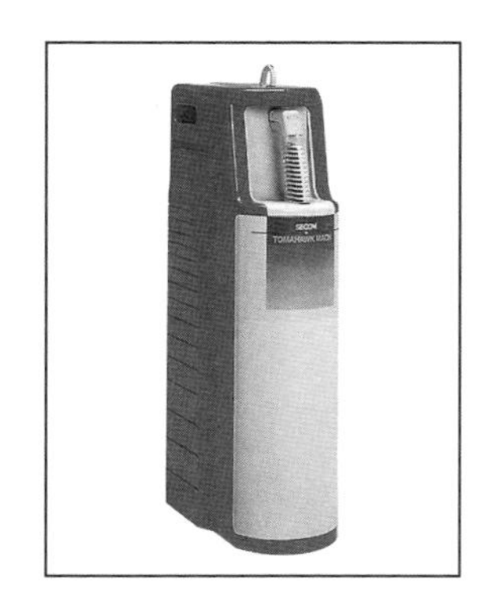

③背負式

本体容器に背負いひもが付いていて，人が背負った状態で使用するもの。

④車載式

本体容器に車輪が付いているもの。手さげ式では運搬が難しい大型の消火器で用いられます（ただし，車載式の小型消火器もあります）。

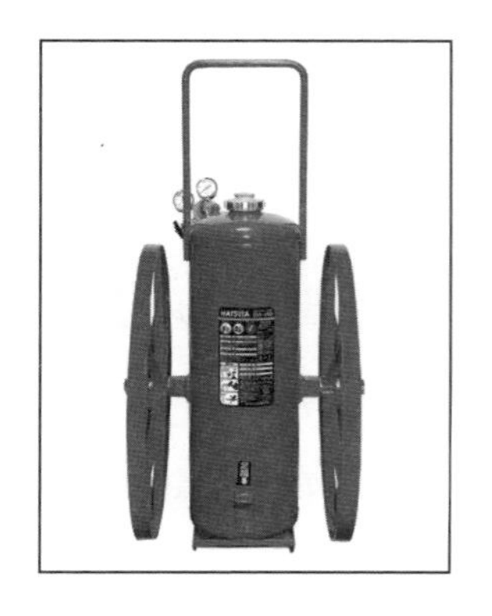

消火器の運搬方法は，重量によってある程度決まっています。

重量	運搬方法
28kg 以下	手さげ式，据置式，背負式
28 超～ 35kg 以下	据置式，背負式，車載式
35kg 超	車載式

各消火器の構造と機能

1 水消火器

加圧方式	蓄圧式
消火剤	水（浸潤剤を添加）
主な消火作用	冷却効果
適応火災	普通火災，電気火災（霧状のみ）

◆消火剤

水は比熱と蒸発熱が大きいので，注水すると周囲の空気から大量の熱を奪います。水消火器は，主にこのときの冷却効果によって消火を行います。

なお，水消火器に使われる水には，一般に界面活性剤などの浸潤剤が添加され，消火性能が高められています。

◆構造

水消火器は蓄圧式の消火器です。加圧式は現在生産されていません。

◆適応火災

水は普通火災にもっとも適しています。油火災に注水すると，油が水に浮いてかえって火災が広がるおそれがあるため，油火災には適応しません。また，棒状の放射は感電のおそれがあるため，電気火災には適応しません。

補足

手動ポンプ式水消火器
現在では使われていませんが，以前には手動ポンプ式の水消火器もありました。規格省令の一部には，今でも規定が残っています。

補足

比熱
物質を単位温度上げるのに必要となる熱量のこと。比熱が大きいほど多くの熱を吸収するので，冷却効果が高い。

2 強化液消火器

加圧方式	蓄圧式，ガス加圧式 ※ガス加圧式は大型消火器のみ
消火剤	強化液
主な消火作用	冷却効果，抑制効果
適応火災	普通火災，油火災（霧状のみ），電気火災（霧状のみ）
使用温度範囲	－20～＋40℃
使用圧力範囲	0.7～0.98MPa（メガパスカル）

◆消火剤

強化液は，炭酸カリウムの濃厚なアルカリ性（pH約12）の水溶液で，水による**冷却効果**のほか，**抑制効果**もあります。また，－20℃でも凍らないので，寒冷地でも使用できます。色は無色透明ですが，淡黄色に着色されている場合もあります。

また，最近では水にりん酸類や界面活性剤などを配合した中性（pH7程度）の強化液がよく使われています。人体への害が少なく，金属を腐食させにくいため，人の多く集まる場所や鉄道車両などによく備え付けられています。

◆構造

強化液消火器は，一般的には**蓄圧式**が多く，ガス加圧式は一部の大型消火器（強化液60L以上）に採用されています。

蓄圧式は，本体に圧縮空気または窒素ガスが充てんされており，レバーを握るとバルブが開いて強化液が放射され，レバーを離すとバルブが閉じて放射が停止します（**開閉バルブ方式**）。使用圧力範囲は**0.7～0.98MPa**（メガパスカル）です。

なお，手さげ式消火器のノズルは規格上切替式にできないので，霧状放射に固定されています。車載式消火器のノズルは，棒状と霧状を切り替えできるようになっています。

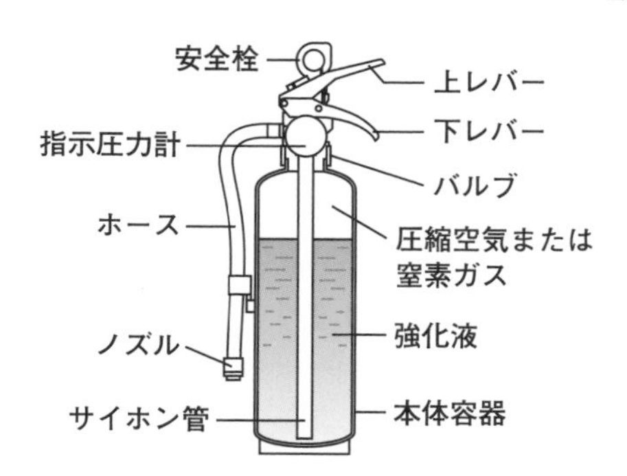

◆**適応火災**

強化液は普通火災のほか，油火災や電気火災にも対応します（霧状に放射した場合）。炭酸カリウムは油脂とすばやく反応して不燃化するため，天ぷら油の火災に特に効果があります。

3 機械泡消火器

加圧方式	蓄圧式，ガス加圧式 ※ガス加圧式は大型消火器のみ
消火剤	機械泡（水成膜，界面活性剤など）
主な消火作用	窒息効果，冷却効果
適応火災	普通火災，油火災
使用温度範囲	－20～＋40℃
使用圧力範囲	0.7～0.98MPa

◆**消火剤**

泡消火器は，燃焼物を泡でおおって空気を遮断する**窒息効果**と，泡自体の**冷却効果**によって消火する消火器です。泡消火器には，機械泡消火器と化学泡消火器があります。

補足

pH（ピーエッチ）
物質の酸性，アルカリ性の度合いを示す0～14の数値。pH7が中性で，7より小さい場合を酸性，7より大きい場合をアルカリ性といいます。

補足

開閉バルブ方式
蓄圧式消火器のバルブはすべて開閉バルブ方式です。

補足

使用圧力範囲
指示圧力計のある蓄圧式消火器は，すべて0.7～0.98MPaです。

補足

安全栓
消火器が誤作動しないようにロックする栓。使用時に引き抜きます（198ページ）。

補足

サイホン管
消火剤を吸い込んでホースに送る管。サイホン管は，化学泡消火器以外のすべての消火器にあります。

機械泡消火器の消火剤は，水成膜や界面活性剤などの水溶液で，放射する際に発泡ノズルで空気を混入して発泡します。

◆構造

機械泡消火器は，蓄圧式とガス加圧式があります。手さげ式は蓄圧式で，大型消火器には蓄圧式とガス加圧式があります。

発泡ノズルは，根元に空気吸入孔があるのが特徴で，消火剤がノズルを通るときに空気を吸入し，泡ができます。

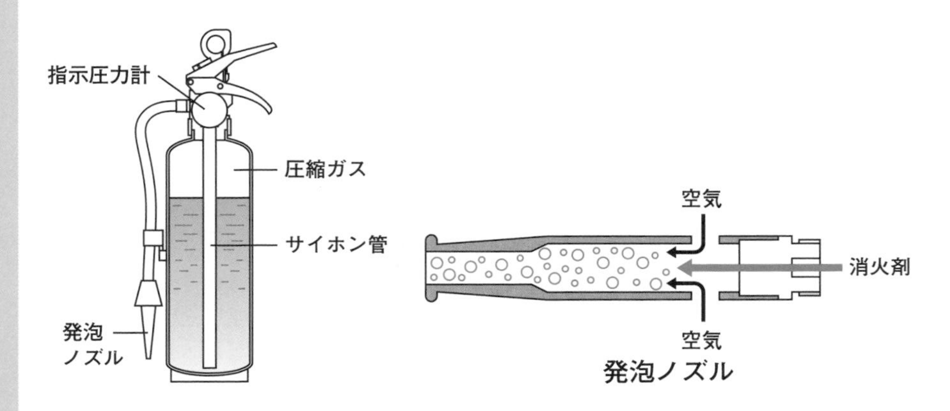

◆適応火災

泡消火器は，普通火災と油火災に適応します。電気火災は感電のおそれがあるため不適です。

4 化学泡消火器

加圧方式	反応式
消火剤	化学泡（A 剤，B 剤）
主な消火作用	窒息効果，冷却効果
適応火災	普通火災，油火災
使用温度範囲	＋５～40℃

◆消火剤

化学泡消火器は，炭酸水素ナトリウムを主成分とした A 剤の水溶液と，硫酸アルミニウム（B 剤）の溶液を使用時に混合し，化学反応によって多量の二酸化炭素の泡を発生させて放射します。泡には燃焼物を泡でおおって空気を遮断する窒息効果と，泡自体の冷却効果があります。

なお，化学泡消火器は低温になると化学反応が遅くなるため，使用温度範囲は＋5～40℃となっています。

◆構造

化学泡消火器の内部は外筒と内筒からなり，外筒にA剤，内筒にB剤が充てんされています。使用時に本体容器をひっくり返すと，内筒ふたが開いてA剤とB剤が混合し，二酸化炭素を含む多量の泡が発生します。この二酸化炭素の圧力で泡を放射します（反応式）。

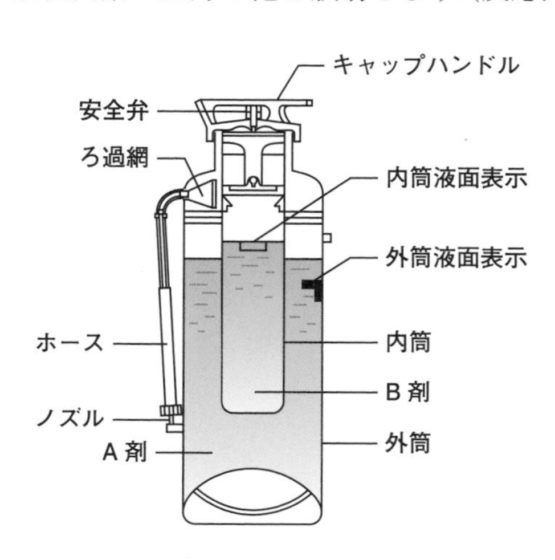

なお，消火器をあやまって倒しても，内筒のふたが自動で開かないようにした破蓋転倒式（はがい）や開蓋転倒式（かいがい）があります。

補足

液面表示
化学泡消火器の内筒と外筒には，消火剤の容量を示す液面表示があります。外筒の消火剤は，内筒を取りはずした状態で液面表示の位置まで充てんするため，内筒を入れた状態では液面表示より上の位置になります。

補足

安全弁
容器内に異常圧力が生じたときに圧力を排出する弁です（199 ページ）。

補足

ろ過網
ゴミや異物を取り除き，ホースやノズルの詰まりを防止します（198 ページ）。

転倒式	ひっくり返すだけで内筒のふたが落下し，A剤とB剤が混合する方式。あやまって倒したり，地震などで倒れたりしないように，転倒防止の措置が必要です。
破蓋（はがい）転倒式	内筒は鉛封板等で密封されており，使用時に押し金具を押してキャップに装着されているカッターで封板を破ってからひっくり返す方式。
開蓋（がい）転倒式	使用時にハンドルを回し，内筒のふたを開いてからひっくり返す方式。

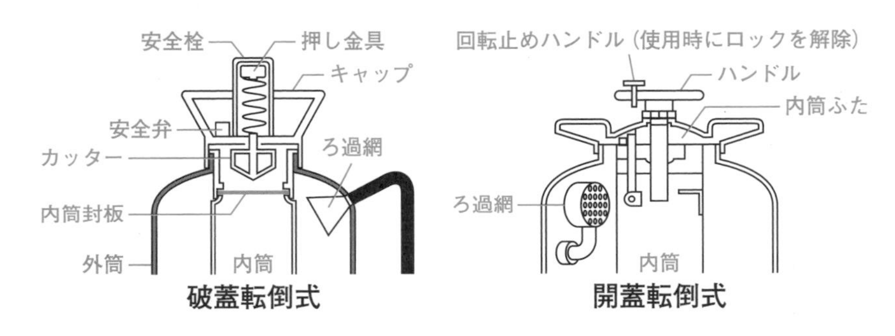

◆適応火災

泡消火器は，普通火災と油火災に適応します。電気火災は感電のおそれがあるため不適です。

5 二酸化炭素消火器

加圧方式	蓄圧式
消火剤	二酸化炭素
主な消火作用	窒息効果
適応火災	油火災，電気火災
使用温度範囲	－30～＋40℃

◆消火剤

二酸化炭素消火器は，二酸化炭素のガス（炭酸ガス）で燃焼物をおおい，窒息効果によって消火する消火器です。本体容器には，二酸化炭素を高圧の状態で液化した液化炭酸ガスが充てんされています。

◆構造

二酸化炭素消火器はすべて蓄圧式です。ただし，指示圧力計は付いていません。

二酸化炭素消火器は，高圧の炭酸ガスを使用するため，高圧ガス保安法の適用を受けます。本体容器は高圧ガス保安法にもとづく耐圧試験に合格したもので，2分の1以上は緑色に，4分1以上は赤色に塗装されていなければなりません。また，容器内の圧力が異常上昇したときにガスを放出する安全弁が設けられています。

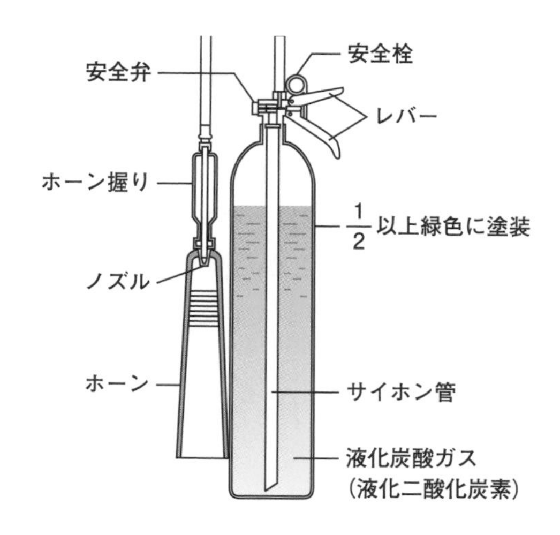

ノズルの部分に取り付けられた長いホーンが，二酸化炭素消火器の特徴になっています。また，二酸化炭素が気化する際の冷却作用で凍傷になるのを防ぐため，ホーン握りが付いています。

◆適応火災

二酸化炭素消火器は油火災に適応します。また，不良導体（電気を通しにくい）なので電気火災にも適応

補足

高圧ガス保安法
高圧ガスの製造，貯蔵，販売等を規制する法律。消火器関連では，二酸化炭素消火器とハロゲン化物消火器，一部のガス加圧用容器が規制の対象となります。

します。

6 ハロゲン化物消火器（ハロン1301）

加圧方式	蓄圧式
消火剤	ハロン 1301
主な消火作用	窒息効果，抑制効果
適応火災	油火災，電気火災
使用温度範囲	－30～40℃

◆消火剤

ハロゲン化物消火器は，**ハロゲン化物**を高圧で液化して充てんした消火器です。気化したハロゲン化物による**窒息効果**と，**抑制効果**によって燃焼物を消火します。

ハロゲン化物には，ハロン 2402，ハロン 1211，ハロン 1301 などがありますが，地球成層圏のオゾン層を破壊することから，現在ではいずれも生産中止になっています。ただし，使用が禁止されているわけではないので，現在でも設置されている場合があります。

とくに**ハロン 1301**（ブロモトリフルオロメタン）は毒性が低く，消火後の汚損も少ないなどの特徴があります。

◆構造

ハロゲン化物消火器はすべて**蓄圧式**です。ただし，指示圧力計は付いていません。

高圧のガスを使用するため，二酸化炭素消火器と同様に**高圧ガス保安法**の適用を受けます。本体容器は高圧ガス保安法にもとづく耐圧試験に合格したもので，**2分の1以上はねずみ色**に，4分1以上は赤色に塗装されていなければなりません。また，容器内の圧力が異常上昇したときにガスを放出する**安全弁**が設けられています。

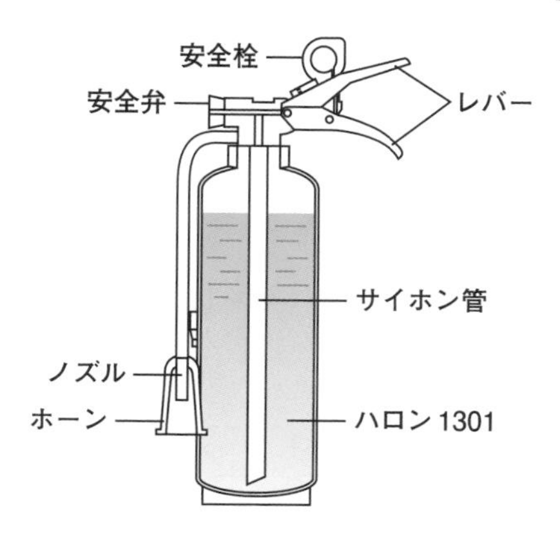

ノズルの部分に取り付けられたホーンが二酸化炭素消火器より短いのが，ハロゲン化物消火器の特徴です。

◆適応火災

ハロゲン化物消火器は，油火災に適応します。また，電気を通さないので電気火災にも適応します。

補足

ハロゲン化物
フッ素，臭素，ヨウ素といったハロゲン元素を含む化合物の総称。消火剤としては，ハロン2402，ハロン1211，ハロン1301の3種類があります（現在はいずれも生産中止）。

7 粉末消火器（蓄圧式）

加圧方式	蓄圧式
消火剤	粉末（ABC），粉末（Na），粉末（K），粉末（KU）
主な消火作用	窒息効果，抑制効果
適応火災	普通火災（ABCのみ），油火災，電気火災
使用温度範囲	－30～＋40℃
使用圧力範囲	0.7～0.98MPa

◆消火剤

粉末消火器は，粉末状の薬剤を放射し，窒息効果と薬剤の**抑制効果**によって燃焼物を消火する消火器です。薬剤は乾燥した**180マイクロメートル以下**の微細な粉末で，吸湿防止や流動性を高めるために表面処理されています。そのため，水面に散布してもすぐには沈んだり溶けたりしません。

使用される薬剤には次の4種類があり，それぞれ区別のために着色されています。

薬剤	表示	着色
りん酸アンモニウム	粉末（ABC）	淡紅色
炭酸水素ナトリウム	粉末（Na）	白色
炭酸水素カリウム	粉末（K）	紫色
炭酸水素カリウムと尿素の反応物	粉末（KU）	ねずみ色

このうち，現在もっとも広く普及しているのはりん酸アンモニウムで，普通火災（A）・油火災（B）・電気火災（C）のすべてに適応することから，**ABC消火器**と呼ばれます。

◆構造

粉末消火器には，蓄圧式とガス加圧式があります。**蓄圧式**は，内部に窒素ガスが充てんされており，レバーを握るとバルブが開いて粉末が放射され，レバーを離すとバルブが閉じて放射が停止します（**開閉バルブ方式**）。使用圧力範囲は**0.7～0.98MPa**（メガパスカル）です。

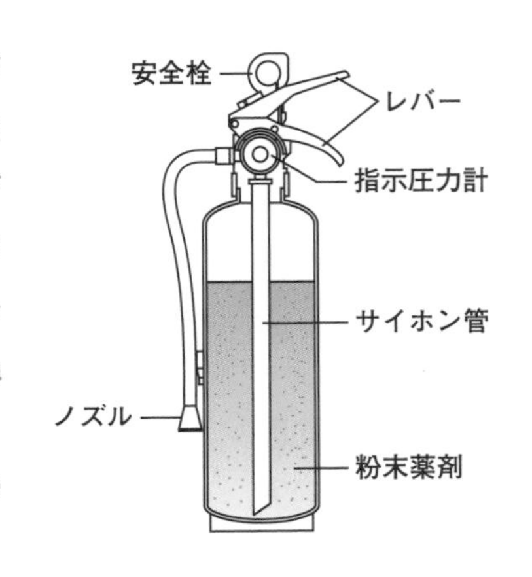

蓄圧式には**指示圧力計**が付いているので，ガス加圧式と見分けが付きます。

◆適応火災

粉末（ABC）消火剤は，普通火災，油火災，電気火災に適応します。粉末（Na），粉末（K），粉末（KU）消火剤は，普通火災には不適です。

補足

手さげ式消火器でガス加圧式があるのは粉末消火器だけです。

8 粉末消火器（ガス加圧式）

加圧方式	ガス加圧式
消火剤	粉末（ABC），粉末（Na），粉末（K），粉末（KU）
主な消火作用	窒息効果，抑制効果
適応火災	普通火災（ABCのみ），油火災，電気火災
使用温度範囲	－20～40℃

◆消火剤

粉末消火器（蓄圧式）と同じ。

◆構造

粉末消火器には，蓄圧式とガス加圧式があります。**ガス加圧式**は，本体容器の内部に**加圧用ガス容器**が収められています。レバーを握ると，バルブに付いているカッターが加圧用ガス容器の封板を破り，充てんされていた加圧用ガス（炭酸ガス）が本体内の**ガス導入管**から放射されます。これにより加圧された粉末消火剤が，サイホン管→ホースを通ってノズルから放射されます。

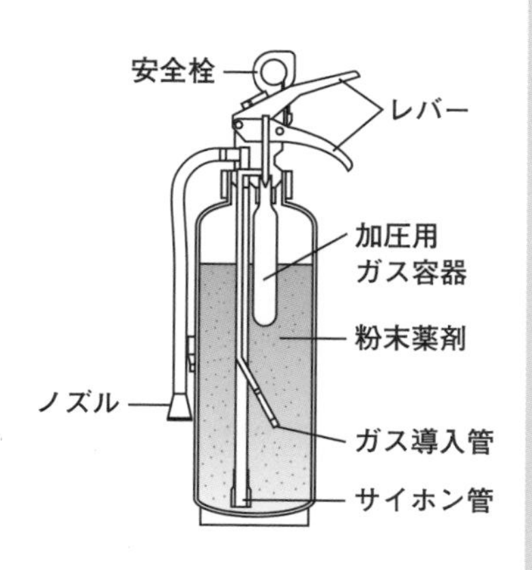

①逆流防止装置

ガス導入管の先端には，粉末が逆流するのを防ぐために逆流防止装置が付いています。

②粉上り防止用封板

サイホン管の先端には，使用時以外に粉末が漏れないように，粉上がり防止用封板が付いています。

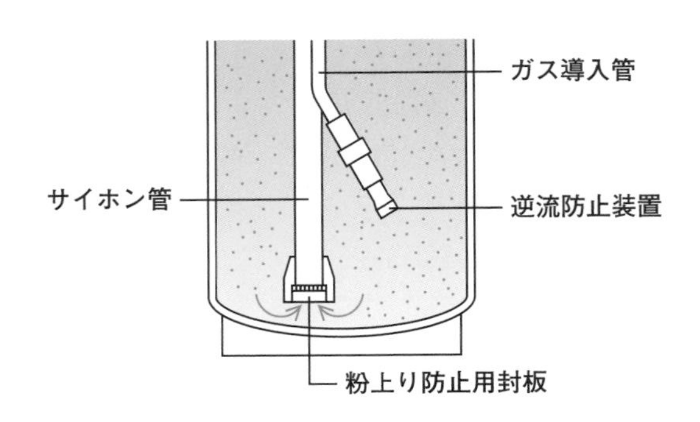

③バルブ

ガス加圧方式粉末消火器のバルブには，開閉バルブ式のものと開放式のものがあります。

開閉バルブ式は，レバーを握ると開き，離すと閉じる方式です。点検時に残圧を排出する排圧栓が設けられているものは，開閉バルブ式です。

開放式は，薬剤料3kg以下の小型消火器で多く採用されているバルブで，いったん開くと途中で中断できないタイプです。

◆適応火災

粉末消火器（蓄圧式）と同じ。

9 車載式消火器

車載式消火器は，一般に総質量が大きい大型消火器に採用されている形態で，消火器本体に運搬用の車輪が付いています。構造や機能は，小型消火器とほぼ同じです。

◆蓄圧式

起動レバーを倒してバルブを開き，開閉式のノズルレバーを操作して消火剤を放射します。

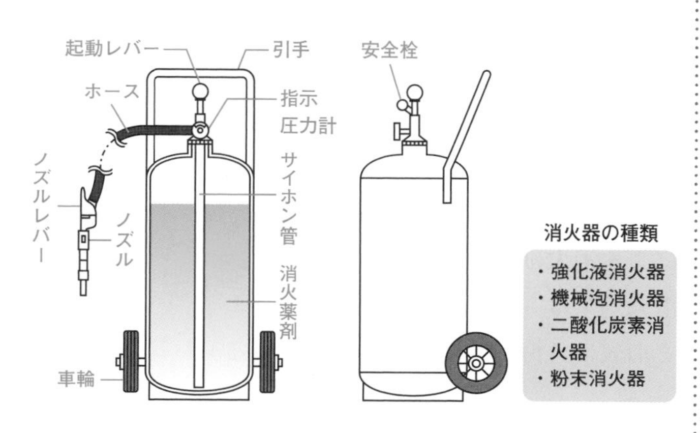

◆ガス加圧式

ガス加圧式の大型消火器は，消火器本体の外側に加圧用ガス容器が付属しています。使用するときは，加圧用ガス容器のバルブを開いて圧縮ガスを本体に入れ，ノズルレバーを操作して消火剤を放射します。

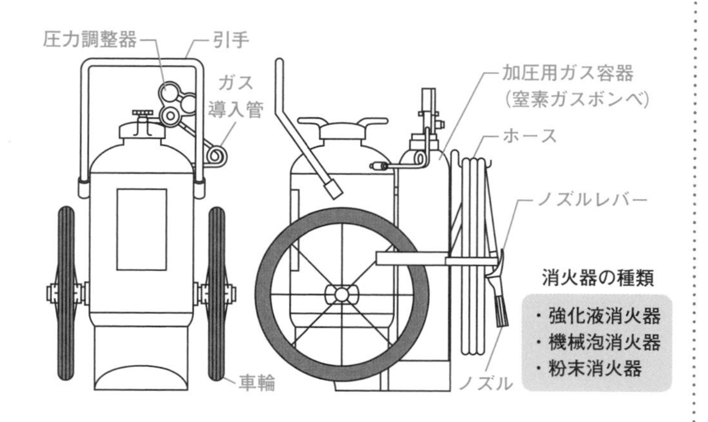

補足

排圧栓
消火器を分解する際に，残圧を排出する装置。消火器によって，付いている場合と付いてない場合があります。

補足

加圧用ガス容器が本体内に収納されている大型消火器もあります。

チャレンジ問題

［解説］179ページ　［解答一覧］187ページ

問1　難　中　**易**

消火器の消火効果に関する記述で，誤っているものは次のうちどれか。

(1)　二酸化炭素による消火は，主に窒息効果による。
(2)　ハロゲン化物による消火は，主に抑制効果である。
(3)　化学泡による消火効果は，主に冷却効果である。
(4)　消火粉末による消火は，抑制効果と窒息効果による。

問2　難　中　**易**

主たる消火効果が抑制効果である消火器は次のうちどれか。

(1)　二酸化炭素消火器
(2)　化学泡消火器
(3)　粉末消火器
(4)　機械泡消火器

問3　難　中　**易**

窒息効果の最も少ない消火器は次のうちどれか。

(1)　粉末消火器
(2)　機械泡消火器
(3)　強化液消火器
(4)　ハロゲン化物消火器

問4　難 中 易

消火器の消火効果に関する記述として，正しいものは次のうちどれか。

(1) 化学泡消火器………主に窒息効果と抑制効果によって消火する。
(2) 強化液消火器………主に冷却効果と抑制効果によって消火する。
(3) 二酸化炭素消火器…主に窒息効果と抑制効果によって消火する。
(4) 粉末消火器…………主に抑制効果と冷却効果によって消火する。

問5　難 中 易

消火器の適応火災に関する記述として，誤っているものは次のうちどれか。

(1) 霧状の強化液を放射する消火器は，A 火災，B 火災には適応するが，C 火災には適応しない。
(2) 二酸化炭素消火器は，B 火災，C 火災には適応するが，A 火災には適応しない。
(3) 機械泡消火器は，A 火災，B 火災に適応するが，C 火災には適応しない。
(4) りん酸塩類の粉末を放射する消火器は，A 火災，B 火災，C 火災に適応する。

問6　難 中 易

電気火災に適応しない消火器は次のうちどれか。

(1) 強化液消火器（霧状放射）
(2) 化学泡消火器
(3) 二酸化炭素消火器
(4) ハロン 1301 消火器

問7 難 中 易

第4類危険物第1石油類（ガソリン等）の火災の一般的な消火方法として，誤っているものは次のうちどれか。

(1) 棒状の強化液を放射する消火器は有効である。
(2) 窒息効果による消火は有効である。
(3) 二酸化炭素消火器による消火は有効である。
(4) 乾燥砂による消火は有効である。

問8 難 中 易

指示圧力計を設けなければならない消火器は次のうちどれか。

(1) 化学泡消火器
(2) 二酸化炭素消火器
(3) ガス加圧式粉末消火器
(4) 蓄圧式強化液消火器

問9 難 中 易

高圧ガス保安法の適用を受ける消火器は次のうちどれか。ただし，消火器はすべて手さげ式とする。

(1) 二酸化炭素消火器
(2) 機械泡消火器
(3) 蓄圧式粉末消火器
(4) ガス加圧式粉末消火器

問10 難 中 易

強化液消火器の構造・機能に関する記述として，誤っているものは次のうちどれか。

(1) 消火薬剤（炭酸カリウムを成分とするもの）は強酸性である。
(2) 消火薬剤の凝固点が−20℃以下であるため，寒冷地でも使用できる。

(3) 霧状放射の場合，A 火災，B 火災，C 火災に適応する。
(4) 蓄圧式消火器の使用圧力範囲は 0.7 ～ 0.98MPa である。

問 11 難 中 易

蓄圧式強化液消火器の構造・機能に関する記述として，誤っているものは次のうちどれか。

(1) 指示圧力計が設けられている。
(2) 手さげ式消火器の場合，ノズルは棒状放射と霧状放射に切り替えられる。
(3) 圧縮空気または窒素ガスが充てんされている。
(4) 消火薬剤には，アルカリ性のものと中性のものがある。

問 12 難 中 易

蓄圧式強化液消火器に装着されている部品として，正しいものは次のうちどれか。

(1) ガス導入管
(2) 安全弁
(3) サイホン管
(4) 逆流防止装置

問 13 難 中 易

機械泡消火器の構造・機能に関する記述として，正しいものは次のうちどれか。

(1) 消火効果は冷却効果と抑制効果である。
(2) 消火薬剤は化学泡消火器と同じだが，発泡方式が異なる。
(3) ノズルには，消火薬剤を放射する際に空気を吸入する吸入孔がある。
(4) 消火薬剤は絶縁性なので，電気火災に適応する。

問 14

難	中	易

手さげ式の機械泡消火器の構造・機能に関する記述として，正しいものは次のうちどれか。

(1) 二酸化炭素による圧力で消火薬剤を放射する。
(2) 使用時に本体容器をひっくり返して使用する。
(3) 高圧ガス保安法の適用を受けるため，安全弁が設けられている。
(4) 指示圧力計が設けられている。

問 15

難	中	易

化学泡消火器の構造・機能に関する記述として，誤っているものは次のうちどれか。

(1) 化学反応により発生した窒素ガスを圧力源として泡を放射する。
(2) 消火効果は窒息効果と冷却効果である。
(3) 普通火災，油火災に適応するが，電気火災には適応しない。
(4) 消火薬剤は経年劣化するため，1年に1回交換しなければならない。

問 16

難	中	易

手さげ式の化学泡消火器の構造・機能に関する記述として，誤っているものは次のうちどれか。

(1) 外筒（本体容器）は鋼板製で，内筒はポリエチレン製である。
(2) 安全弁とろ過網が設けられている。
(3) 外筒と内筒に，それぞれ液面表示が付いている。
(4) 使用時の圧力を確認するために，指示圧力計が設けられている。

問 17

難	中	易

化学泡消火器の構造・機能に関する記述として，誤っているものは次のうちどれか。

(1) アルカリ性の外筒用薬剤（A剤）と，酸性の内筒用薬剤（B剤）が混合すると化学反応を起こし，二酸化炭素の泡が発生する。
(2) 転倒式は，使用時に本体容器を転倒させると，内筒の蓋が自重で落下する。
(3) 破蓋転倒式は，内筒の封板をカッターで破ってから転倒させる。
(4) 開蓋転倒式は，本体容器を転倒させてからキャップに装着されたハンドルを回し，内筒の蓋を開く。

問18

難	中	易

化学泡消火器の使用可能温度範囲として，正しいものは次のうちどれか。

(1) − 30 ～＋ 40℃
(2) − 20 ～＋ 40℃
(3) − 10 ～＋ 40℃
(4) ＋ 5 ～ 40℃

問19

難	中	易

二酸化炭素消火器の構造・機能に関する記述として，誤っているものは次のうちどれか。

(1) 本体容器は高圧ガス保安法の適用を受ける。
(2) 容器の2分の1以上を緑色に塗装しなければならない。
(3) 安全弁が設けられている。
(4) 指示圧力計が設けられている。

問20

難	中	易

二酸化炭素消火器の構造・機能に関する記述として，誤っているものは次のうちどれか。

(1) 本体容器内には高圧で液化された二酸化炭素が充てんされている。

(2) 窒息効果によって消火する。

(3) 油火災，電気火災に適応するが，普通火災には適応しない。

(4) 消火薬剤が腐食・変質するおそれがないため，高温の場所にも設置できる。

問21 難 中 易

二酸化炭素の性質として，正しいものは次のうちどれか。

(1) 化学的に不安定な物質である。

(2) 空気より軽い。

(3) 電気の不良導体である。

(4) 毒性がある。

問22 難 中 易

ハロゲン化物消火器の構造・機能に関する記述として，正しいものは次のうちどれか。

(1) 指示圧力計が設けられている

(2) 蓄圧式とガス加圧式がある。

(3) 容器の2分の1以上を青色に塗装しなければならない。

(4) 安全弁が設けられている。

問23 難 中 易

ハロン1301消火器の構造・機能に関する記述として，正しいものは次のうちどれか。

(1) 主に窒息効果によって消火する。

(2) 消火薬剤は有毒なので，密閉した場所や地階に設置することはできない。

(3) 電気火災に適応する。

(4) 本体容器に充てんされた窒素ガスの圧力により消火薬剤を放射する。

問24　難　中　易

粉末消火器に使用する消火薬剤に関する記述として，誤っているものは次のうちどれか。

(1) 消火薬剤は180マイクロメートル以下の微細な粉末である。
(2) 窒息効果及び抑制効果によって消火する。
(3) りん酸塩類を主成分とする消火薬剤は，普通火災には適応しない。
(4) 吸湿・固化の防止並びに流動性向上のため表面処理している。

問25　難　中　易

粉末消火器に使用する消火薬剤に関する記述として，誤っているものは次のうちどれか。

(1) 粉末（Na）消火薬剤は炭酸水素ナトリウムを主成分としたもので，一般に白色である。
(2) 粉末（ABC）消火薬剤はりん酸アンモニウムを主成分としたもので，黄色に着色されている。
(3) 粉末（K）消火薬剤は炭酸水素カリウムを主成分としたもので，一般に紫色系に着色されている。
(4) 粉末（KU）消火薬剤は炭酸水素カリウムと尿素の化学反応物で，一般にねずみ色に着色されている。

問26　難　中　易

蓄圧式粉末消火器の構造・機能に関する記述として，誤っているものは次のうちどれか。

(1) 本体容器に充てんされた二酸化炭素の圧力によって粉末を放射する。
(2) 使用圧力範囲は0.7～0.98MPaである。
(3) 指示圧力計が設けられている。
(4) レバーを握ると開き，離すと閉じる開閉バルブが設けられている。

問27

難 中 **易**

手さげ式のガス加圧式粉末消火器の構造・機能に関する記述として，誤っているものは次のうちどれか。

(1) 開閉バルブ式のものは放射を中断することができるが，薬剤が残っていても再使用することはできない。

(2) サイホン管の先端に逆流防止装置が設けられている。

(3) 加圧用ガス容器には二酸化炭素が充てんされている。

(4) 開放式のものは一度レバーを握ると消火薬剤の全量が放射される。

解説

問1

○（1）二酸化炭素の消火効果は，主に窒息効果です。

○（2）ハロゲン化物の消火効果には抑制効果と窒息効果がありますが，大きいのは抑制効果です。

×（3）化学泡による消火効果には冷却効果と窒息効果がありますが，大きいのは窒息効果です。

○（4）消火粉末による消火効果には抑制効果と窒息効果があります。

解答（3）　参照 152ページ

問2

×（1）二酸化炭素消火器は，窒息効果によって消火します。

×（2）化学泡消火器は，窒息効果と冷却効果によって消火します。

○（3）粉末消火器は，抑制効果と窒息効果によって消火します。

×（4）機械泡消火器は，窒息効果と冷却効果によって消火します。

解答（3）　参照 157～167ページ

問3

×（1）粉末消火器は，抑制効果と窒息効果によって消火します。

×（2）機械泡消火器は，窒息効果と冷却効果によって消火します。

○（3）強化液消火器は，冷却効果と抑制効果によって消火します。窒息効果はありません。

×（4）ハロゲン化物消火器は，抑制効果と窒息効果によって消火します。

解答（3）　参照 157～167ページ

問4

×（1）化学泡消火器は，主に窒息効果と冷却効果によって消火します。

○（2）強化液消火器は，主に冷却効果と抑制効果によって消火します。

×（3）二酸化炭素消火器は，主に窒息効果によって消火します。

×（4）粉末消火器は，主に抑制効果と窒息効果によって消火します。

解答（2）　参照 157 ～ 167 ページ

問5

×（1）霧状の強化液は，A 火災，B 火災，C 火災すべてに適応します。

○（2）二酸化炭素消火器は，B 火災と C 火災に適応します。

○（3）機械泡消火器は，A 火災と B 火災に適応します。感電のおそれがあるため，C 火災には適応しません。

○（4）りん酸塩類の粉末を放射する消火器は，A 火災，B 火災，C 火災すべてに適応するので，ABC 消火器と呼ばれます。

解答（1）　参照 155 ～ 167 ページ

問6

×（1）霧状の強化液は，普通火災，油火災，電気火災に適応します。

○（2）泡消火器は感電のおそれがあるため，電気火災には適応しません。

×（3）二酸化炭素は電気を通さないので，電気火災に適しています。

×（4）ハロン 1301 は，電気火災に適応します。

解答（2）　参照 157 ～ 167 ページ

問7　第 4 類危険物の第 1 石油類（ガソリン等）の消火には，窒息消火が適しています。

×（1）油が水に浮いて火災が広がるおそれがあるため，棒状の強化液は適していません。

○（2）窒息効果による消火は有効です。

○（3）二酸化炭素には窒息効果があるので有効です。

○（4）乾燥砂による消火は窒息効果があるので有効です。

解答（1）　参照 129，152 ページ

問8　指示圧力計は，消火器の本体内部の圧力を表示する計器です。蓄圧式の消火器には原則として指示圧力計が必要ですが，二酸化炭素消火器とハロゲン化物消火器には設けられていません。

×（1）化学泡消火器は反応式の消火器なので，指示圧力計は設けられていません。

×（2）二酸化炭素消火器には設けられていません。

×（3）ガス加圧式の消火器には設けられていません。

○（4）蓄圧式強化液消火器には指示圧力計が設けられています。

解答（4）　参照 155 ページ

問9　高圧ガス保安法の適用を受けるのは，二酸化炭素消火器とハロゲン化物消火器です。

解答（1）　参照 162，164 ページ

問10

×（1）炭酸カリウムを成分とする強化液は，酸性ではなく強アルカリ性です。

○（2）強化液消火器の使用可能温度範囲は，－20～＋40℃で，寒冷地でも使用できます。

○（3）霧状に放射する強化液は，A火災，B火災，C火災のすべてに適応する。

○（4）指示圧力計のついた蓄圧式消火器の使用圧力範囲はすべて 0.7～0.98MPa です。

解答（1）　参照 158 ページ

問11　手さげ式消火器のノズルは，規格により開閉式や切替式の装置を設けてはいけません。そのため，手さげ式の強化液消火器のノズルは，霧状放射に固定されています。

解答（2）　参照 158 ページ

問12

×（1）ガス導入管は，ガス加圧式消火器の部品です。

×（2）安全弁は二酸化炭素消火器，ハロゲン化物消火器，化学泡消火器にあります。

○（3）サイホン管は，消火薬剤をホースに導く管で，化学泡消火器以外のほとんどの消火器にあります。

×（4）逆流防止装置はガス加圧式の粉末消火器の部品です。

解答（3）　参照 153 ～ 169 ページ

問13

×（1）機械泡消火器は冷却効果と窒息効果によって消火します。抑制効果はありません。

×（2）機械泡消火器の消火薬剤は水成膜泡などの希釈水溶液で，化学泡消火器と異なります。

○（3）機械泡消火器は，消火薬剤を放射する際にノズルの根元にある空気吸入孔から空気を吸入させて発泡します。

×（4）機械泡は感電のおそれがあるため，電気火災に適応しません。

解答（3）　参照 159 ～ 160 ページ

問14

×（1）機械泡消火器は，本体容器に充てんされた窒素ガスによる圧力で消火薬剤を放射します。

×（2）使用時に本体容器をひっくり返すのは化学泡消火器です。

×（3）高圧ガス保安法の適用は受けません。
○（4）手さげ式の機械泡消火器は蓄圧式なので，指示圧力計が設けられています。

解答（4）　参照 159～160ページ

問15

×（1）化学泡消火器は，A剤とB剤を混合したときの化学反応によって発生した**二酸化炭素ガス**を圧力源として泡を放射します。
○（2）化学泡の消火効果は窒息効果と冷却効果です。
○（3）化学泡は普通火災と油火災に適応します。感電の危険があるため，電気火災には適応しません。
○（4）化学泡消火器に充てんされているA剤とB剤は経年変化するため，定期的（1年に1回）に詰め替える必要があります。

解答（1）　参照 160ページ

問16

○（1）化学泡消火器の外筒（本体容器）は鋼板製で，内筒はポリエチレン製です。
○（2）安全弁は，容器内の圧力が異常上昇したときに自動で圧力を放出します。ろ過網は，ノズルの詰まりを防止するために設けられています。
○（3）液面表示は，外筒（本体容器）と内筒にそれぞれ付いています。
×（4）化学泡消火器には指示圧力計が設けられていません。

解答（4）　参照 160～162ページ

問17

○（1）外筒用薬剤（A剤）の主成分は炭酸水素ナトリウム（アルカリ性），内筒用薬剤（B剤）の主成分は硫酸アルミニウム（酸性）です。両者を混合すると二酸化炭素の泡が大量に発生します。

○（2）転倒式は，使用時に本体容器を転倒させると，内筒の蓋が自重で落下します。

○（3）破蓋転倒式は，内筒の封板をカッターで破ってから転倒させます。

×（4）開蓋転倒式は，キャップに装着されたハンドルを回し，内筒の蓋を開いてから，本体容器を転倒させる方式で，大型消火器に採用されています。転倒させてから開くのではなく，開いてから転倒させます。

解答（4） **参照** 160，162 ページ

問 18 化学泡消火器は，低温になると薬剤の反応速度がにぶくなるため，寒冷な場所の設置には適していません。使用可能温度範囲は＋5～40℃になっています。

解答（4） **参照** 160 ページ

問 19

○（1）二酸化炭素消火器は，高圧ガス保安法の適用を受けます。

○（2）容器の 2 分の 1 以上を緑色に，残り 4 分の 1 以上を赤色に塗装しなければなりません。

○（3）圧力が異常上昇したときに排圧するための安全弁が設けられています。

×（4）二酸化炭素消火器は蓄圧式に分類されますが，消火薬剤自体に圧力があるので，指示圧力計は設けられていません。

解答（4） **参照** 162 ページ

問 20

○（1）二酸化炭素は常温・常圧では気体ですが，高圧で圧縮すると液化二酸化炭素になります。

○（2）燃焼物を二酸化炭素でおおい，窒息効果によって消火します。

○（3）二酸化炭素消火器は，普通火災には適応しません。

×（4）高温になると容器の内圧が大きくなり，ガス漏れの原因となるため，高温の場所には設置しないようにします。

解答（4）　参照 162 ページ

問21　二酸化炭素は，電気の不良導体なので，電気火災に適応します。

×（1）化学的に安定な物質です。

×（2）空気より重い気体です。

○（3）正解です。

×（4）二酸化炭素に毒性はありません。ただし，気密性の高い部屋などに二酸化炭素が充満すると，酸素が足りなくなって窒息のおそれがあります。

解答（3）　参照 162 ページ

問22　ハロゲン化物消火器は，高圧ガス保安法の適用を受けるので，安全弁が設けられています。

×（1）指示圧力計はありません。

×（2）ハロゲン化物消火器は蓄圧式です。

×（3）容器の 2 分の 1 以上をねずみ色に塗装します。

○（4）正解です。

解答（4）　参照 164 ページ

問23　ハロン 1301 消火器は，油火災，電気火災に適応します。

×（1）窒息効果と抑制効果によって消火します。

×（2）ハロン 1301 は無毒な物質で，密閉した場所や地階でも設置できます。

○（3）正解です。

×（4）ハロン1301が高圧で液化した状態で充てんされており，その圧力によって放射します。

解答（3）　参照 164ページ

問24

○（1）消火粉末は180マイクロメートル以下の微細な粉末です。

○（2）窒息効果及び抑制効果によって消火します。

×（3）りん酸塩類を主成分とする消火薬剤は，普通火災，油火災，電気火災に適応します。

○（4）消火粉末は，吸湿・固化の防止並びに流動性向上のため，表面処理されています。

解答（3）　参照 165，166ページ

問25　消火粉末の種類には次のものがあります。

薬剤	表示	着色
りん酸アンモニウム	粉末（ABC）	淡紅色
炭酸水素ナトリウム	粉末（Na）	白色
炭酸水素カリウム	粉末（K）	紫色
炭酸水素カリウムと尿素の反応物	粉末（KU）	ねずみ色

（2）粉末（ABC）消火薬剤は，りん酸アンモニウムを主成分としたもので，淡紅色に着色されています。

解答（2）　参照 166ページ

問26

×（1）蓄圧式粉末消火器の本体容器には，窒素ガスが充てんされています。

○（2）使用圧力範囲は0.7～0.98MPaです。

○（3）指示圧力計が設けられています。

○（4）蓄圧式粉末消火器のバルブは，レバーを握ると開き，離すと閉じる開閉バルブ式です。

解答（1）　参照 165，166 ページ

問27

○（1）開閉バルブ式では，レバーを離せば放射を中断できますが，薬剤が残っていても再使用はできません。

×（2）逆流防止装置はガス導入管の先端に設けられています。

○（3）加圧用ガス容器には二酸化炭素が充てんされています。

○（4）開放式のバルブを採用しているものは，一度レバーを握ると消火薬剤の全量が放射されます。

解答（2）　参照 167，168 ページ

解答

問1	(3)	問8	(4)	問15	(1)	問22	(4)
問2	(3)	問9	(1)	問16	(4)	問23	(3)
問3	(3)	問10	(1)	問17	(4)	問24	(3)
問4	(2)	問11	(2)	問18	(4)	問25	(2)
問5	(1)	問12	(3)	問19	(4)	問26	(1)
問6	(2)	問13	(3)	問20	(4)	問27	(2)
問7	(1)	問14	(4)	問21	(3)		

2 消火器の規格

この節の学習内容とまとめ

□ 大型消火器

・能力単位　A火災：10以上　B火災：20以上

・充てん薬剤量

水消火器	80L以上
強化液消火器	60L以上
機械泡消火器	20L以上
化学泡消火器	80L以上
二酸化炭素消火器	50kg以上
ハロゲン化物消火器	30kg以上
粉末消火器	20kg以上

□ 消火器の動作数

①手さげ式（化学泡消火器を除く）	1動作
②背負式・据置式	2動作
③車載式	3動作

□ 泡消火器の放射される泡の容量

化学泡消火器	手さげ式・背負式	消火薬剤の容量の7倍以上
	車載式	消火薬剤の容量の5.5倍以上
機械泡消火器		消火薬剤の容量の5倍以上

□ 消火器の規格

・放射時間　10秒以上（温度20℃の場合）

・使用温度範囲　0℃～40℃（化学泡消火器のみ＋5℃～40℃）

・塗装　25%以上を赤色に塗る
二酸化炭素消火器は50%以上を緑，ハロゲン化物消火器は50%をねずみ色に塗る（高圧ガス保安法の規定）

・ホース　薬剤量1kg以下の粉末消火器にはホースを取り付けなくてもよい

・ノズル　切替式ノズルを設けることができるのは車載式のみ

・使用済み表示装置　指示圧力計のある蓄圧式消火器，バルブがない消火器では，使用済み表示装置は不要

・適応火災の表示

A火災	 普通火災用	・炎は赤 ・可燃物は黒 ・地色は白
B火災	 油火災用	・炎は赤 ・可燃物は黒色 ・地色は黄色
C火災	 電気火災用	・閃光は黄色 ・地色は青色

□ 指示圧力計

ブルドン管の材質	記号	使用消火器
ステンレス	SUS	強化液，機械泡，粉末
黄銅	Bs	粉末
りん青銅	PB	粉末
ベリリウム銅	BeCu	粉末

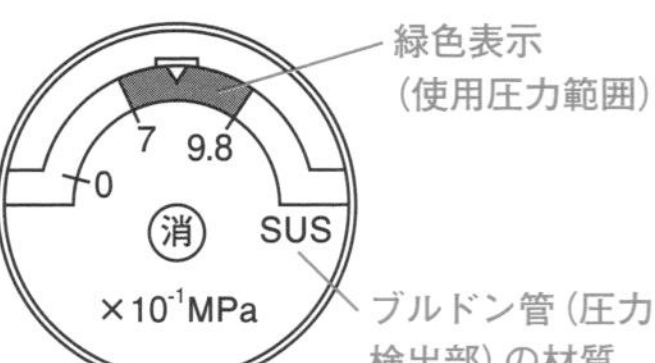

消火器の規格

1 大型消火器（規格省令第2，9条）

消火器のラベルには，その消火器の能力単位が，「A-1，B-3，C」などのように表示されています。

小型消火器の能力単位は，A火災かB火災のどちらかが1以上ならいいことになっています。

一方，大型消火器の場合は，A火災の場合は10以上，B火災の場合は20以上の能力単位が必要です。

大型消火器の能力単位

A火災：10以上　または
B火災：20以上

また，大型消火器に充てんする消火剤の量には，消火器の種類ごとに以下の規定があります。

覚える **大型消火器の消火剤の量**

消火器の種類	消火剤の量
水消火器	80L以上
強化液消火器	60L以上
機械泡消火器	20L以上
化学泡消火器	80L以上
二酸化炭素消火器	50kg以上
ハロゲン化物消火器	30kg以上
粉末消火器	20kg以上

大型消火器以外の業務用消火器は小型消火器に分類されます。

補足

A火災＝普通火災
B火災＝油火災
C火災＝電気火災

補足

C火災には適応する能力単位の数値はありません（適応するか，しないかのみ）。

補足

単位にリットルとキログラムの2種類あるので，間違えないように注意しましょう。

2 操作の機構（規格省令第5条）

消火器は，次の動作数以内で容易かつ確実に放射を開始できなければなりません（ただし，保持装置から取りはずす動作，背負う動作，安全栓をはずす動作，ホースをはずす動作を除く）。

覚える

手さげ式（化学泡消火器を除く） 1動作
背負式・据置式・化学泡消火器 2動作**以内**
車載式 3動作**以内**

手さげ式の消火器は，レバーを握って放射を開始する操作方法が一般的です。ただし，消火器の種類によっては，ひっくり返して放射を開始するもの，押し金具をたたいて放射を開始するものなどがあります。

消火器の区分		操作方法				
		レバーを握る	押し金具をたたく	ひっくり返す	ふたをあけてひっくり返す	ハンドルを上下する
粉末消火器	消火剤の質量が1kg超	○				
	その他のもの	○	○			
強化液消火器	A火災またはB火災に対する能力単位が1を超えるもの	○				
	その他のもの	○	○[※1]			
泡消火器		○		○	○	
二酸化炭素・ハロゲン化物消火器	B火災に対する能力単位が1を超えるもの	○				
	B火災に対する能力単位が1のもの	○	○[※1]			
水消火器	手動ポンプにより作動するもの					○[※1]
	その他のもの	○				

※1　現在は製造されていない。

3 消火薬剤の規格（規格省令第７条）

消火器に充てんする消火薬剤は，次の規定に適合するものとします。

◆共通的性状

①著しい毒性または腐食性を有しないこと。また，著しい毒性または腐食性のあるガスを発生しないこと。

②水溶液または液状のものは，結晶の析出，溶液の分離，浮遊物または沈殿物の発生その他の異常を生じないこと。

③粉末状のものは，塊状化，変質その他の異常を生じないこと。

④一度使用されたものや，収集・廃棄されたものは，再利用消火薬剤として基準に適合するように処理されたものを除き，原料にできない。

◆強化液消火薬剤

①アルカリ金属塩類の水溶液にあっては，アルカリ性反応を呈すること。

②防炎性を有し，かつ，凝固点が−20℃以下であること。

◆化学泡消火薬剤

①防腐処理を施したものであること（腐敗，変質のおそれのないものを除く）。

②耐火性を持続することができるものであること。

③粉末状の消火薬剤は，水に溶けやすい乾燥状態のものであること。

④放射される泡の容量は次のとおり（温度が 20℃のとき）。

補足

消火薬剤の表示

消火薬剤の容器や包装には，次の事項を表示します。

①品名
②充てんされるべき消火器の区別
③消火薬剤の容量・質量
④充てん方法
⑤取扱い上の注意事項
⑥製造年月
⑦製造者名または商標
⑧型式番号

補足

消火薬剤の検定合格ラベル

このほか，消火薬剤の容器や包装には，次のような検定合格ラベルが付いています。

手さげ式・背負式	消火薬剤の容量の7倍以上
車載式	消火薬剤の容量の5.5倍以上

◆機械泡消火薬剤

①防腐処理を施したものであること(腐敗，変質のおそれのないものを除く)。
②耐火性を持続することができるものであること。
③液状または粉末状の消火薬剤は，水に溶けやすいものであること。
④放射される泡の容量が，消火薬剤の容量の5倍以上であること（消火薬剤の温度が20℃のとき)。

◆二酸化炭素

①消火器に充てんされた消火薬剤は，JIS K 106の2種または3種に適合する液化二酸化炭素でなければならない。

◆粉末消火薬剤

①防湿加工を施したナトリウムもしくはカリウムの重炭酸塩類等，またはりん酸塩類等であること。
②呼び寸法180マイクロメートル以下の消火上有効な微細な粉末であること。
③水面に均一に散布した場合において1時間以内に沈降しないこと。
④りん酸塩類等には淡紅色系に着色すること。

4 自動車用消火器（規格省令第8条)

自動車に設置する消火器は，次のいずれかでなければなりません。

①強化液消火器（霧状放射のもの)
②機械泡消火器
③ハロゲン化物消火器
④二酸化炭素消火器
⑤粉末消火器

化学泡消火器や，棒状放射の強化液消火器は，自動車に設置することはできません。

5 放射性能（規格省令第10条）

消火器の放射性能については，以下のように規定されています。

①**放射時間**	10秒以上（温度20℃の場合）
②**放射距離**	消火に有効な放射距離
③**放射量**	充てんされた消火剤の容量（または質量）の90%以上（化学泡消火器は85%以上）の量を放射できること

補足

放射距離について，具体的な数値は規定されていません。

6 使用温度範囲（規格省令第10条の2）

消火器は，以下の温度範囲で正常に操作でき，消火及び放射の機能を有効に発揮できるものでなければなりません。

化学泡消火器	＋5℃～40℃
化学泡消火器以外	0℃～40℃

補足

市販されている消火器の多くは，－30℃～－20℃でも使用できます。

7 使用済みの表示（規格省令第21条の2）

手さげ式の消火器には，使用済みであることが判別できる装置（使用済み表示装置）を設けなければなりません。この表示装置は，使用すると自動的に作動するものとします。

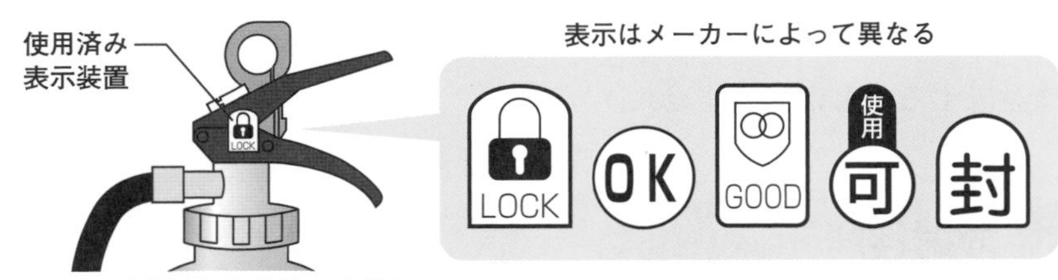

ただし，使用済み表示装置は，以下の消火器には必要ありません。

①指示圧力計のある蓄圧式消火器
②バルブがない消火器
③手動ポンプにより作動する水消火器

}使用済み表示装置は不要

8 塗装（規格省令第37条）

消火器の外面は，25%以上を赤色仕上げとします。消火器が赤いのはこの規定によります。

また，高圧ガス保安法の規定により，二酸化炭素は緑，酸素は黒，その他のガスはねずみ色に塗装しなければなりません（全体の1／2以上）。二酸化炭素消火器が緑，ハロゲン化物消火器がねずみ色に塗装されているのはこのためです。

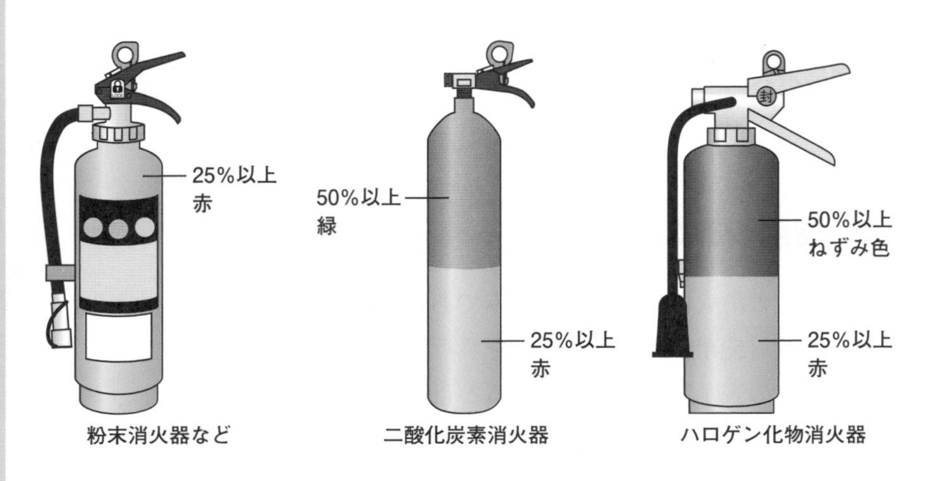

9 消火器の表示（規格省令第 38 条）

消火器には，見やすい位置に以下の事項を表示しなければなりません。

①消火器の種別
②住宅用消火器でない旨（一般に「業務用消火器」と表示）
③加圧式の消火器または蓄圧式の消火器の区別
④使用方法（手さげ式は図示が必要）
⑤使用温度範囲
⑥B 火災または電気火災に使用してはならない旨の表示（該当する消火器のみ）
⑦A 火災，B 火災に対する能力単位の数値
⑧放射時間
⑨放射距離
⑩製造番号，製造年，製造者名，型式番号
⑪試験圧力値
⑫安全弁の作動圧力値
⑬消火剤の容量または質量
⑭総質量（消火剤を容量で示すものを除く）
⑮ホースの有効長（据置式の消火器のみ）
⑯取扱い上の注意事項（以下の事項）
- 加圧用ガス容器に関する事項（加圧式のみ）
- 指示圧力計に関する事項（蓄圧式のみ）
- 安全上支障なく使用できる標準期間または期限
- 使用時の安全な取扱いに関する事項
- 維持管理上の適切な設置場所に関する事項
- 点検に関する事項
- 廃棄時の連絡先及び安全な取扱いに関する事項
- その他取扱い上注意すべき事項

補足

消火器の検定合格ラベル
消火器には，次のような検定合格ラベルも付いています。

また，適応火災を示す以下のような絵表示を，見やすい位置に表示しなければなりません。

A 火災	B 火災	電気火災（C 火災）
・炎は赤 ・可燃物は黒 ・地色は白 普通火災用	・炎は赤 ・可燃物は黒色 ・地色は黄色 油火災用	・閃光は黄色 ・地色は青色 電気火災用

絵表示の大きさは，消火剤の容量が 2L（または 3kg）以下のものは半径 1cm 以上，それより大きいものは半径 1.5cm 以上とします。

10 住宅用消火器

これまで説明してきた「消火器」は，防火対象物に設置する「業務用消火器」です。一般の住宅に設置する消火器は，住宅用消火器として，業務用消火器とは別の規定があります。

- **加圧方式は蓄圧式のみ（指示圧力計付き）。**
- **消火剤を再充てんすることはできない（使い切り）。**
- **普通火災，天ぷら油火災，ストーブ火災に対する消火性能をもち，かつ，電気火災に適応する（能力単位は 1 未満でもよい）。**
- **消火剤として，ハロゲン化物，液化二酸化炭素は不可**
- **キャップ等は溶接等により本体に固定され，取りはずすことができない。**
- **見やすい位置に以下の表示をする。**

  消火器の区別，住宅用消火器である旨，使用方法（図示），使用温度範囲，適応火災の絵表示，放射時間，放射距離，製造番号，製造年，製造者名，型式番号，充てん薬剤の容量，ホースの有効長（据置式のみ），取扱い上の注意事項

部品に関する規格

1 キャップ（規格省令第13条）

消火器のキャップは，本体容器を密封すると同時に，本体とレバー，ホースなどを接続する部品です。

キャップ（プラグ，口金の場合も同じ）には，本体からはずすときに圧力が急激に抜けることのないよう，減圧孔または減圧溝を設けます。

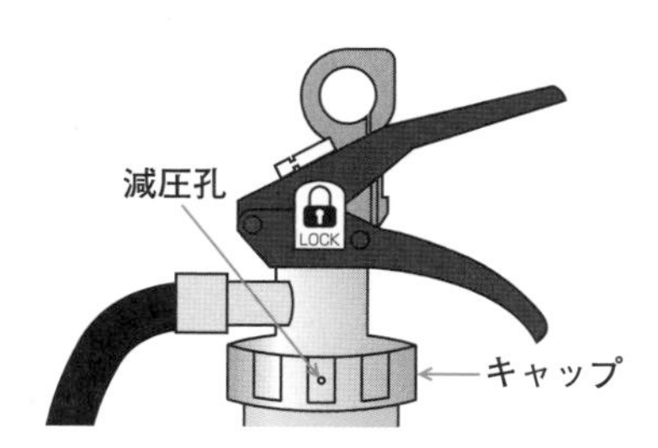

2 ホース（規格省令第15条）

消火器には，原則としてホースを取り付けなければなりません。ただし，以下の消火器にはホースを取り付けなくてもよいことになっています。

- 消火剤の質量が1kg以下の粉末消火器
- 消火剤の質量が4kg未満のハロゲン化物消火器

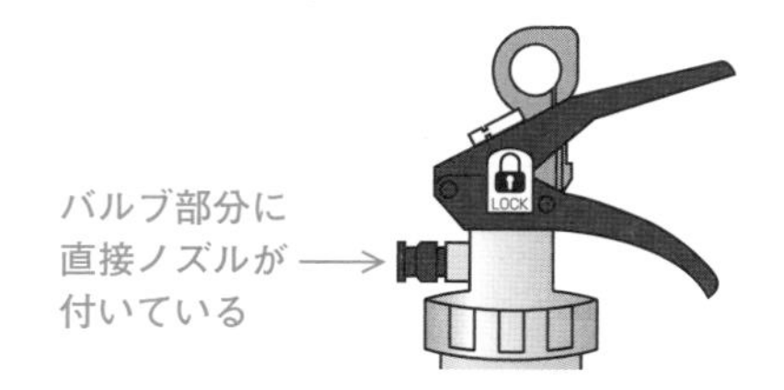

ホースは，消火剤を有効に放射できる長さとします。また，本体を移動できない据置式の消火器では，有効長10m 以上が必要です。

3 ノズル（規格省令第 16 条）

手さげ式の消火器のノズルは，開閉式にしたり，切替式にしてはいけません。

背負式や据置式の消火器は，開閉式にすることができます。車載式の消火器は，開閉式・切替式にできます。

	開閉式	切替式
手さげ式	×	×
背負式・据置式	○	×
車載式	○	○

4 ろ過網と液面表示（規格省令第 17，18 条）

化学泡消火器には，ろ過網と液面表示を取り付ける必要があります。

◆ろ過網

ホースやノズルの目詰まりを防ぐために，薬剤導出管の本体容器側に取り付け，消火剤中のゴミを取り除きます。

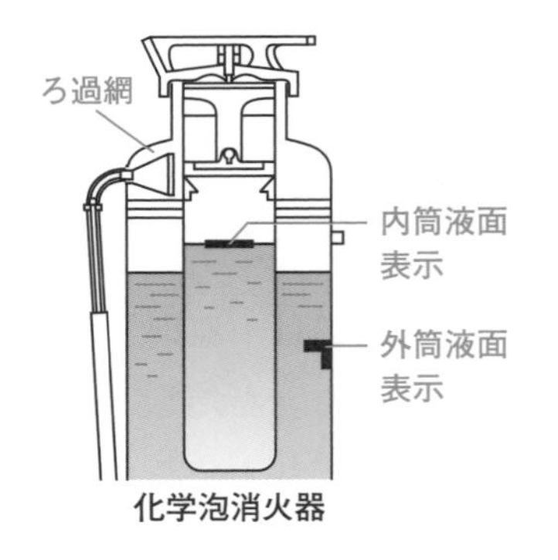

化学泡消火器

◆液面表示

充てんされた消火剤の液面を表示します。

5 安全栓（規格省令第 21 条）

安全栓は，不時の作動を防止するために，消火器のレバーを固定する装置です。使用時には，安全栓をレバーの穴から引き抜きます。

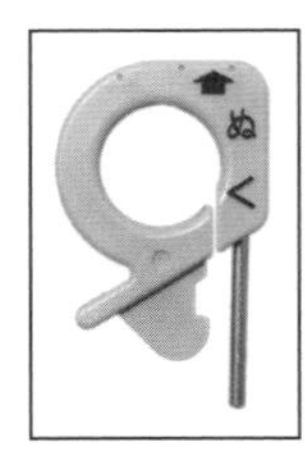

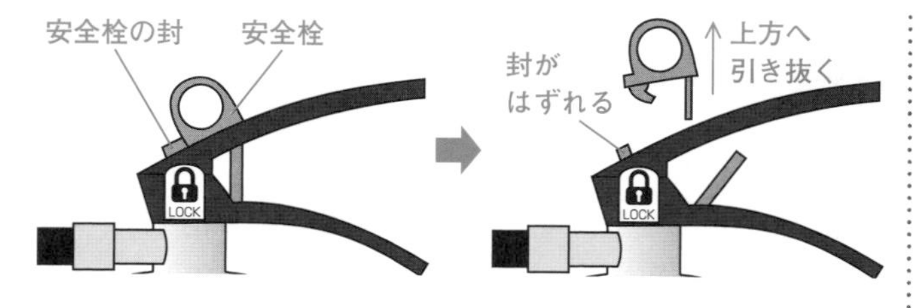

「手動ポンプで作動する水消火器，転倒の１動作で作動する消火器（＝転倒式の化学泡消火器）」以外のすべての消火器には，安全栓を設けます。また，安全栓は１動作で引き抜くことができ，その引き抜きに支障のない封が施されていなければなりません。

その他，手さげ式消火器の安全栓は，次の規定に従います。

- **リング部は内径 2cm 以上で，色は黄色とする。**
- **上方向に引き抜くよう装着されていること。**

6 安全弁 （規格省令第 24 条）

安全弁は，本体容器内の圧力が異常上昇したときに，圧力を減圧するための装置です。

安全弁を設けなければならない消火器には，次のものがあります。

- **二酸化炭素消火器とハロゲン化物消火器（高圧ガス保安法の適用を受けるもの）**
- **化学泡消火器**

安全弁については，本体容器内の圧力を有効に減圧できるものであること，みだりに分解・調整できないこと，封板式のものは，噴き出し口に封をすること，「安全弁」と表示すること，などの規定があります。

補足

ろ過網と液面表示は，化学泡消火器以外にも，手動ポンプで動作する水消火器やガラス瓶を使用する強化液消火器などに設けますが，これらの消火器は現在製造されていません。

補足

安全栓は消火器の機種やメーカーにより，様々な形があります。

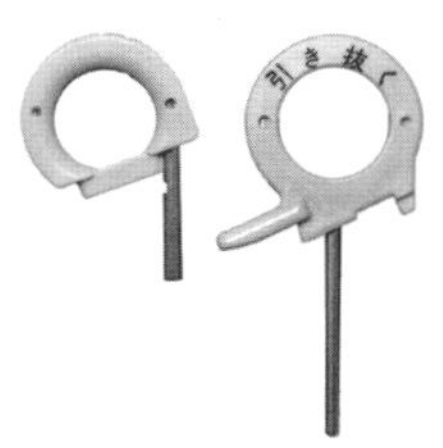

補足

手さげ式消火器の安全栓の詳しい規定については，チャレンジ問題の問 21の解説（220ページ）を参照してください。

7 加圧用ガス容器（規格省令第 25 条）

加圧用ガス容器は，ガス加圧式消火器に設けられ，消火剤を放射するための圧力源となるガスを充てんしたものです。手さげ式の粉末消火器の場合は，消火器本体内に収納されていますが，車載式消火器の場合は，本体容器と別になっています。

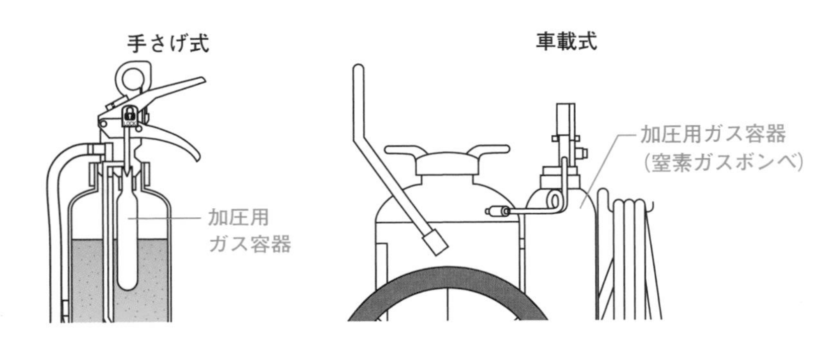

加圧用ガスとしては，小型消火器用のものには二酸化炭素（二酸化炭素＋窒素の混合ガスの場合もある），大型消火器用のものは窒素ガスが充てんされています。

加圧用ガス容器には，内容積に応じて次の２種類があります。

◆内容積が 100cm³ 以下のもの

高圧ガス保安法の適用外で，もっとも普及しています。先端に作動封板が付いており，レバーを握ると封板に穴が開き，ガスが噴出する仕組みになっています。容器の側面には以下の刻印があります。

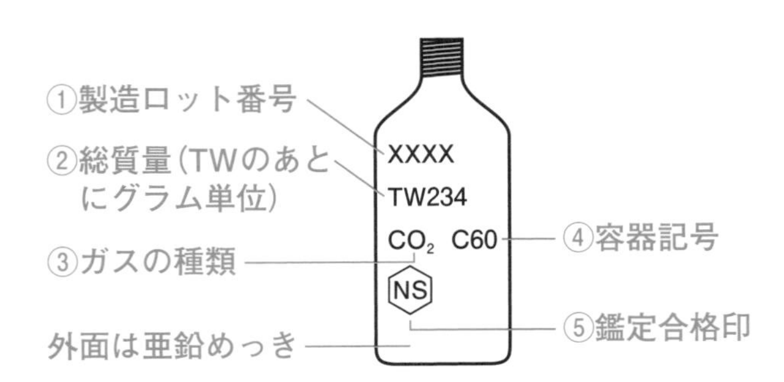

容器記号は，アルファベットがねじの種類，数字がガス質量(g)を表します。たとえば，総質量が「TW234」で容器記号が「C60」であれば，容器のみの重さは234 − 60 = 174g ということです。

◆内容積が 100cm³ を超えるもの

高圧ガス保安法の適用を受けるため，二酸化炭素が充てんされているものは緑色に，窒素ガスが充てんされているものはねずみ色に塗装されています。

容器は作動封板付きのものと，容器弁付きのものがり，以下の内容が刻印されています。

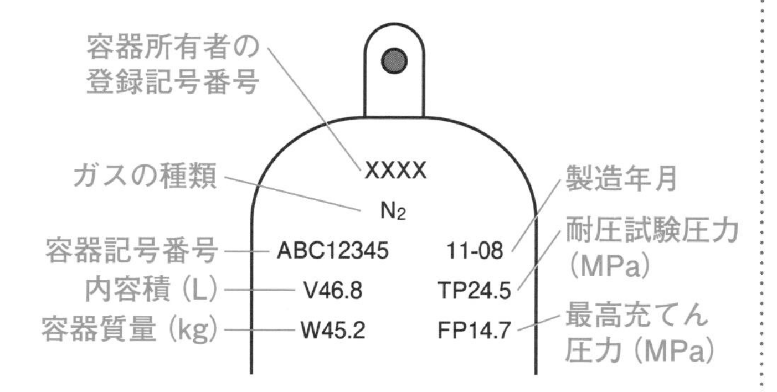

8 圧力調整器 (規格省令第 26 条)

圧力調整器は，大型消火器の加圧用ガス容器に装着し，ガス圧を適正な数値に減圧する装置です。

補足

作動封板

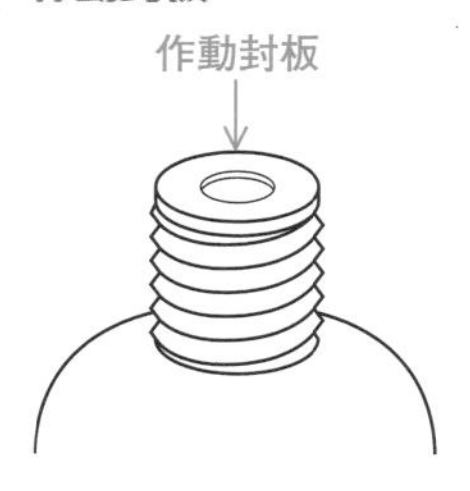

補足

鑑定合格印

検定対象以外の消防用機械器具について，基準に適合しているかどうかを日本消防検定協会が鑑定したもの。消火器関連では，加圧用ガス容器，容器弁，指示圧力計が鑑定対象となっています。

圧力調整器の圧力計は，調整圧力の範囲を示す部分を緑色で明示します。

9 指示圧力計（規格省令第28条）

指示圧力計は，消火器の圧力を表示する計器で，蓄圧式消火器（二酸化炭素消火器，ハロン1301消火器を除く）には必ず設置しなければなりません。

設置する指示圧力計は，次の規定に従います。

- **指示圧力の許容誤差は，使用圧力範囲の上下10%以内であること。**
- **指針および目盛り板は，耐食性を有する金属であること。**
- **使用圧力範囲（0.7～0.98MPa）を示す部分を緑色で明示すること。**
- **圧力検出部（ブルドン管）の材質，使用圧力範囲（単位メガパスカル）および㊛の記号を表示すること。**

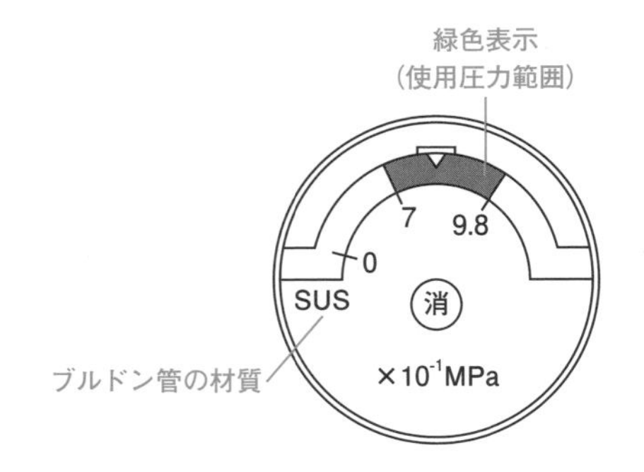

圧力検出部（ブルドン管）の材質には，ステンレス，黄銅，りん青銅，ベリリウム銅があります。水系の消火剤には，耐食性のあるステンレスを使います。

材質	記号	使用消火器
ステンレス	SUS	強化液，機械泡，粉末
黄銅	Bs	粉末
りん青銅	PB	粉末
ベリリウム銅	BeCu	粉末

チャレンジ問題

［解説］212 ページ　［解答一覧］223 ページ

問1

難 中 **易**

消火器に必要な能力単位の数値についての記述で，誤っているのは次のうちどれか。

(1) A 火災に適応する小型消火器にあっては，1 以上
(2) A 火災に適応する大型消火器にあっては，10 以上
(3) B 火災に適応する小型消火器にあっては，1 以上
(4) B 火災に適応する大型消火器にあっては，15 以上

問2

難 中 **易**

大型消火器に充てんする薬剤量として，誤っているものは次のうちどれか。

(1) 化学泡消火器…………80L 以上
(2) 強化液消火器…………60L 以上
(3) 二酸化炭素消火器……50L 以上
(4) 機械泡消火器…………20L 以上

問3

難 中 **易**

大型消火器の条件を満たしているものは次のうちどれか。

	消火器種別	充てん薬剤量	能力単位
(1)	強化液消火器	40L	A-15, B-15, C
(2)	化学泡消火器	60L	A-10, B-15
(3)	二酸化炭素消火器	50kg	B-15, C
(4)	粉末消火器	25kg	A-10, B-15, C

問4 難 中 易

大型消火器に充てんする消火薬剤の最少量として，正しいものは次のうちどれか。

(1) 水消火器…………………60L

(2) 機械泡消火器……………20L

(3) ハロゲン化物消火器……50kg

(4) 粉末消火器………………30kg

問5 難 中 易

消火器が放射を開始するまでの動作数として，誤っているものは次のうちどれか。ただし，保持装置から取りはずす操作，背負う動作，安全栓をはずす動作及びホースをはずす動作を除くものとする。

(1) 手さげ式の化学泡消火器にあっては，1 動作

(2) 据置式の消火器にあっては，2 動作以内

(3) 背負式の消火器にあっては，2 動作以内

(4) 車載式の消火器にあっては，3 動作以内

問6 難 中 易

手さげ式消火器の種類とその能力単位の数値及び操作方法の組合せとして，規格省令上，誤っているものは次のうちどれか。

	消火器の種類	能力単位	操作方法
(1)	強化液消火器	A-1，B-1，C	レバーを握る
(2)	強化液消火器	A-3，B-5，C	押し金具をたたく
(3)	化学泡消火器	A-1, B-1	ひっくり返す
(4)	粉末消火器	A-3, B-5，C	レバーを握る

問7 難 中 易

消火器の消火薬剤の規格に関する記述で，誤っているものは次のう

ちどれか。

(1) 消火薬剤は，著しい毒性または腐食性を有しないものでなければならない。
(2) 一度使用されたり，廃棄された消火薬剤を再利用してはならない。
(3) 消火薬剤には，浸潤剤，不凍剤その他消火薬剤の性能を高めたり，性状を改良するための薬剤を混和または添加することができる。
(4) 消火薬剤は，希釈，濃縮，固化，吸湿，変質その他の異常を生じないように，容器に封入しなければならない。

問8

難　中　易

消火器用の粉末消火薬剤について，誤っているものは次のうちどれか。

(1) 防湿加工を施したナトリウムもしくはカリウムの重炭酸塩その他の塩類，またはりん酸塩類，硫酸塩類その他防炎性を有する塩類であること。
(2) 180 マイクロメートル以下の微細な粉末であること。
(3) 水面に均一に散布した場合において，30 分以内に沈降しないこと。
(4) りん酸アンモニウムを主成分としたものには，淡紅色系の着色を施すこと。

問9

難　中　易

泡消火器の放射量に関する記述で，規格省令上，誤っているものは次のうちどれか。ただし，消火薬剤の温度は 20℃とする。

(1) 機械泡消火器にあっては，消火薬剤の容量の 5 倍以上
(2) 手さげ式の化学泡消火器にあっては，消火薬剤の容量の 5 倍以上
(3) 背負式の化学泡消火器にあっては，消火薬剤の容量の 7 倍以上
(4) 車載式の化学泡消火器にあっては，消火薬剤の容量の 5.5 倍以上

問10 難 中 易

自動車用消火器として適当でないものは次のうちどれか。

(1) 強化液消火器（霧状放射のもの）

(2) 粉末消火器

(3) 二酸化炭素消火器

(4) 化学泡消火器

問11 難 中 易

消火器の放射性能について，正しいものは次のうちどれか。

(1) 放射時間は，温度20℃において20秒以上であること。

(2) 放射距離は，温度20℃において3m以上であること。

(3) 二酸化炭素消火器にあっては，充てんされた消火剤の質量の50%以上の量を放射できること。

(4) 化学泡消火器にあっては，充てんされた消火剤の容量の85%以上の量を放射できること。

問12 難 中 易

化学泡消火器の使用温度範囲として，規格省令上，正しいものは次のうちどれか。

(1) －10℃～＋40℃

(2) 0℃～＋40℃

(3) ＋5℃～＋40℃

(4) ＋10℃～＋40℃

問13 難 中 易

消火器の外面の塗色について，規格省令上，誤っているものは次のうちどれか。

(1) 消火器の外面は，その25%以上を赤色仕上げとする。

(2) ステンレスまたはステンレスと同等の耐食性を有する容器を使用する場合は，塗装を省略することができる。
(3) 二酸化炭素消火器の外面は，その表面積の1／2以上を緑色とする。
(4) ハロン1301消火器の外面は，その表面積の1／2以上をねずみ色とする。

問14

難	中	易

消火器に表示しなければならない事項として，規格省令上，誤っているものは次のうちどれか。

(1) 放射距離
(2) 使用温度範囲
(3) A火災，B火災，C火災に対する能力単位の数値
(4) 取扱い上の注意事項

問15

難	中	易

手さげ式の強化液消火器（蓄圧式）に表示しなければならない事項として，規格省令上，誤っているものは次のうちどれか。

(1) ホースの有効長
(2) 住宅用消火器でない旨
(3) 放射時間
(4) 使用方法を図示したもの

問16

難	中	易

消火器に表示する絵表示について，誤っているものは次のうちどれか。

(1) 絵表示の大きさは，充てんする消火剤の容量または質量が2Lまたは3kg以下のものにあっては，半径1cm以上とする。

(2) A 火災に適応する消火器に表示する絵表示の地色は白色とする。
(3) B 火災に適応する消火器に表示する絵表示の地色は黄色とする。
(4) 電気火災に適応する消火器に表示する絵表示の地色は緑色とする。

問 17

難 中 易

消火器用消火薬剤の容器または包装に表示しなければならない事項として，規格法令上，誤っているものは次のうちどれか。

(1) 消火薬剤の容量または質量
(2) 充てん方法
(3) 放射時間
(4) 製造年月

問 18

難 中 易

消火器に取り付けるホースについて，規格省令上，正しいものは次のうちどれか。

(1) 消火剤の質量が 4kg 未満の二酸化炭素消火器には取り付けなくてもよい。
(2) 消火剤の質量が 1kg 未満の粉末消火器には取り付けなくてもよい。
(3) 据置式の消火器のホースは，有効長が 10m 以上であること。
(4) 据置式以外の消火器のホースは，有効長が 3m 以上であること。

問 19

難 中 易

規格省令上，ろ過網を設けなければならない消火器として，正しいものは次のうちどれか。

(1) 蓄圧式強化液消火器
(2) ハロゲン化物消火器

(3) 化学泡消火器
(4) 加圧式粉末消火器

問20　難　中　易

手さげ式の消火器に設けられている安全栓について，規格省令上，誤っているものは次のうちどれか。

(1) 不時の作動を防止するために設けられている。
(2) 1動作で容易に引き抜くことができ，かつ，その引き抜きに支障のない封が施されている。
(3) 内径が2cm以上のリング部，軸部及び軸受け部より構成されている。
(4) リング部の塗色は緑色である。

問21　難　中　易

手さげ式消火器に設けられている安全栓について，規格省令上，誤っているものは次のうちどれか。ただし，押し金具をたたく1動作及びふたをあけて転倒させる動作で作動するものを除くものとする。

(1) 上方向（消火器を水平面上に置いた場合，垂直軸から90度以内の範囲）に引き抜くよう装着されていること。
(2) 引き抜く動作以外の動作によっては容易に抜けないこと。
(3) 装着時において，リング部は軸部が貫通する上レバーの穴から引き抜く方向に引いた線上にあること。
(4) 材質はステンレス鋼またはこれと同等以上の耐食性及び耐候性を有するものであること。

問22　難　中　易

規格省令上，使用済みの表示装置を設けなければならない手さげ式消火器は次のうちどれか。

(1) 蓄圧式強化液消火器

(2) 二酸化炭素消火器

(3) ガス加圧式粉末消火器（開閉バルブのないもの）

(4) 化学泡消火器

問23

難	中	易

消火器の安全弁について，規格省令上，誤っているものは次のうちどれか。

(1) 本体容器内の圧力を有効に減圧できる。

(2) 分解や調整が容易にできるようになっている。

(3) 封板式のものは，噴き出し口に封が施されている。

(4)「安全弁」と表示されている。

問24

難	中	易

加圧式の消火器に用いる加圧用ガス容器について，誤っているものは次のうちどれか。

(1) 作動封板を有する加圧用ガス容器は，容量にかかわら高圧ガス保安法の適用を受けない。

(2) 作動封板を有する加圧用ガス容器は，同じ容器記号のものと交換する。

(3) 容器弁付きの加圧用ガス容器は，専門業者に依頼してガスを充てんする。

(4) 内容積が $100m^3$ 以下の作動封板を有する加圧用ガス容器を廃棄する場合は，本体容器から分離して専門業者に処理を依頼するか，排圧治具により排圧処理をする。

問25

難	中	易

液化炭酸ガスを充てんした高圧ガス容器に刻印されている記号Wが

表しているものとして，正しいものは次のうちどれか。

(1) 内容積

(2) 試験圧力値

(3) 質量

(4) 充てん圧力値

問 26

難	中	易

蓄圧式消火器に設けられている指示圧力計について，規格省令上，誤っているものは次のうちどれか。

(1) 指示圧力の許容誤差は，使用圧力範囲の圧力値の上下 15%以内であること。

(2) 指針及び目盛り板は，耐食性を有する金属であること。

(3) 使用圧力範囲を示す部分を緑色で明示すること。

(4) 圧力検出部の材質，使用圧力範囲及び㊔の記号を表示すること。

問 27

難	中	易

蓄圧式消火器に設ける指示圧力計について，誤っているものは次のうちどれか。

(1) 機械泡消火器の圧力検出部（ブルドン管）のブルドン管の材質を示す部分に，SUS と表示されていた。

(2) 粉末消火器のブルドン管の材質を示す部分に，Bs と表示されていた。

(3) 強化液消火器のブルドン管の材質を示す部分に，BeCu と表示されていた。

(4) 二酸化炭素消火器に指示圧力計が設けられていなかった。

解説

問1　消火器に必要な能力単位の数値は，以下のようになります。

小型消火器	A 火災	1 以上
	B 火災	1 以上
大型消火器	A 火災	10 以上
	B 火災	20 以上

したがって，(4)の「B 火災に適応する大型消火器にあっては，15 以上」が誤りです。

解答 (4)　参照 189 ページ

問2　大型消火器の充てん薬剤量は，以下のように規定されています。

水消火器	80L 以上
強化液消火器	60L 以上
機械泡消火器	20L 以上
化学泡消火器	80L 以上
二酸化炭素消火器	50kg 以上
ハロゲン化物消火器	30kg 以上
粉末消火器	20kg 以上

二酸化炭素消火器の充てん薬剤量は，50L ではなく，50kg 以上です。

解答 (3)　参照 189 ページ

問3　大型消火器の条件は，①能力単位（A 火災 10 以上または B 火災 20 以上）と，②充てん薬剤量の 2 つがあります。

×（1）大型の強化液消火器の充てん薬剤量は 60L 以上です。

×（2）大型の化学泡消火器の充てん薬剤量は 80L 以上です。

×（3）B 火災の能力単位の数値は 20 以上でなければなりません。

○（4）大型の粉末消火器の充てん薬剤量は 20kg 以上です。また，A 火災の能力単位が 10 以上あるので，大型消火器として使用できます。

解答（4） **参照** 189 ページ

問4　大型消火器の充てん薬剤量については，出題頻度が高いので正しい量を覚えておきましょう。

×（1）水消火器……………………80L 以上

○（2）機械泡消火器……………20L 以上

×（3）ハロゲン化物消火器……30kg 以上

×（4）粉末消火器………………20kg 以上

解答（2） **参照** 189 ページ

問5　放射を開始するまでの動作数は，以下のように規定されています。

手さげ式消火器（化学泡消火器を除く）	1 動作
据置式，背負式，手さげ式化学泡消火器	2 動作以内
車載式消火器	3 動作以内

化学泡消火器は他の手さげ式消火器と異なり，本体をひっくり返す動作が必要なので，2 動作まで認められています。

解答（1） **参照** 190 ページ

問6　手さげ式消火器の操作方法は，ほとんどが「レバーを握る」方式ですが，一部の消火器は「レバーを握る」に加えて，異なる操作方法が認められています。

消火器の区分		「レバーを握る」以外の操作方法
酸アルカリ消火器		「押し金具をたたく」
強化液消火器	A 火災，B 火災に対する能力単位が 1	「押し金具をたたく」
泡消火器		「ひっくり返す」または「ふたをあけてひっくり返す」
ハロゲン化物消火器	B 火災に対する能力単位が 1	「押し金具をたたく」
粉末消火器	薬剤量 1kg 以下	「押し金具をたたく」

○（1）能力単位 A-1，B-1 の強化液消火器は「押し金具をたたく」も認められていますが，「レバーを握る」操作でもかまいません。

×（2）A 火災または B 火災に対する能力単位が 1 を超える強化液消火器は，「レバーを握る」操作しか認められません。

○（3）泡消火器の操作方法は「レバーを握る」「ひっくり返す」「ふたをあけてひっくり返す」の 3 種類があります。法令上，機械泡，化学泡の区別はありません。

○（4）「レバーを握る」操作は，ほとんどの消火器で認められています。

解答（2）　参照 190 ページ

問 7　一度使用されたり，使用期限が切れたりした消火薬剤は，原則として使用することはできません。ただし，使用済みの消火薬剤をリサイクルして，再度規格に適合するよう処理した**再利用消火薬剤**については，この限りではありません。

解答（2）　参照 191 ページ

問8　粉末消火薬剤は，水面に均一に散布した場合において，30分ではなく**1時間以内**に沈降しないものでなければなりません。

解答（3）　参照 192ページ

問9　泡消火器の放射量は，次の規定によります。

化学泡消火器	手さげ式・背負式	消火薬剤の7倍以上
	車載式	消火薬剤の5.5倍以上
機械泡消火器		消火薬剤の5倍以上

手さげ式の化学泡消火器の放射量は，5倍以上ではなく，7倍以上なので，(2)が誤りです。

解答（2）　参照 192ページ

問10　自動車に設置できる消火器は次のいずれかです。

①霧状放射の強化液消火器

②機械泡消火器

③ハロゲン化物消火器

④二酸化炭素消火器

⑤粉末消火器

棒状放射の強化液消火器や，化学泡消火器は，自動車用消火器には使用できません。

解答（4）　参照 192ページ

問11

×（1）放射時間は，温度20℃において10秒以上です。

×（2）「消火に有効な放射距離を有するものであること」と規定されており，具体的な放射距離は定められていません。

×（3）原則として，充てんされた消火剤の容量または質量の 90%以上（ただし，化学泡消火器については 85%以上）の量を放射できることと定められています。

○（4）正しい記述です。

解答（4）　参照 193 ページ

問 12 消火器は，0℃～＋40℃の温度範囲で正常に操作でき，消火及び放射の機能を有効に発揮できなければなりません（温度範囲は 10℃単位で拡大できる)。ただし，化学泡消火器の場合は，低温では化学反応が鈍って正常に放射できなくなるため，使用温度範囲は＋5℃～＋40℃となっています。

解答（3）　参照 193 ページ

問 13 消火器の外面の塗色は，次のように規定されています。

①消火器は，外面の 25%以上を赤色仕上げとする。
②二酸化炭素消火器の外面は，その表面積の 1／2 以上を緑色とする。
③ハロゲン化物消火器の外面は，その表面積の 1／2 以上をねずみ色とする。

容器の材質による塗色の例外はありません。よって，(2) が誤りです。

解答（2）　参照 194 ページ

問 14 消火器に表示しなければならない事項には，以下のものがあります。

①消火器の種別
②住宅用消火器でない旨
③加圧式の消火器または蓄圧式の消火器の区別
④使用方法（手さげ式は図示が必要）

⑤使用温度範囲
⑥B火災または電気火災に使用してはならない旨の表示（該当する消火器のみ）
⑦A火災，B火災に対する能力単位の数値
⑧放射時間
⑨放射距離
⑩製造番号，製造年，製造者名，型式番号
⑪試験圧力値
⑫安全弁の作動圧力値
⑬消火剤の容量または質量
⑭総質量（消火剤を容量で示すものを除く）
⑮ホースの有効長（据置式の消火器のみ）
⑯取扱い上の注意事項として次に掲げる事項
- 加圧用ガス容器に関する事項（加圧式消火器のみ）
- 指示圧力計に関する事項（蓄圧式消火器のみ）
- 安全上支障なく使用できる標準期間または期限
- 使用時の安全な取扱いに関する事項
- 維持管理上の適切な設置場所に関する事項
- 点検に関する事項
- 廃棄時の連絡先及び安全な取扱いに関する事項
- その他取扱い上注意すべき事項

能力単位の数値は，A火災とB火災についてのみ表示します。C火災に対する能力単位はないので，(3) が誤りです。

解答（3）　参照 195ページ

問15

×（1）ホースの有効長は，据置式の消火器でのみ表示が必要です。
○（2）住宅用消火器でない旨の表示は必要です。
○（3）放射時間の表示は必要です。
○（4）手さげ式消火器では，使用方法を図示したものが必要です。

安全栓を引き抜く Pull out the safety pin.	ホースをはずし火元に向ける Release the hose and point the nozzle at the base of fire.	レバーを強くにぎる Grip the levers.

使用方法の表示例（株式会社ヤマトプロテック）

解答（1）　参照 195 ページ

問 16　消火器には，適応する火災の区分に応じて，以下の絵表示を表示します。絵表示の大きさは，充てんする消火剤の容量または質量が 2L または 3kg 以下のものにあっては，半径 1cm 以上，それより大きいものは半径 1.5cm 以上とします。

A 火災	B 火災	電気火災（C 火災）
・炎は赤 ・可燃物は黒 ・地色は白 普通火災用	・炎は赤 ・可燃物は黒色 ・地色は黄色 油火災用	・閃光は黄色 ・地色は青色 電気火災用

電気火災に適応する消火器の絵表示は，地色を青色とします。よって，(4) が誤りです。

解答（4）　参照 196 ページ

問 17　消火薬剤の容器に表示する事項は，「消火器用薬剤の技術上の規格を定める省令」で以下のように定められています。

①品名
②充てんされるべき消火器の区別
③消火薬剤の容量または質量
④充てん方法
⑤取扱い上の注意事項
⑥製造年月
⑦製造者名または商標
⑧型式番号

放射時間については表示する必要はありません。

解答（3）　参照 191 ページ

問18　ホースを取り付けなくてもよい消火器は，以下の 2 種類です。

①薬剤量が 4kg 未満のハロゲン化物消火器
②薬剤量が 1kg 以下の粉末消火器

これ以外の消火器には，ホースを取り付けなければなりません。
×（1）二酸化炭素消火器ではなく，ハロゲン化物消火器です。
×（2）1kg 未満ではなく，1kg 以下です。
○（3）据置式の消火器のホースは，有効長を 10m 以上とします。
×（4）据置式以外の消火器のホースの長さは，「消火剤を有効に放射するに足るもの」とします。具体的な長さに関する規定はありません。

解答（3）　参照 197 ページ

問19　ろ過網を設けなければならない消火器は，

①手動ポンプにより作動する水消火器
②ガラスびんを使用する酸アルカリ消火器・強化液消火器
③化学泡消火器

の３種類です。このうち，①と②は現在では製造されていません。

解答（3）　参照 198 ページ

問 20　安全栓は，不時の作動を防止するために，手動ポンプで作動する水消火器または転倒の１動作で作動する消火器以外の消火器に設けられています。

安全栓のリング部の塗色は，黄色仕上げとしなければならないので，(4) が誤りです。

解答（4）　参照 199 ページ

問 21　手さげ式消火器（押し金具をたたく１動作及びふたをあけて転倒させる動作で作動するものを除くものとする。）に設けられている安全栓については，以下のように規定されています。

①内径が 2cm 以上のリング部，軸部及び軸受け部より構成されていること。
②装着時において，リング部は軸部が貫通する上レバーの穴から引き抜く方向に引いた線上にあること。
③リング部の塗色は黄色仕上げとすること。
④材質はステンレス鋼（SUS304）またはこれと同等以上の耐食性及び耐候性を有するものであること。
⑤上方向（消火器を水平面上に置いた場合，垂直軸から 30 度以内の範囲）に引き抜くよう装着されていること。
⑥安全栓に衝撃を加えた場合及びレバーを強く握った場合において引き抜きに支障を生じないこと。
⑦引き抜く動作以外の動作によっては容易に抜けないこと。

安全栓の引き抜き方法がメーカーによって異なると混乱するので，安全栓を引き抜く方向は，垂直軸から 30 度以内の範囲の上方向に統一されています。よって，(1) が誤りです。

解答（1）　参照 199 ページ

問22　手さげ式消火器には，原則として使用済み表示装置を設けます。ただし，以下の消火器には必要ありません。

①指示圧力計のある蓄圧式消火器

②バルブのない消火器

③手動ポンプにより作動する水消火器

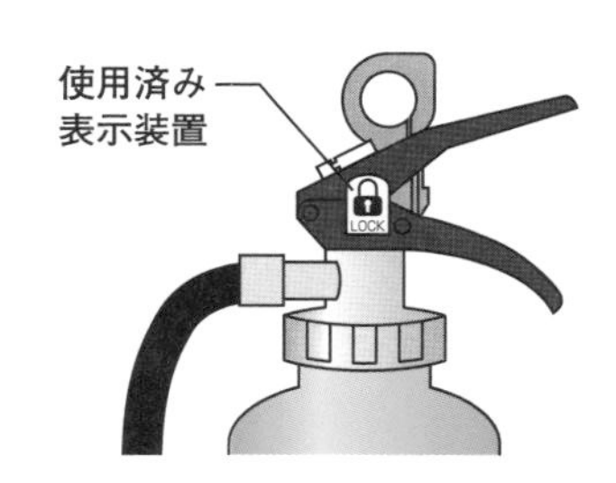

×（1）蓄圧式強化液消火器には，指示圧力計があるので，使用済み表示装置は不要です。

○（2）二酸化炭素消火器は蓄圧式ですが，指示圧力計はないので使用済み表示装置が必要です。

×（3）開閉バルブがない消火器には，使用済み表示装置は不要です。

×（4）化学泡消火器には構造上バルブがないので，使用済み表示装置は不要です。

解答（2）　**参照** 193，194ページ

問23　消火器の安全弁に関しては，以下のように規定されています。

- **本体容器内の圧力を有効に減圧することができること。**
- **みだりに分解し，または調整することができないこと。**
- **封板式のものにあっては，噴き出し口に封を施すこと。**
- **「安全弁」と表示すること。**

安全弁はみだりに分解や調整ができないようになっているので，(2) は誤

りです。

解答（2） 参照 199 ページ

問 24 内容積が 100m^3 以下の加圧用ガス容器は，高圧ガス保安法の適用を受けません。ただし，廃棄する場合は本体容器から分離して専門業者に処理を依頼するか，排圧治具により排圧処理をしてから廃棄する必要があります。

解答（1） 参照 200 ページ

問 25 W は Weight の略で，容器の質量（バルブは含まない）を表します（単位：kg）。

解答（3） 参照 201 ページ

問 26 指示圧力計に関する規定は，次のとおりです。

①指示圧力の許容誤差は，使用圧力範囲の圧力値の上下 10%以内であること。
②指標は見やすいものであること。
③指針及び目盛り板は，耐食性を有する金属であること。
④圧力検出部及びその接合部は，耐久性を有すること。
⑤ケースは漏れがなく，かつ，圧力がケース内に閉そくされた場合に有効に減圧することができる構造であること。
⑥圧力検出部の材質，使用圧力範囲及び㊈の記号を表示すること。
⑦使用圧力範囲を示す部分を緑色で明示すること。
⑧取付ねじは JIS 規格に適合し，かつ，確実に取付部にかみ合うものであること。
⑨外部からの衝撃に対し保護されていること。

許容誤差は使用圧力範囲の圧力値の上下 10%以内と規定されているので，(1) は誤りです。

解答（1） 参照 202 ページ

問27　指示圧力計の圧力検出部（ブルドン管）の材質には，①ステンレス，②黄銅，③りん青銅，④ベリリウム銅の４種類があり，それぞれ略号で表示されています。

ステンレス	SUS
黄銅	Bs
りん青銅	PB
ベリリウム銅	BeCu

粉末消火器ではどの材質でもかまいませんが，水系の消火薬剤を使用する強化液消火器，機械泡消火器のブルドン管は，耐食性のあるステンレス製でなければなりません。したがって，(3) の「強化液消火器のブルドン管の材質を示す部分に，BeCu と表示されていた」とあるのは誤りです。

解答（3）　参照 202 ページ

解答

問1	(4)	問8	(3)	問15	(1)	問22	(2)
問2	(3)	問9	(2)	問16	(4)	問23	(2)
問3	(4)	問10	(4)	問17	(3)	問24	(1)
問4	(2)	問11	(4)	問18	(3)	問25	(3)
問5	(1)	問12	(3)	問19	(3)	問26	(1)
問6	(2)	問13	(2)	問20	(4)	問27	(3)
問7	(2)	問14	(3)	問21	(1)		

消火器の点検と整備

この節の学習内容とまとめ

□ 内部及び機能点検

・外観点検の結果，必要と判断された場合
・加圧式の消火器：製造年から３年が経過したもの（抜き取り方式）
・蓄圧式の消火器：製造年から５年が経過したもの（抜き取り方式）
・化学泡消火器：設置から１年が経過したもの（全数）

□ 内部及び機能点検が必要な場合

①安全栓が脱落している場合
②安全栓の封が脱落している場合
③使用済み表示装置が脱落，作動している場合
④粉末消火器のキャップに変形・損傷・ゆるみ等が見つかった場合
⑤ホース，ノズル等に消火薬剤の漏れまたは固化によるつまりのある場合
⑥ガス加圧式の粉末消火器（バルブが開放式のもの）のホース，ノズルに，つまり，著しい損傷，ねじのゆるみのある場合
⑦指示圧力計の指針が緑色範囲外の場合
⑧安全弁の噴き出し口の封が損傷，脱落している場合
⑨安全弁のねじがゆるんでいた場合（化学泡消火器を除く）
⑩車載式の粉末消火器のガス導入管で，折れ，つぶれ等の変形，損傷，結合部のゆるみが見つかった場合

□ 蓄圧式消火器の窒素ガスの充てん手順

①窒素ガス容器のバルブに圧力調整器を取り付ける
②圧力調整器の出口側バルブに，高圧エアホースを緊結する
③窒素ガス容器のバルブを開く
④各消火器の「温度－圧力線図」から，現在の気温に適合する充てん圧力を求める
⑤圧力調整ハンドルを静かに回すと，二次側の圧力計の針が徐々に上がるので，充てん圧力を指すように調整する
⑥消火器のホース接続部に継手(接手)金具を緊結し，高圧エアホース先端に取り付けた三方バルブと継手金具とを接続する
⑦三方バルブを開き，消火器のレバーを握ると，窒素ガス容器内のガスが消火器容器に充てんされる
⑧指示圧力計を見て，消火器の内圧が充てん圧力に達したことを確認したら，レバーを離し，三方バルブを閉じる
⑨安全栓をセットする
⑩三方バルブと継手金具をはずす
⑪気密試験を行い，漏れのないことを確認する

□ ガス加圧式粉末消火器の粉末薬剤の充てん手順

①サイホン管に新しい粉上り防止用封板を取り付ける
②安全栓をセットする
③加圧用ガス容器を取り付ける
④本体容器に漏斗(ろうと)を挿入し，規定量の消火薬剤を入れる
⑤口金のパッキン座やねじ等に付着した消火薬剤は，刷毛や布等で取り除く
⑥充てんされた消火薬剤が流動している間に，サイホン管をすばやく容器に挿入し，手でキャップを締める
⑦容器をクランプ台に固定し，キャップスパナで十分に締める。
⑧安全栓の封，使用済み表示装置を取り付ける

消火器の点検

1 外観点検と機能点検

消火器の点検・整備は，第6類消防設備士の重要な業務です。点検項目は，大きく①外観点検と②機能点検（内部および機能点検）に分かれます。

①外観点検

消火器の設置状況や外観の形状，破損などの状況を目視で確認し，不備が見つかった場合は必要に応じて整備したり，廃棄するなどの処理をします。外観点検は，消火器の全数について，6か月に1回以上行います。

②機能点検（内部及び機能の点検）

外観点検の結果不備が見つかった消火器や，製造年から一定期間が経過した消火器について，消火器内部の点検や，放射能力などの機能を点検します。

機能点検が必要な消火器

- 外観点検の結果，必要と判断されたもの
- 加圧式の消火器：製造年から３年が経過したもの
- 蓄圧式の消火器：製造年から５年が経過したもの
- 化学泡消火器：設置から１年が経過したもの

機能点検の実施サイクルは，外観点検と同様6か月に1回です。ただし，毎回すべての消火器について実施する必要はなく，設置されている一部の消火器のみ

補足

規格改正による型式失効

2011年の規格改正以前の消火器はすでに型式が失効しており，2022年以降は使用できないので注意が必要です。

点検する抜き取り方式でいいことになっています（補足参照）。

抜き取り方式では，製造年が同じ消火器の全数を，5年間で点検するようにします。点検は5年間に10回実施されるので，1回当たり全体の10%の数を抜き取り検査すれば，5年間で全数を点検することになります。

この5年が経過した後は，2.5年で全数（1回当たり20%）を点検するように，抜き取り検査を実施します。

◆加圧式

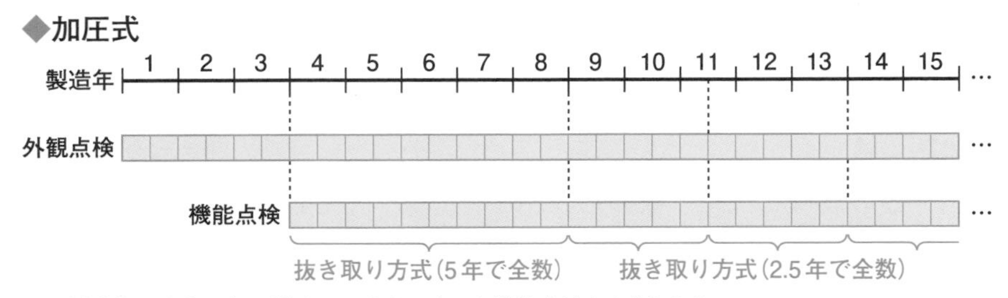

注：製造年が令和３年の場合は，令和７年から機能点検を実施します。

◆蓄圧式

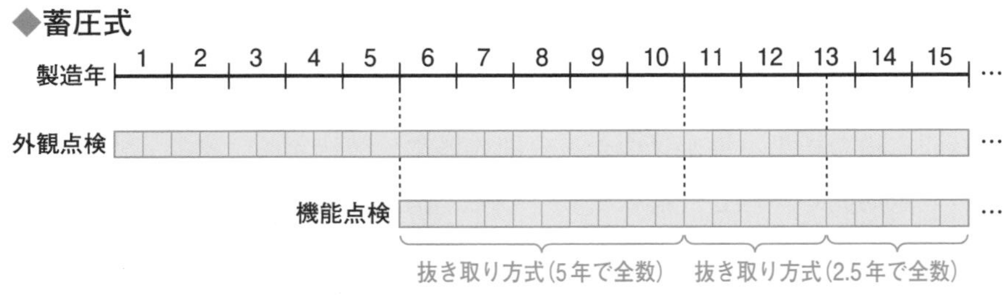

注：製造年が令和３年の場合は，令和９年から機能点検を実施します。

2 確認ロットの作成

抜き取り方式による機能点検では，まず，設置されている消火器を，機能や構造が同じ消火器ごとにグループ分けします。このグループを確認試料（確認ロット）といいます。

確認ロットは，①消火器の種類，②消火器の種別（大型か小型か），③加圧方式の同じものを１ロットとします。メーカー別に分ける必要はありません。また，④製造年から８年経過した加圧式消火器と，製造年から10年経過した蓄圧式消火器は，抜き取り数が異なるので別ロットとします。

5年で全数を点検するために，各ロットから，製造年の古い順に10%以上を抜き取って点検を実施します（④のロットについては，2.5年で全数を点検するため，20%以上を抜き取ります）。

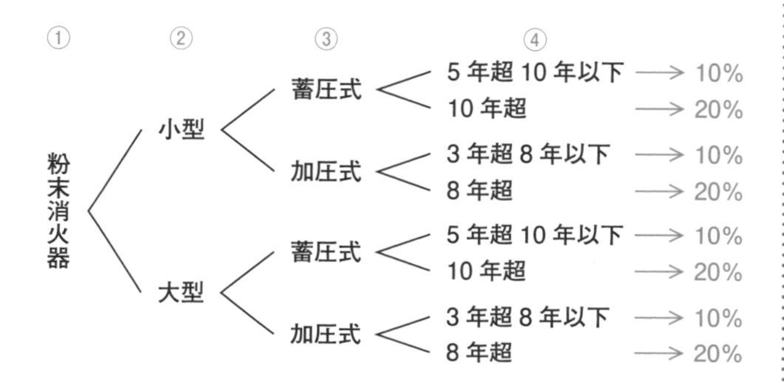

抜き取った消火器を点検した結果，欠陥が見つからなかった場合は，ロット全体を「良」と判定します。抜き取った消火器に欠陥が見つかった場合は，次のように対処します。

①消火薬剤の固化，容器内面の塗膜のはく離が見つかった場合には，同一メーカー，同一質量，同一製造年の消火器すべてについて欠陥項目を確認する。
②その他の欠陥については，欠陥のあった消火器を整備する。

3 放射試験

機能点検の確認項目のうち，放射試験については，抜き取ったものの中から半分（50%）以上を選んで確認すればよいことになっています。ただし，化学泡消火器，及び粉末消火器以外の加圧式消火器については，全数の10%以上について放射試験を実施します。

放射試験以外の確認項目については，抜き取った消

補足

抜き取り方式で点検する消火器
機能点検を抜き取り方式で行う消火器は，蓄圧式消火器（二酸化炭素消火器，ハロン1301消火器を除く）と，ガス加圧式の粉末消火器です。化学泡消火器と，粉末消火器を除く加圧式消火器については，設置されている全消火器について，機能点検が必要です。

火器すべてで点検します。

消火器の区分		放射試験以外の確認項目	放射試験
蓄圧式	水消火器 強化液消火器 機械泡消火器 粉末消火器	抜き取り数	抜き取り数の 50%以上
加圧式	粉末消火器		
化学泡消火器		全数	全数の 10%以上
粉末消火器以外の加圧式消火器			

4 一般的留意事項

点検にあたっては，一般に次のような事項に留意します。

①性能に支障がなくとも，ごみ等の汚れは，はたき，雑きん等で掃除すること。

②合成樹脂製の容器または部品の清掃には，シンナー，ベンジン等の有機溶剤を使用しないこと。

③キャップまたはプラグ等を開けるときは，容器内の残圧に注意し，残圧を排除する手段を講じた後に開けること。

④キャップの開閉には，所定のキャップスパナを用い，ハンマーで叩いたり，タガネをあてたりしないこと。

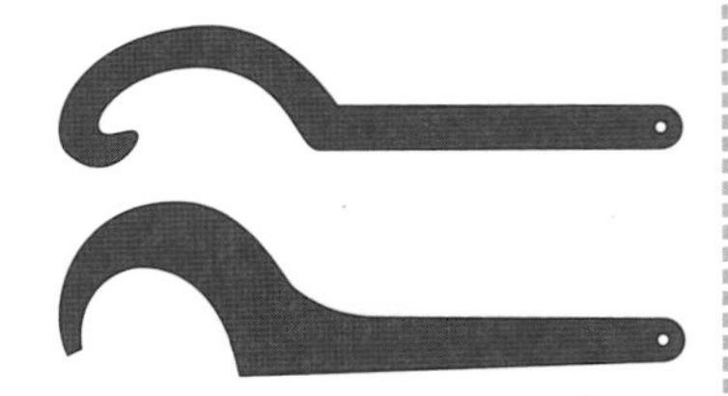

⑤ハロゲン化物及び粉末消火薬剤は，水分が禁物なので，消火器本体の容器内面及び部品の清掃や整備には十分注意すること。

⑥二酸化炭素消火器，ハロゲン化物消火器，加圧用ガス容器のガスの充てんは，専門業者に依頼すること。

⑦点検のために，消火器を所定の設置位置から移動したままにする場合は，代替消火器を設置しておくこと。

消火器の外観点検

1 本体容器

本体容器の外観点検では，消火薬剤の漏れや容器の変形，損傷，著(いちじる)しい腐食がないかどうかを目視で確認します。

点検の結果，以下のような問題が見つかった場合は，**廃棄処分**とします。

①溶接部の損傷
②著しい変形があり，機能上支障のおそれのあるもの
③著しく腐食しているもの
④錆(さび)がはく離するようなもの

2 安全栓と使用済み表示装置

安全栓や使用済み表示装置に以下の問題が見つかった場合は，**機能点検**を行います。

①安全栓が脱落している場合
②安全栓の封が脱落している場合
③使用済み表示装置が脱落，作動している場合

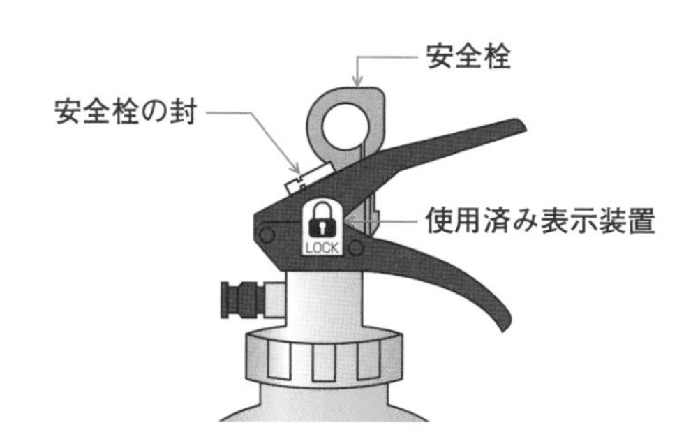

補足

二酸化炭素消火器等の放射試験
二酸化炭素消火器，ハロン1301消火器については，地球環境への配慮から，放射試験は行いません。

安全栓の封が脱落していたり，使用済み表示装置が脱落している消火器は，一度使用された可能性があるので，機能点検で消火薬剤や加圧用ガスの残量を確認します。

ただし，安全栓が脱落している場合でも，安全栓の封や使用済み表示装置に異常がなければ未使用状態とみなせるので，安全栓を元通りに装着するだけでかまいません。

3 キャップ

消火器のキャップは，変形，損傷がないかどうかを目視で確認します。また，キャップがゆるんでいないかどうかを手で締め付けて確認し，ゆるんでいる場合は締め直します。

粉末消火器のキャップに変形・損傷・ゆるみ等が見つかった場合は，外気によって容器内の粉末薬剤が変質している可能性があるため，機能点検で薬剤の性状を確認する必要があります。

4 ホース，ノズル

ホースやノズルは，変形，損傷，老化等がなく，内部につまりがないことを目視で確認します。また，ねじのゆるみがある場合は締め直します。

ホースやノズルに以下の問題が見つかった場合には，機能点検が必要です。

①消火薬剤の漏れまたは固化によるつまりのあるもの
②ガス加圧式の粉末消火器（バルブが開放式のもの）で，つまり，著しい損傷，ねじのゆるみのあるもの

5 指示圧力計

指示圧力計の付いている消火器では，指示圧力計が緑色の範囲内にあることを目視で確認します。

①**指針が緑色の範囲外の場合**→**機能点検**により，指示圧力計に異常がないかどうかを確認します。
②**指針が緑色の範囲の下限より下がっている場合**→使用した可能性があるので，①に加えて消火薬剤の量を確認します。

指示値が緑色範囲外にある場合は指示圧力計の作動を点検する

指示値が緑色範囲の下限より下にある場合は消火薬剤量も点検する

6 安全弁

安全弁は，二酸化炭素消火器，ハロン1301消火器，化学泡消火器に付いています。安全弁の噴き出し口の封が損傷，脱落している場合には，消火器の種類に応じて，以下の**機能点検**が必要です。

①**二酸化炭素消火器，ハロン1301消火器**→消火薬剤量を点検（ねじがゆるんでいる場合も同様）
②**化学泡消火器**→消火薬剤が反応している場合は詰め替える（ねじがゆるんでいる場合は締め直す）

安全弁のねじがゆるんでいた場合，化学泡消火器では締め直すだけでよいですが，二酸化炭素消火器，ハロン1301消火器では消火薬剤量の点検が必要になります。

補足

指示圧力計の表示
蓄圧式消火器には使用済み表示装置がないので，指示圧力計の表示で使用済みかどうかを判断します。

7 ガス導入管（車載式消火器）

車載式の粉末消火器のガス導入管で，折れ，つぶれ等の変形，損傷，結合部のゆるみが見つかった場合は，外気により消火薬剤が変質している可能性があるので，**機能点検**で消火薬剤の性状を点検します。

8 機能点検が必要な場合（まとめ）

外観点検の結果，機能点検が必要となる欠陥は以下のとおりです。

①安全栓が脱落している場合
②安全栓の封が脱落している場合
③使用済み表示装置が脱落，作動している場合
④粉末消火器のキャップに変形・損傷・ゆるみ等が見つかった場合
⑤ホース，ノズル等に消火薬剤の漏れまたは固化によるつまりのある場合
⑥ガス加圧式の粉末消火器（バルブが開放式のもの）のホース，ノズルに，つまり，著しい損傷，ねじのゆるみのある場合
⑦指示圧力計の指針が緑色範囲外の場合
⑧安全弁の噴き出し口の封が損傷，脱落している場合
⑨安全弁のねじがゆるんでいた場合（化学泡消火器を除く）
⑩車載式の粉末消火器のガス導入管で，折れ，つぶれ等の変形，損傷，結合部のゆるみが見つかった場合

内部および機能の点検

1 蓄圧式消火器の分解

蓄圧式消火器は，おおむね以下の手順で分解します。

補足

クランプ台
分解などの作業を行う際に，消火器本体を固定するための工具。264ページ参照。

①総質量をはかって，消火薬剤の量を確認する。
②指示圧力計を見て容器の内圧を確認する。
③排圧栓を開いて内圧を抜く。
※排圧栓がない消火器は，本体容器を逆(さか)さに持ち，レバーを徐々に握って，ノズルから内圧を抜きます。

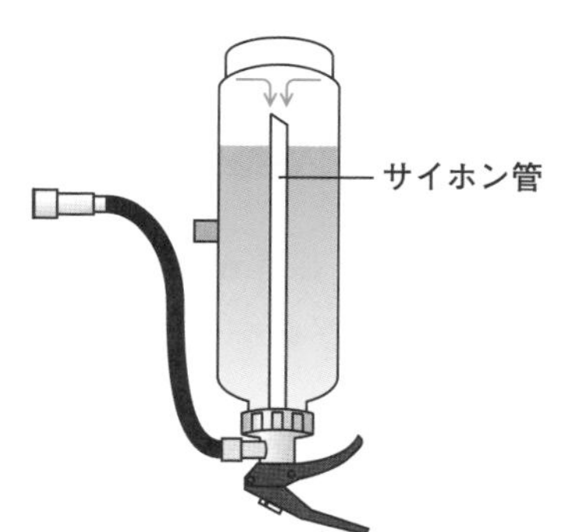

容器を逆さにすると，サイホン管が消火薬剤より上に出るので，薬剤を放射せずに内圧だけを排出できる。

④本体容器をクランプ台に固定し，キャップをゆるめる。
※キャップをゆるめるにはキャップスパナを使います。

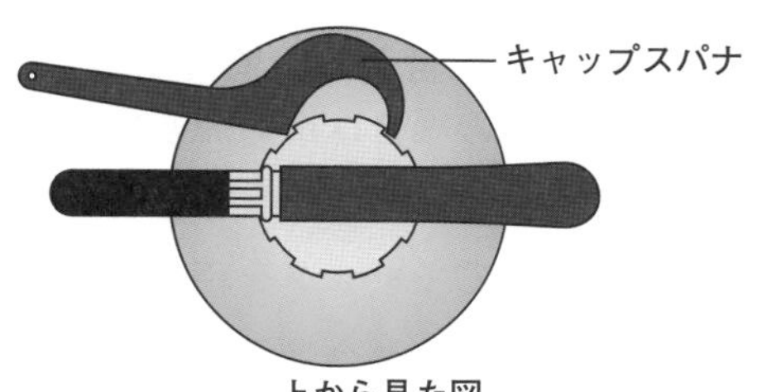

上から見た図

⑤バルブ部分を本体容器から抜き取る。

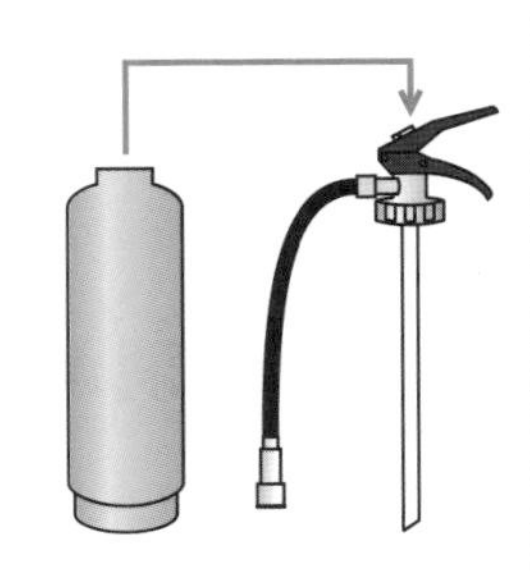

⑥消火薬剤を別の容器に移す。

⑦各部品の清掃，点検を実施する。

※水系の消火器は，本体容器の内外，キャップ，ホース，ノズル，サイホン管等を水洗いします。一方，粉末消火器は水分が禁物なので，エアガンなどで乾燥した圧縮空気を送り，本体容器内，キャップ，ホース，ノズル，サイホン管等を清掃します。

2 蓄圧式消火器の充てん

蓄圧式の消火器（二酸化炭素消火器，ハロン 1301 消火器を除く）には，以下の手順で消火薬剤を充てんします。

◆消火薬剤の充てん

①本体容器に漏斗（ろうと）を挿入し，規定量の消火薬剤を入れる。

※消火薬剤には，必ずメーカー指定のものを使用します。

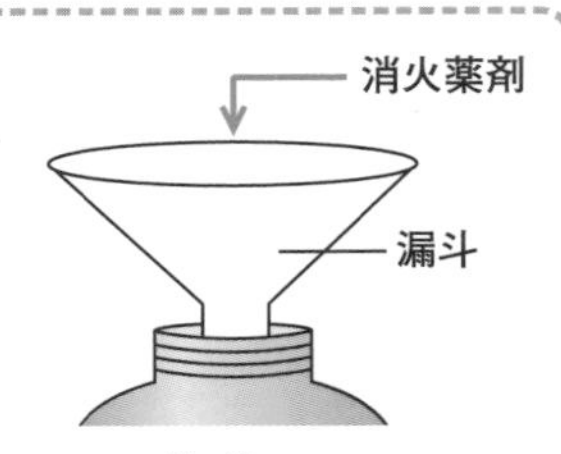

②口金のパッキン座やねじ等に付着した消火薬剤を，刷毛（はけ）や布等で取り除いておく（水系の薬剤の場合は洗い流す）。

※パッキンは必要に応じて交換します。

③バルブを容器に挿入し，手でキャップを締める。

④容器をクランプ台に固定し，キャップスパナで十分に締める。

※キャップを締めるとき，指示圧力計が正面を向くように注意します。

蓄圧式の消火器の場合は，この後，窒素ガス等の蓄圧ガスを充てんします。

◆蓄圧ガス（窒素ガス）の充てん

①窒素ガス容器のバルブに圧力調整器を取り付ける。

②圧力調整器の出口側バルブに，高圧エアホースを緊結する。

※出口側バルブは閉め，圧力調整ハンドルはゆるめておきます。

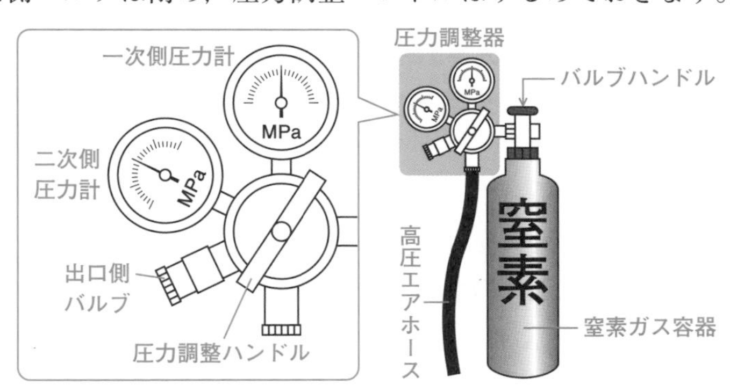

③窒素ガス容器のバルブを開く。

※この段階で，圧力調整器の一次側の圧力計は窒素ガス容器の内圧を示し，二次側の圧力計はゼロを示します。

④各消火器の「温度－圧力線図」から，現在の気温に適合する充てん圧力を求める。

※「温度－圧力線図」は，各消火器の適正圧力を気温変化に応じて示したグラフで，消火器の種類ごとにメーカーが作成しています。

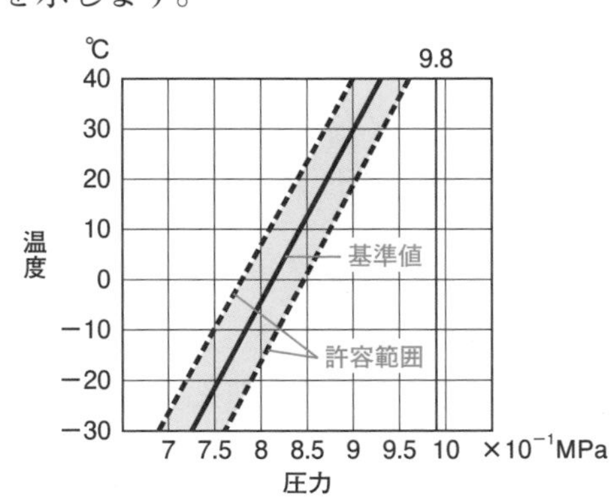

⑤圧力調整ハンドルを静かに回すと，二次側の圧力計の針が徐々に上がるので，充てん圧力を指すように調整する。

⑥消火器のホース接続部に継手金具(つぎて)（接手金具）を緊結し，高圧エアホース先端に取り付けた三方バルブと継手金具とを接続する。

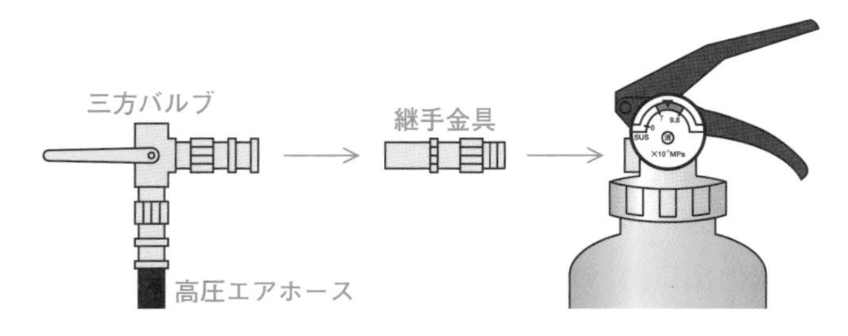

⑦三方バルブを開き，消火器のレバーを握ると，窒素ガス容器内のガスが消火器容器に充てんされる。

※指示圧力計を見て，消火器の内圧が充てん圧力に達したことを確認したら，レバーを離し，三方バルブを閉じます。

⑧安全栓をセットする。

⑨三方バルブと継手金具をはずす。

⑩気密試験を行い，漏れのないことを確認する。

※気密試験は，充てんした消火器を水槽に浸(ひた)して，漏れがないかどうかを確認します。

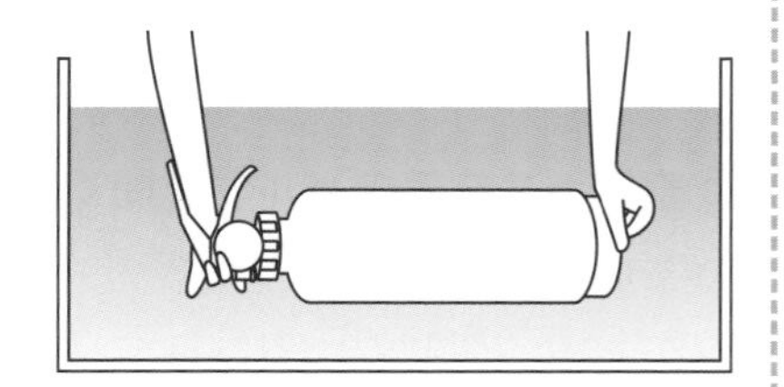

3 ガス加圧式消火器の分解

ガス加圧式の粉末消火器は，おおむね以下の手順で分解します。

①総質量をはかって，消火薬剤の量を確認する。

②本体容器をクランプ台に固定する。

③排圧栓がある場合は，排圧栓を開いて内圧を抜く。

④キャップスパナを使ってキャップをゆるめる。

※排圧栓がない消火器は，減圧孔から残圧が噴出することがあるので，噴出が終わるのを待って再度キャップをゆるめます。

⑤バルブ部分を本体容器から抜き取る。

⑥消火薬剤をポリ袋に移し，湿気が入らないように輪ゴム等で封をしておく。

⑦加圧用ガス容器，粉上り防止用封板をはずす。

⑧各部分の清掃，点検を行う。

※本体容器内やノズル，ホース，サイホン管などは，圧縮空気を吹き込んで付着した粉末薬剤を吹き飛ばし，清掃します。

加圧用ガス容器に充てんされているガスの量は，原則として総重量をはかって測定します（例外として，容器弁付きの窒素ガスボンベだけは内圧を測定します）。点検の結果，ガス量不足などで不良と判定された場合には，以下の措置をとります。

①作動封板のあるものは，消火器銘板が示すものと交換する。

②高圧ガス保安法の適用を受けるものは，専門業者に依頼してガスを充てんする。

補足

水系の消火薬剤は加圧ガスを吸収するため，適正圧力に約0.1MPaを加えた値を充てん圧力値とします。

4 ガス加圧式消火器の充てん

ガス加圧式の粉末消火器に粉末薬剤を充てんする手順は，おおむね以下のようになります。

①サイホン管に新しい粉上り防止用封板を取り付ける。

※粉上り防止用封板は基本的に充てんのたびに交換します。

②安全栓をセットする。

※誤って加圧用ガス容器の封板を切ってしまわないように，安全栓を先にセットしておきます。

③加圧用ガス容器を取り付ける。

④本体容器に漏斗（ろうと）を挿入し，規定量の消火薬剤を入れる。

※消火薬剤には，必ずメーカー指定のものを使用します。

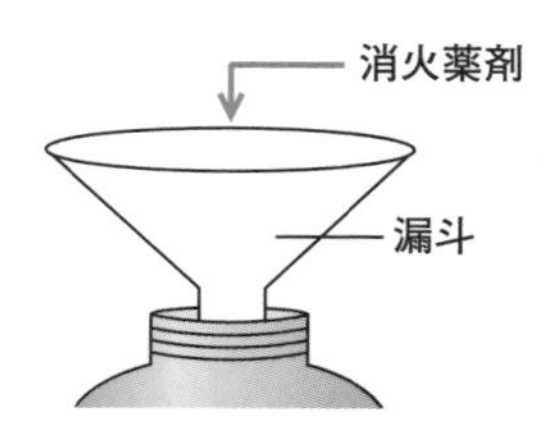

⑤口金のパッキン座やねじ等に付着した消火薬剤は，刷毛や布等で取り除く。

⑥充てんされた消火薬剤が流動している間に，サイホン管をすばやく容器に挿入し，手でキャップを締める。

※粉末消火薬剤が沈殿してしまうと，サイホン管を挿し込めなくなります。

⑦容器をクランプ台に固定し，キャップスパナで十分に締める。

⑧安全栓の封，使用済み表示装置を取り付ける。

5 反応式消火器（化学泡消火器）の分解

反応式消火器（化学泡消火器）は，おおむね以下の手順で分解します。

①本体容器をクランプ台に固定する。

②キャップハンドルに木製のてこ棒を差し込み，左方向に回してキャップをゆるめる。

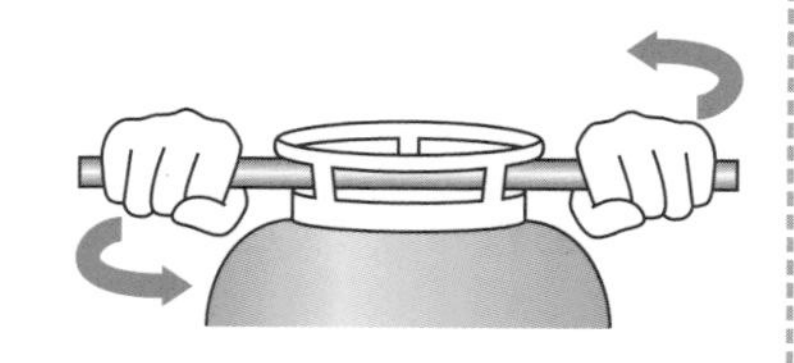

③内筒を取り出す。

④内筒，外筒の薬剤量を液面表示で確認し，それぞれ別の容器に移す。

⑤各部分の清掃，点検を行う。

6 反応式消火器（化学泡消火器）の充てん

反応式消火器（化学泡消火器）に薬剤を充てんする手順は，おおむね以下のようになります。薬剤は経年劣化するため，1年に1回程度交換します。

◆外筒（A剤）の充てん

①液面表示の8割程度まで水を入れたら，これをいったんポリバケツに移す。
②攪拌（かくはん）しながらA剤を少しずつ入れ，よく溶かす。
※外筒に直接A剤を入れないこと（腐食の原因となるため）。
③完全に溶けたら，静かに外筒に注入する。
④液面表示まで水を加える。

◆内筒（B剤）の充てん

①ポリバケツに内筒の約半分程度の水を入れる。
②攪拌しながらB剤を少しずつ入れ，よく溶かす。
③完全に溶けたら，静かに内筒に注入する。
④液面表示まで水を加える。
⑤内筒にふたをする。
⑥内筒を本体容器内に入れる。
⑦本体容器をクランプ台に固定し，キャップを締める。
⑧点検表に充てん年月日を記録しておく。

内筒に充てんするB剤（硫酸ナトリウム）を誤って外筒に充てんすると，鋼製の本体が腐食するので注意が必要です。

補足

外筒の液面表示
外筒に液面表示まで薬剤を入れた後，内筒を入れると，外筒の薬剤の位置は液面表示より上になります。

7 耐圧性能試験（水圧試験）

製造年から10年を経過した消火器には，耐圧性能試験（水圧試験）を実施することが義務づけられています。初回以降は，3年ごとに実施します。耐圧性能試験は，消火薬剤を取り出した本体容器に水を満たしてキャップを締め，耐圧試験器を接続して加圧します。容器が破裂するおそれがあるので，試験中は容器に保護枠をかぶせておきます。一定時間内に変形や漏れ，損傷が起きなければ合格となります。

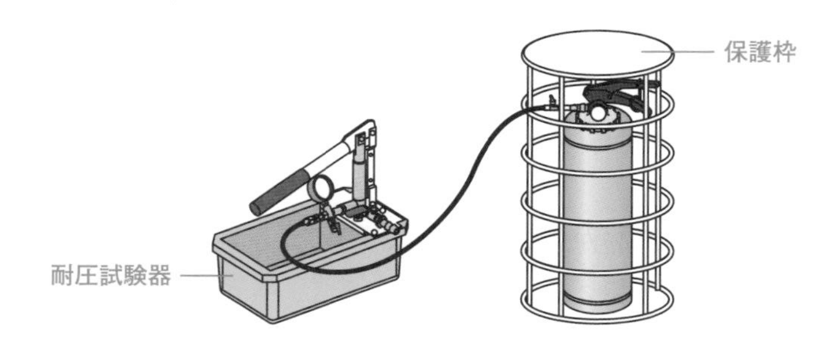

試験後は，本体容器内の水分をエアブローなどで除去します。とくに粉末消火器には水分が禁物なので，乾燥炉などで十分に乾燥させます。

8 消火器の廃棄

消火器を廃棄する場合の主な注意点は以下のとおりです。

- 高圧ガス保安法の適用を受ける二酸化炭素消火器，ハロン1301消火器，内容積100m³以上の加圧用ガス容器は，専門業者に処理を依頼する。
- 内容積100m³未満の加圧用ガス容器は本体容器から分離し，専門業者に処理を依頼するか，排圧治具により排圧処理する。
- 蓄圧式消火器は排圧処理してから廃棄する。
- アルカリ性の強化液消火薬剤は，多量の水で希釈して処理する。
- 化学泡消火薬剤は外筒液と内筒液を混合せず，分離して処理する。
- 粉末消火薬剤は飛散しないように袋に入れて缶に収め，ふたをして処理する。

チャレンジ問題

［解説］246 ページ　［解答一覧］250 ページ

問1

消火器を点検する際の一般的留意事項として，誤っているものは次のうちどれか。

(1) 合成樹脂製の容器または部品の清掃には，シンナー，ベンジン等の有機溶剤を使用しないこと。

(2) キャップまたはプラグ等を開けるときは，容器内の残圧に注意し，残圧を排除する手段を講じた後に開けること。

(3) キャップの開閉には，所定のキャップスパナを用いること。

(4) 二酸化炭素消火器，ハロゲン化物消火器，加圧用ガス容器のガスの充てんは，消防設備士の資格を有する者が行うこと。

問2

消火器の内部及び機能の点検を実施する期間として，誤っているものは次のうちどれか。

(1) 化学泡消火器にあっては，設置後1年が経過したとき

(2) 加圧式の粉末消火器にあっては，製造年から3年が経過したとき

(3) 蓄圧式の強化液消火器にあっては，製造年から5年が経過したとき

(4) 蓄圧式の粉末消火器にあっては，製造年から3年が経過したとき

問3

難　中　易

消火器の内部及び機能点検を実施する際の，抜き取り方式による確認試料（確認ロット）の作成方法として，誤っているものは次のうち

どれか。

(1) 消火器をメーカー別に分ける。

(2) 加圧方式（蓄圧式，加圧式）別に分ける。

(3) 小型消火器と大型消火器に分ける。

(4) 製造年から8年経過した加圧式消火器，及び製造年から10年経過した蓄圧式消火器は，それぞれ別ロットとする。

問4 難 中 易

消火器の機能点検における放射能力の確認について，誤っているものは次のうちどれか。

(1) 化学泡消火器にあっては，全数の10％以上について実施する。

(2) 蓄圧式の強化液消火器にあっては，抜き取り数の50％以上について実施する。

(3) 加圧式の粉末消火器にあっては，全数の10％以上について実施する。

(4) 蓄圧式の粉末消火器にあっては，抜き取り数の50％以上について実施する。

問5 難 中 易

ガス加圧式粉末消火器（開閉バルブ式）の外観点検における措置について，適切でないものは次のうちどれか。

(1) キャップが緩んでいたので，締め直した。

(2) 安全栓がはずれていたが，使用済みの表示装置に異常がなかったので，安全栓を元通り装着した。

(3) ホース取付けねじが緩んでいたので，締め直した。

(4) 本体容器に著しい腐食が見られたので，機能点検をせずに廃棄した。

問6

難　中　易

蓄圧式強化液消火器の指示圧力計の外観点検における措置について，適切なものは次のうちどれか。

(1) 指示圧力値が緑色範囲の上限を超えていたが，気温による一時的な現象と判断してそのままにした。

(2) 指示圧力値が緑色範囲内にあったので，指示圧力計の精度については点検しなかった。

(3) 指示圧力値が緑色範囲の下限より下がっていたので，蓄圧ガスを充てんした。

(4) 指示圧力値が緑色範囲外にあったので，新しい指示圧力計に交換した。

問7

難　中　易

外観点検で発見された異常について，内部及び機能点検の必要がないものは次のうちどれか。

(1) 安全栓には異常がなかったが，使用済みの表示装置が脱落していた。

(2) 蓄圧式強化液消火器のホース取り付けねじが緩んでいた。

(3) 二酸化炭素消火器の安全弁のねじが緩んでいた。

(4) 蓄圧式粉末消火器のキャップが緩んでいた。

問8

難　中　易

本体容器を逆さまにして内圧を排出できる消火器として，正しいものは次のうちどれか。

(1) 化学泡消火器

(2) 二酸化炭素消火器

(3) 蓄圧式強化液消火器

(4) ガス加圧式粉末消火器

問9 難 中 易

蓄圧式消火器の分解方法として，誤っているものは次のうちどれか。

(1) 排圧栓のあるものは，これを徐々に開いて内圧を排出する。

(2) 排圧栓のないものは，本体容器を逆さまにクランプ台に固定し，キャップスパナを用いてキャップを開ける。

(3) 排圧しながら，指示圧力計の指針が円滑に0になることを確認する。

(4) 排圧後キャップを開け，本体容器からバルブ部分を抜き取る。

問10 難 中 易

蓄圧式強化液消火器の薬剤充てん等について，誤っているものは次のうちどれか。

(1) 消火薬剤はメーカー指定のものを使用する。

(2) キャップ，プラグ等のパッキンは新しいものと交換する。

(3) 薬剤注入後は，キャップを手で締まるところまで締め，さらにキャップスパナで十分に締める。

(4) 蓄圧ガスを充てんするときは，指示圧力計の指針が緑色範囲内になるよう，圧力調整器の圧力調整ハンドルを回す。

問11 難 中 易

蓄圧式強化液消火器の薬剤充てんに使う器具として，誤っているものは次のうちどれか。

(1) 圧力調整器

(2) 標準圧力計

(3) ろうと

(4) 高圧エアホース

問 12　難｜中｜易

蓄圧式消火器の気密試験の方法として，正しいものは次のうちどれか。

(1) 標準圧力計で内圧を測定する。
(2) 加圧によって指示圧力計の指針が上昇することを確認する。
(3) 充てんした消火器を水槽に入れる。
(4) 充てん後にレバーを操作し，バルブの開閉を数回行う。

問 13　難｜中｜易

ガス加圧式粉末消火器の薬剤充てんについて，正しいものは次のうちどれか。

(1) 本体容器，ホース，ノズル等は，除湿された圧縮空気で清掃する。
(2) 使用した薬剤が少量の場合は，不足分のみを補充する。
(3) 本体に加圧用ガス容器を取り付けた後，安全栓をセットする。
(4) 充てんされた消火薬剤が容器内に十分に沈降してから，サイホン管を差し込む。

問 14　難｜中｜易

化学泡消火器の薬剤の充てん方法について，誤っているものは次のうちどれか。

(1) 木製のてこ棒をキャップハンドルに差し込み，左回りに回してキャップを緩める。
(2) 残っている内筒の薬剤と外筒の薬剤は，それぞれ別の容器に入れる。
(3) 外筒の薬剤は，外筒に水を8割程度入れ，これに薬剤を少しずつ注入し，十分に溶かす。
(4) 検査表等に充てん年月日を記録しておく。

解　説

問１　高圧ガス保安法の適用を受ける二酸化炭素消火器，ハロゲン化物消火器，加圧用ガス容器のガスの充てん作業は，消防設備士が行うのではなく，**専門業者に依頼**します。

解答（4）　参照 228 ページ

問２　内部及び機能点検を実施する期間は，次のように規定されています。

加圧式消火器	**製造年から３年経過したもの**
蓄圧式消火器	**製造年から５年経過したもの**
化学泡消火器	**設置後１年経過したもの**

(4) の蓄圧式粉末消火器は，製造年から３年ではなく，５年が経過したときとなるので誤りです。

解答（4）　参照 225 ページ

問３　製造年から一定期間が経過した消火器の内部及び機能点検は，抜き取り方式で行います（化学泡消火器を除く）。

抜き取り方式の点検では，まず，設置されている消火器を機能や構造が同じ消火器ごとにグループ分けし，各グループから製造年の古い順に，一定割合の本数を選んで点検を行います。このグループを確認試料（確認ロット）といいます。

確認ロットは，①消火器の種類，②消火器の種別（大型か小型か），③加圧方式の同じものを１ロットとします。また，④製造年から８年経過した加圧式消火器，製造年から 10 年経過した蓄圧式消火器は，抜き取る本数の割合が異なるため別ロットとします。

ただし，メーカー別にロットを分ける必要はありません。

解答（1）　参照 226 ページ

問4　機能点検の確認項目のうち，放射試験については，抜き取ったものの中から半分（50%）を選んで確認すればよいことになっています。ただし，化学泡消火器，及び粉末消火器以外の加圧式消火器については，全数の 10%について放射試験を実施します。

加圧式の粉末消火器の放射試験は抜き取り数の 50%でよいので，(3) が誤りです。

解答（3）　参照 227 ページ

問5

×（1）粉末消火器の場合，キャップが緩んでいると，外気の水分等によって消火薬剤が変質するおそれがあります。締め直すだけでなく，機能点検が必要です。

○（2）使用済みの表示装置が正常なら，安全栓がはずれていても未使用と判断できるので，機能点検は必要ありません。

○（3）開放バルブ式の粉末消火器の場合は，ホースの取り付けが緩(ゆる)んでいると，そこから外気が侵入するおそれがあるため，機能点検が必要です。ただし，開閉バルブ式では通常バルブは閉じた状態になっているので，ホース部分から外気が侵入するおそれはありません。

○（4）本体容器の溶接部に著しい損傷があるものや，機能に支障があるほど著しく変形しているもの，著しく腐食しているもの，錆がはく離するようなものは，廃棄処分にします。

解答（1）　参照 229，232 ページ

問6　指示圧力計の指示圧力値が緑色範囲外だった場合には，機能点

検が必要です。

× (1) 指示圧力値が緑色範囲の上限を超えていた場合には，指示圧力計の精度を点検し，異常がなければ圧力を調整します。

○ (2) 指示圧力値が緑色範囲内にあれば，正常と判断できます。

× (3) 指示圧力値が緑色範囲の下限より低かった場合は，消火器が使用された可能性があるので，総質量をはかって薬剤量を点検します。薬剤量に異常がなければ，さらに気密試験を行って漏れを点検します。

× (4) 指示圧力値が緑色範囲外の場合は，(1) や (3) のような機能点検が必要です。

解答 (2)　**参照** 231 ページ

問7

× (1) 使用済みの表示装置が脱落している場合は，安全栓の異常の有無にかかわらず，機能点検が必要です。

○ (2) ホース取り付けねじが緩んでいた場合に機能点検が必要なのは，開放バルブ式の粉末消火器です。

× (3) 安全弁のねじが緩んでいた場合は，機能点検が必要です（化学泡消火器を除く）。

× (4) 粉末消火器のキャップが緩んでいた場合は，機能点検が必要です。

解答 (2)　**参照** 229 ～ 231 ページ

問8　蓄圧式消火器（二酸化炭素，ハロゲン化物消火器以外）では，本体容器を逆さまにすると，蓄圧ガスが容器の上方になります。その状態でレバーを握れば，ホースから蓄圧ガスを排出できます。

解答 (3)　**参照** 233 ページ

問9　排圧栓は，本体容器内の蓄圧ガスを徐々に排出し，ガスが勢いよく噴出するのを防止します。排圧栓のない蓄圧式消火器は，本体容器を逆さまにしてレバーを握り，蓄圧ガスを排出します。

解答（2）　参照 233 ページ

問 10　蓄圧ガスを充てんするときは，圧力調整器の二次側圧力計の指針が，「温度－圧力線図」で得られる圧力になるように調整します。ただし，強化液は窒素ガスの一部を吸収するため，あらかじめ約 0.1MPa ほど高めの圧力に設定します。

解答（4）　参照 234 ページ

問 11　標準圧力計は，本体容器の圧力を測定する機器で，指示圧力計の精度確認等に用います。

解答（2）　参照 235 ページ

問 12　蓄圧式消火器の気密試験（漏れの確認）は，充てんした本体容器を水槽に浸し，気泡が発生しないかどうかを確認します。

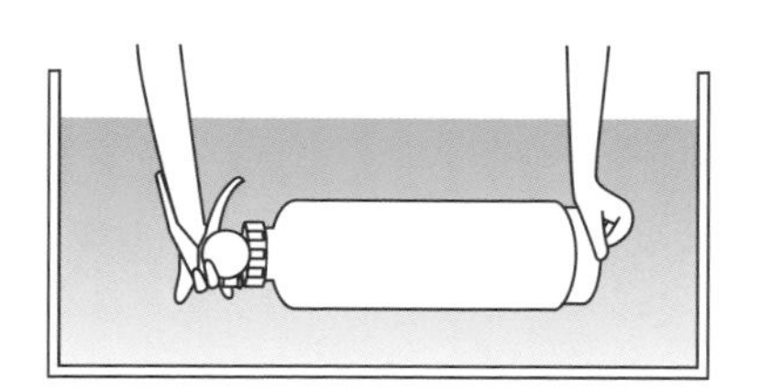

解答（3）　参照 236 ページ

問 13

○（1）正しい記述です。水分を含んでいると薬剤が変質するおそれがあるため，必ず除湿された圧縮空気で清掃します。

×（2）残っていた薬剤は取り除き，全量を交換します。

×（3）加圧用ガス容器の封板を過って破かないよう，必ず安全栓をセットした後に，加圧用ガス容器を取り付けます。

×（4）粉末薬剤が沈降してしまうと，サイホン管を差し込めなくなるので，薬剤が浮遊しているうちにサイホン管を差し込みます。

解答（1）　参照 237 ページ

問 14

○（1）化学泡消火器のキャップハンドルは合成樹脂製なので，ハンドルを傷めないように木製のてこ棒を用います。

○（2）内筒の薬剤と外筒の薬剤を混ぜると反応してしまうので，それぞれ別の容器に入れて保管します。

×（3）外筒の薬剤は，外筒に水を８割程度入れたら，これをいったん別の容器に移し，そこに薬剤を少しずつ注入します。外筒に直接薬剤を入れてはいけません。

○（4）薬剤は１年に１回程度交換するので，充てん年月日を記録しておきます。

解答（3）　参照 239 ページ

解答

問 1	(4)	問 5	(1)	問 9	(2)	問 13	(1)
問 2	(4)	問 6	(2)	問 10	(4)	問 14	(3)
問 3	(1)	問 7	(2)	問 11	(2)		
問 4	(3)	問 8	(3)	問 12	(3)		

第4章

実技試験

鑑別問題

この節の学習内容とまとめ

□　実技試験の概要

消防設備士試験（乙種第６類）の実技試験の問題数は，全５問です。

実技試験といっても，実際に消火器などを使うわけではなく，写真やイラスト，図面で示された出題に対して，記述式で解答します。また，筆記試験と同時に行うので，試験時間内なら実技試験を先に解いてから筆記試験を解いてもかまいません。

□　出題傾向

実技試験では，主に次のような問題が出題されています。

- 消火器の名称，加圧方式，適応火災など
- 大型消火器の薬剤量，能力単位
- 消火薬剤の特色，規格に関する問題
- 消火器の部品の名称，機能など
- 消火器の点検・整備に関する問題（手順，使用工具など）
- 消火器の設置基準に関する問題（算定基準面積，必要能力単位など）

実技試験では，筆記試験で学習した知識が身についているかどうかが問われます。写真や図から，消火器や部品を判別できるようになることも重要ですが，これまでの知識を整理しておきましょう。

□　試験対策

- 身の回りにある消火器に注意を向けてみましょう（ただし，勝手に触ってはいけません）。
- 実技試験は記述式なので，漢字の誤記などに注意しましょう。

例　×消化（火）器　×畜（蓄）圧式　×科（化）学泡　など

- 実技試験は筆記試験と同時に実施されます。筆記試験の問題の中に，実技試験のヒントが見つかることもあります。

消火器の種類

1 消火器の種類を見分けよう

消火器の細かい形状はメーカーによって異なりますが，種類ごとに共通する特徴も備えています。写真から消火器の種類を見分けられるようにしましょう。

強化液消火器

見分け方

①指示圧力計がある：手さげ式の強化液消火器は蓄圧式なので，指示圧力計が付いています。

②ノズルの形状：水系の消火器のノズルは，霧状放射するための噴霧ノズルです。

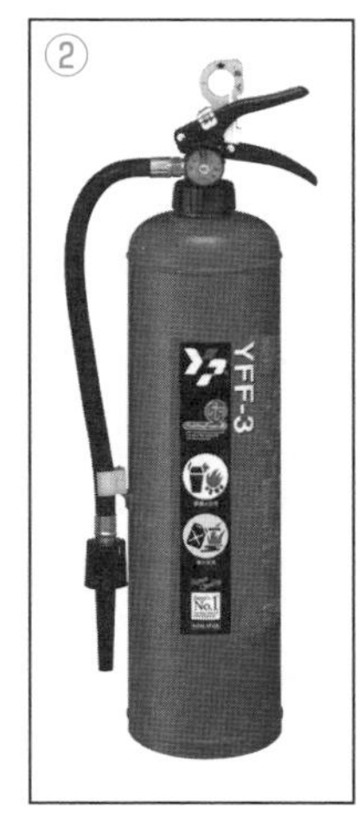

機械泡消火器

見分け方

①指示圧力計がある：手さげ式の機械泡消火器は蓄圧式なので，指示圧力計が付いています。

②ノズルの形状：長い発泡ノズルが特徴的です。

③絵表示：電気火災には適応しません。

化学泡消火器

見分け方

①レバーがない：化学泡消火器は本体をひっくり返して使用するので，レバーがありません。

②キャップの形状：上部に王冠のような形のキャップがついています。

二酸化炭素消火器

見分け方

①本体容器の色：本体容器の半分以上が緑色に塗装されています。

②ホーンの形状：ホースの先端に，長いホーンとホーン握りが付いているのが特徴的です。

※実際の試験ではカラー写真で出題されます。

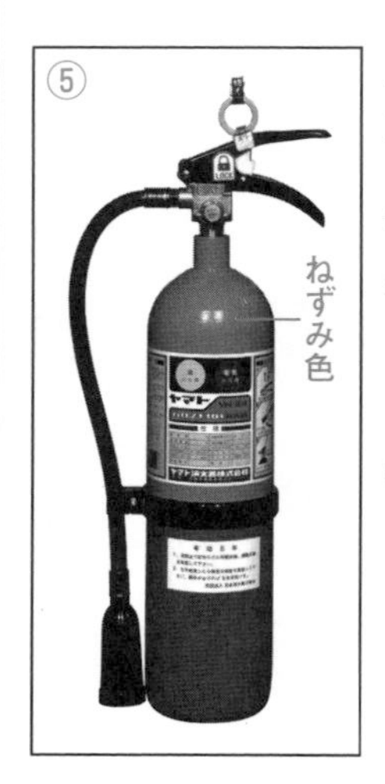

ハロン1301消火器

見分け方

①**本体容器の色**：本体容器の半分以上がねずみ色に塗装されています。

②**ホーンの形状**：二酸化炭素消火器より短めのホーンが付いています。

粉末消火器（蓄圧式）

見分け方

①**指示圧力計がある**：蓄圧式の粉末消火器には，指示圧力計が付いています。

②**ノズルの形状**：粉末消火器のノズルは短いホーン型で，湿気防止のため先端にキャップや封板が付いています。

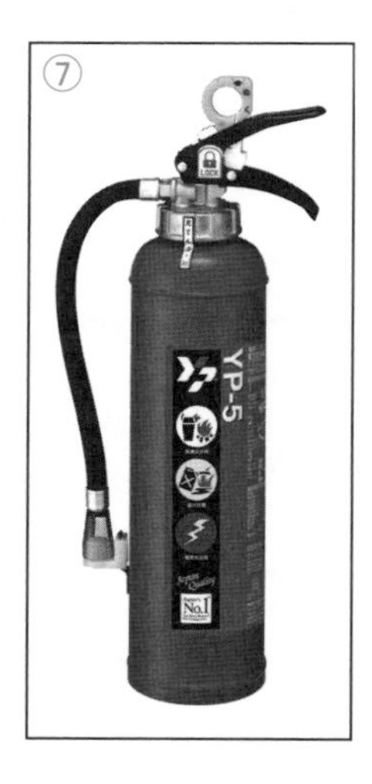

粉末消火器（ガス加圧式）

見分け方

①**指示圧力計がない**：ガス加圧式の消火器には，指示圧力計は付いていません。

②**ノズルの形状**：粉末消火器のノズルは短いホーン型で，湿気防止のため先端にキャップや封板が付いています。

手さげ式消火器のうち，機械泡消火器，化学泡消火器，二酸化炭素消火器，ハロン 1301 消火器は，一目でわかる特徴があります。強化液消火器と粉末消火器（蓄圧式，ガス加圧式）は見分けが付きにくいですが，指示圧力計の有無とノズルの形状で判断します。

2 加圧方式の見分け方

消火器の写真を見て，加圧方式を解答する問題もよく出題されます。

①指示圧力計が付いていれば蓄圧式

指示圧力計が付いている消火器はすべて蓄圧式です。

②ガス系の消火器は蓄圧式

二酸化炭素消火器とハロン1301消火器は，指示圧力計が付いていなくても蓄圧式に分類されます。

③化学泡消火器は反応式

化学泡消火器は反応式の消火器です。反応式の消火器はほかにありません。

④手さげ式のガス加圧式は粉末消火器だけ

手さげ式でガス加圧式なのは，粉末消火器しかありません。したがって，指示圧力計がなくて，化学泡消火器でもガス系消火器でもなければ，ガス加圧式の粉末消火器です。

⑤大型消火器は加圧用ガス容器の有無で見分ける

ガス加圧式の大型消火器は，加圧用ガス容器が本体容器のうしろに付いています。

3 消火作用と適応火災

消火器に使われている消火薬剤には，それぞれの消火作用（効果）があります。また，消火薬剤によって適応する火災も決まります。試験では，消火器の写真を見て，消火薬剤や消火作用，適応火災を答える問題が出題されます。

補足

消火器の型式名称

「この消火器の型式名称を答えよ」といった問題では，
①運搬方式
②加圧方式
③消火薬剤
の３つを特定して，「手さげ式蓄圧式強化液消火器」のように解答すれば完璧です。

消火剤	消火作用（効果）			適応火災		
	冷却	窒息	抑制	普通	油	電気
強化液（霧状）※1	○	×	○	○	○	○
機械泡	○	○	×	○	○	×
化学泡	○	○	×	○	○	×
二酸化炭素	×	○	×	×	○	○
ハロン 1301	×	○	○	×	○	○
粉末	×	○	○	○※2	○	○

※1　手さげ式の強化液消火器は霧状放射 （150ページのまとめを参照）
※2　普通火災に適応する粉末消火器は粉末（ABC）のみ

4 車載式消火器

車輪が付いている消火器は，車載式消火器です。車載式消火器には蓄圧式とガス加圧式がありますが，消火器本体と別に加圧用ガス容器があるものは，ガス加圧式です。

車載式消火器は，一般に手さげ式より大きいですが，**車載式消火器であっても全部が大型消火器とは限りません**。薬剤量と能力単位が規定以上でなければ，大型消火器には分類されないことに注意しましょう（189ページ参照）。

車載式粉末消火器
（ガス加圧式）
薬剤量：40kg
能力単位：A-10，B-20，C

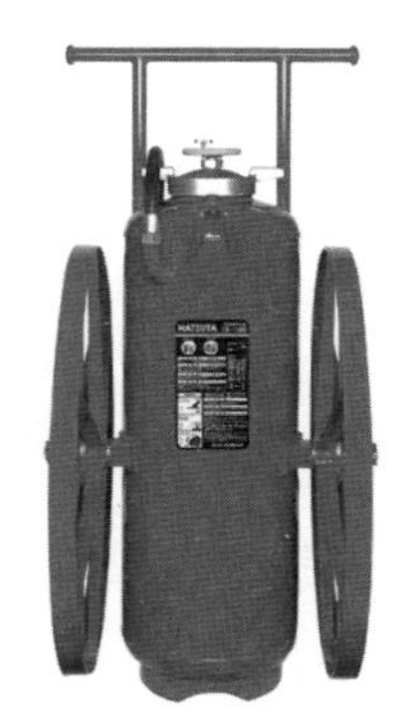

車載式化学泡消火器
（開蓋転倒式）
薬剤量：96L
能力単位：A-10，B-20

大型消火器

車載式二酸化炭素消火器
薬剤量：23kg
能力単位：B-6，C

小型消火器

消火器の構造

1 消火器各部の名称

消火器の種類ごとの構造と，使用方法を理解しておきましょう。

手さげ式消火器の操作は，安全栓を引き抜く動作，ホースをはずす操作を除いて，すべて**1動作**でできるようになっています（化学泡消火器を除く）。また，放射時間は**10秒以上**と定められています。

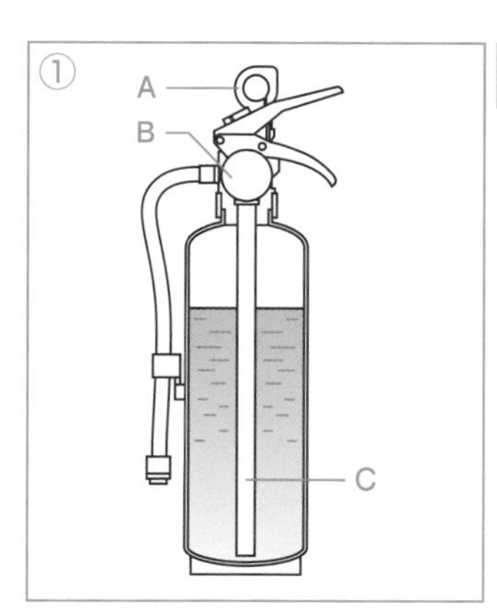

強化液消火器

各部の名称

A：安全栓
B：指示圧力計
C：サイホン管

使用方法

①安全栓を引き抜く。
②ホースを火元に向ける。
③レバーを握る。

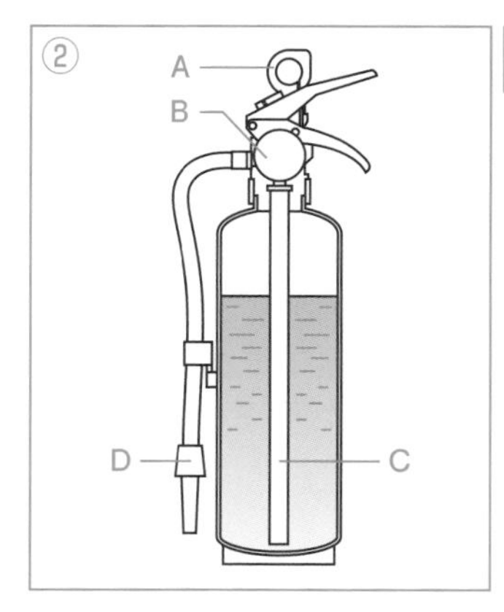

機械泡消火器

各部の名称

A：安全栓
B：指示圧力計
C：サイホン管
D：発泡ノズル

使用方法

①安全栓を引き抜く。
②ホースを火元に向ける。
③レバーを握る。

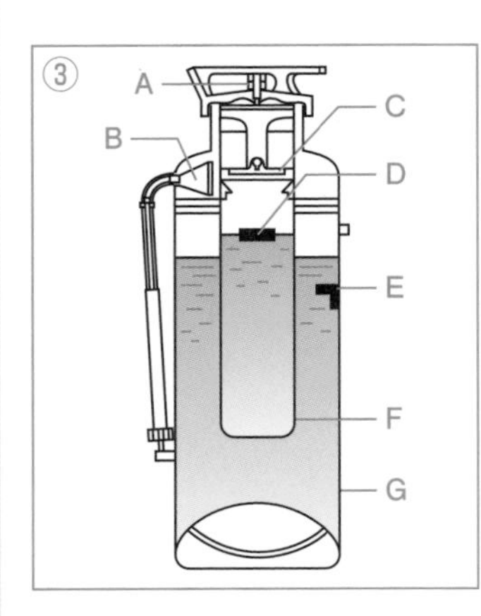

転倒式化学泡消火器

各部の名称

A：安全弁
B：ろ過網
C：内筒ふた
D：内筒液面表示
E：外筒液面表示
F：内筒
G：外筒

使用方法

①ホースを火元に向ける。
②消火器本体をさかさにする。

※使用温度範囲は+5℃～40℃。

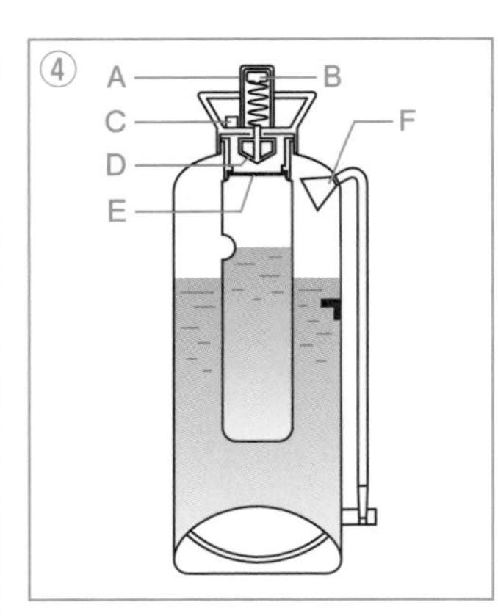

破蓋転倒式化学泡消火器

各部の名称

A：安全キャップ（安全栓）
B：押し金具
C：安全弁
D：カッター
E：内筒封板
F：ろ過網

使用方法

①安全キャップ（安全栓）をはずす。
②押し金具を押す。
③ホースを火元に向ける。
④消火器本体をさかさにする。

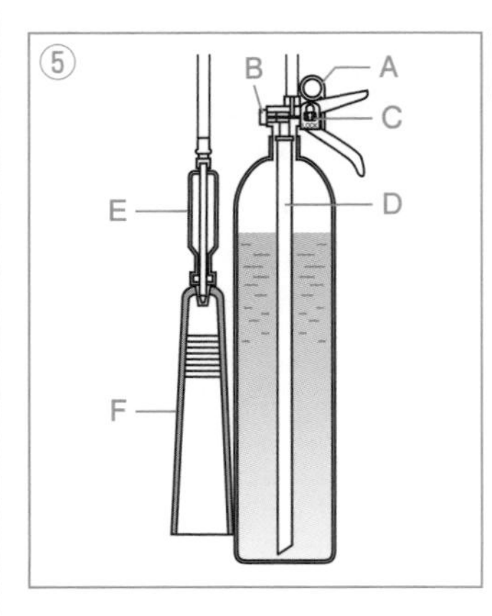

二酸化炭素消火器

各部の名称

A：安全栓
B：安全弁
C：使用済み表示装置
D：サイホン管
E：ホーン握り
F：ホーン

使用方法

①安全栓を引き抜く。
②ホースを火元に向ける。
③レバーを握る。

※地下街などでは使用不可。

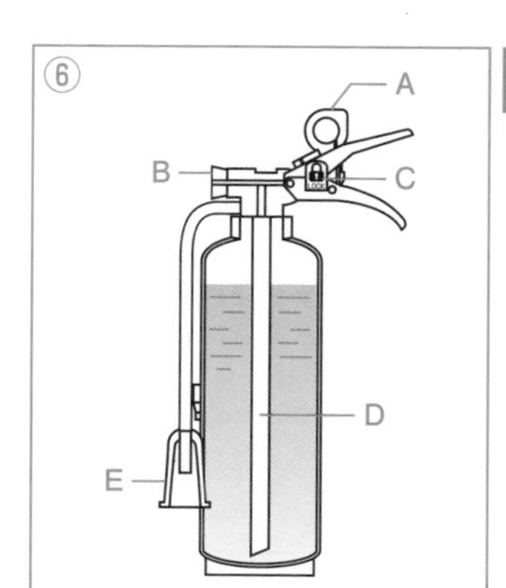

ハロン1301消火器

各部の名称

A：安全栓
B：安全弁
C：使用済み表示装置
D：サイホン管
E：ホーン

使用方法

①安全栓を引き抜く。
②ホースを火元に向ける。
③レバーを握る。

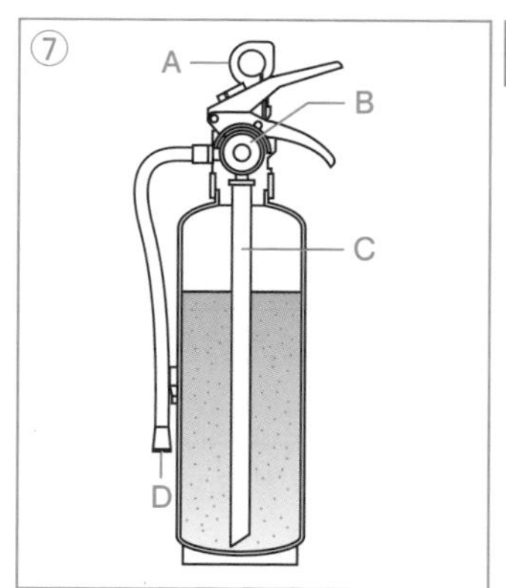

蓄圧式粉末消火器

各部の名称

A：安全栓
B：指示圧力計
C：サイホン管
D：ノズル栓

使用方法

①安全栓を引き抜く。
②ホースを火元に向ける。
③レバーを握る。

※ノズル栓は放射される薬剤の圧力ではずれます。

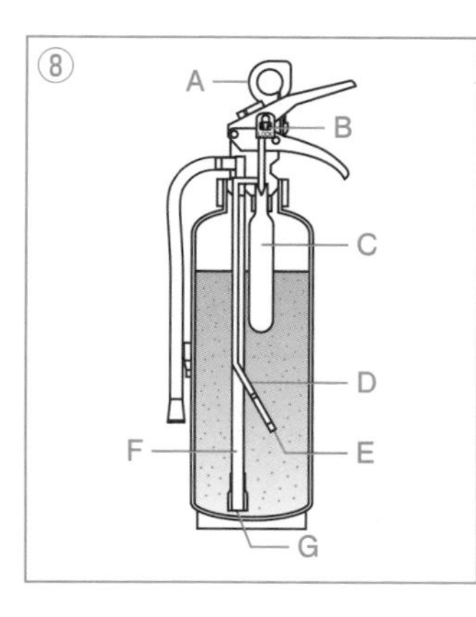

ガス加圧式粉末消火器

各部の名称

A：安全栓
B：使用済み表示装置
C：加圧用ガス容器
D：ガス導入管
E：逆流防止装置
F：サイホン管
G：粉上がり防止用封板

使用方法

①安全栓を引き抜く。
②ホースを火元に向ける。
③レバーを握る。

2 消火器の部品

消火器を構成する主な部品と，その機能を把握しておきましょう。また，部品が装着されている消火器の種類も覚えておきましょう。

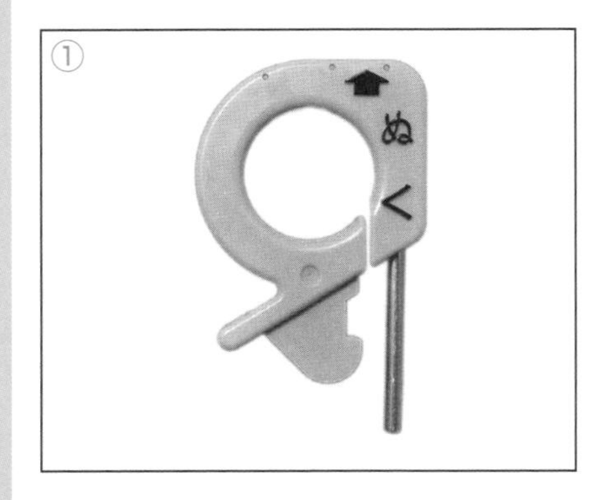

名称	安全栓
目的	消火器の不時の作動を防止する。
装着されている消火器	転倒式化学泡消火器，手動ポンプ式水消火器以外の消火器

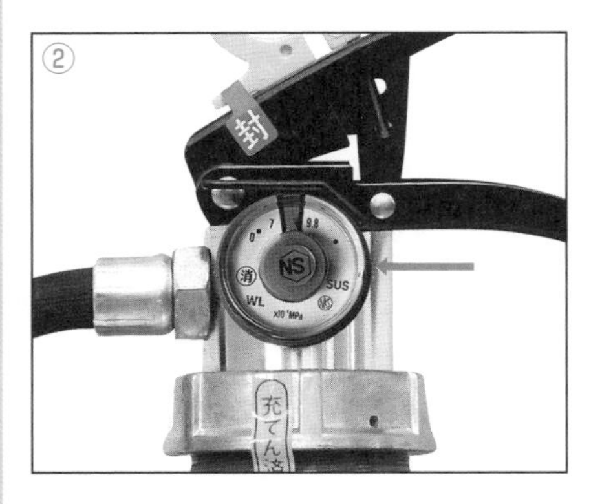

名称	指示圧力計
目的	本体容器内の圧力を指示する。
装着されている消火器	蓄圧式消火器（二酸化炭素消火器，ハロン1301消火器を除く）

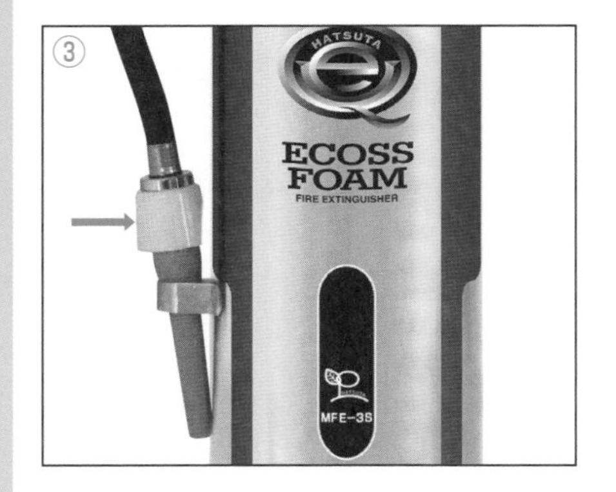

名称	発泡ノズル
目的	消火薬剤の放射時に空気を吸入し，発泡させる。
装着されている消火器	機械泡消火器

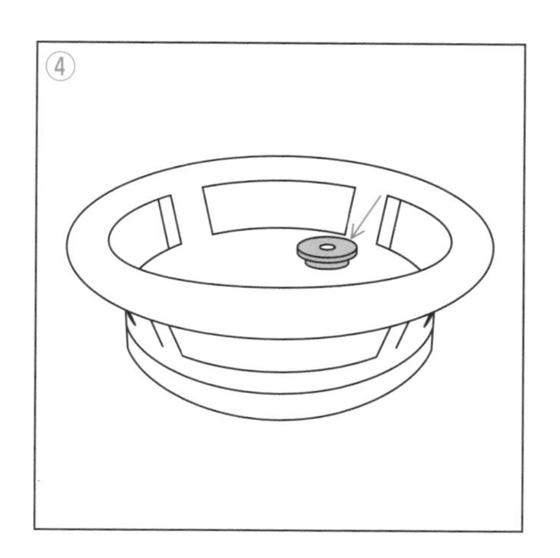

名称	安全弁
目的	本体容器内の圧力を減圧する。
装着されている消火器	化学泡消火器，二酸化炭素消火器，ハロン1301消火器

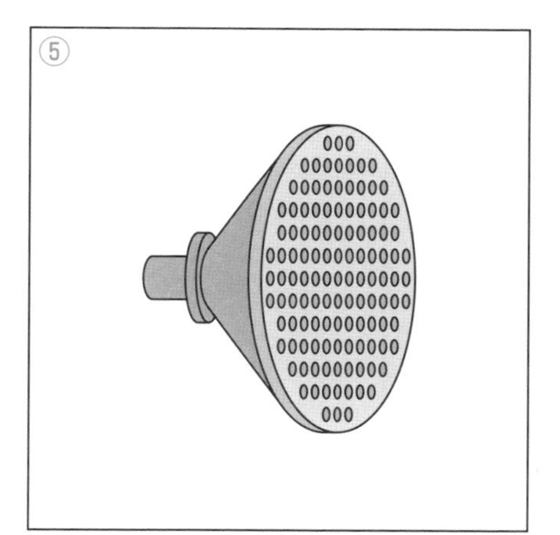

名称	ろ過網
目的	ゴミや異物を除去し，ノズルの詰まりを防止する。
装着されている消火器	化学泡消火器

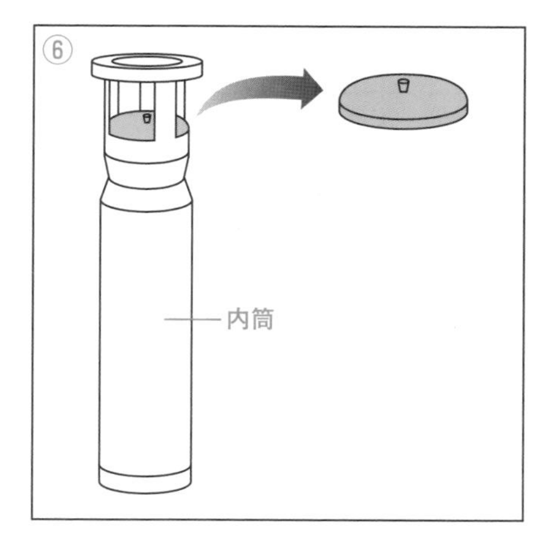

名称	内筒ふた
目的	正常時に外筒内のA剤と内筒内のB剤が混合するのを防ぐ。
装着されている消火器	転倒式化学泡消火器

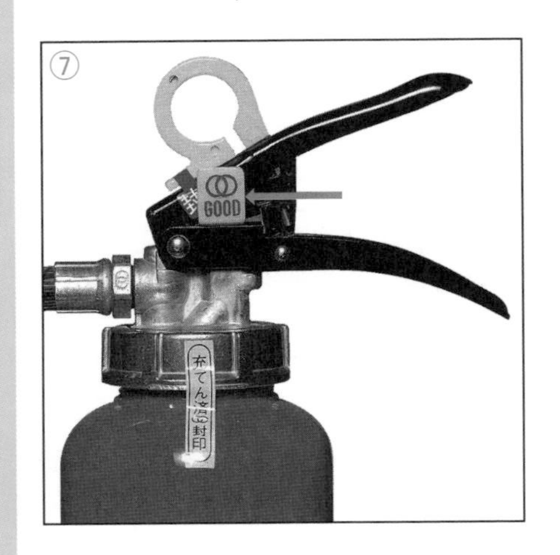

名称	使用済み表示装置
目的	使用すると自動的に作動し，使用済みであることを表示する。
装着されている消火器	指示圧力計のある蓄圧式消火器，化学泡消火器，手動ポンプ式水消火器以外の手さげ式消火器

名称	ホーン握り
目的	液化炭酸ガスが気化する際の冷却作用で，持ち手が凍傷になるのを防ぐ。
装着されている消火器	二酸化炭素消火器

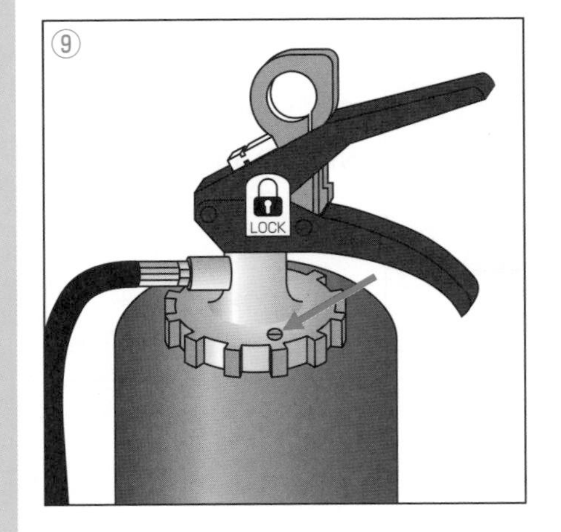

名称	排圧栓
目的	キャップを開ける前に残圧を排圧する。
装着されている消火器	開閉バルブ式の粉末消火器

名称	減圧孔
目的	キャップを緩(ゆる)める際に残圧を徐々に排圧する。

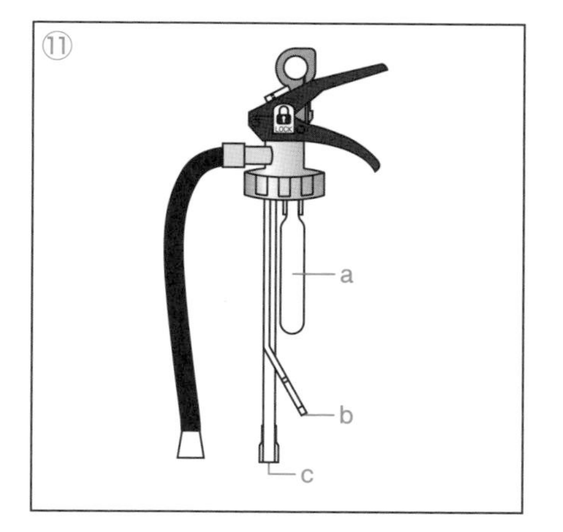

名称	a. 加圧用ガス容器 b. 逆流防止装置 c. 粉上がり防止用封板
目的	a. 消火薬剤を放射するための加圧用ガスを放出する。 b. 粉末消火薬剤がガス導入管に侵入するのを防ぐ。 c. ①粉末消火薬剤がサイホン管に侵入するのを防ぐ。 ②ノズルから湿気が侵入するのを防ぐ。
装着されている消火器	ガス加圧式粉末消火器

名称	圧力調整器
目的	消火器本体に導入する窒素ガスの圧力を適度に調整する。
装着されている消火器	ガス加圧式の大型消火器

3 点検用工具

点検や整備に使う工具については，写真や図を見て名称と使用目的がわかるようにします。

①

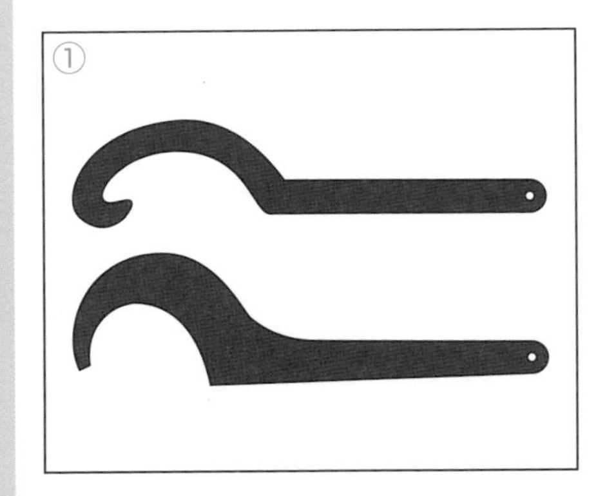

名称	キャップスパナ
使用目的	キャップを開閉する。

②

名称	クランプ台
使用目的	分解等の作業を行う際に，本体容器を固定する。

③

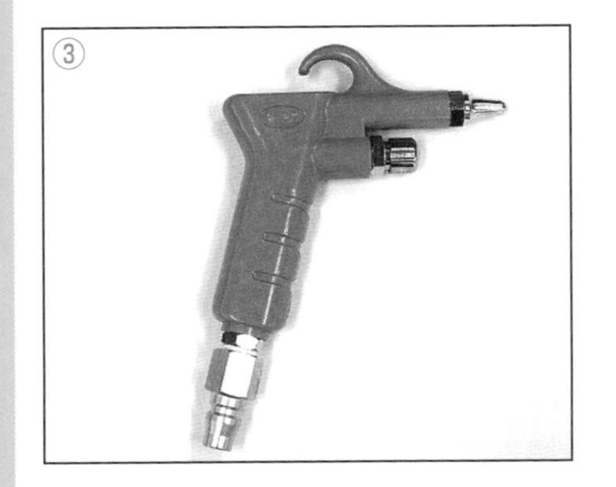

名称	エアガン
使用目的	粉末消火器の本体容器内，キャップ，ホース，ノズル，サイホン管等を圧縮空気により清掃する。

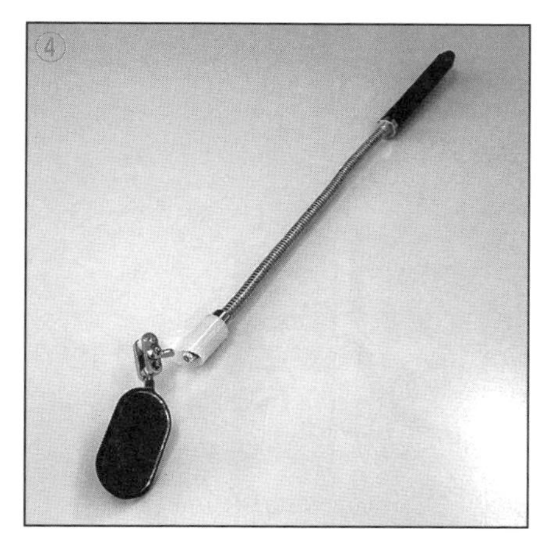
④

名称	反射鏡
使用目的	本体容器内面の腐食や防錆材料の脱落等を点検する。

⑤

名称	標準圧力計
使用目的	①本体容器の圧力を測定する。 ②指示圧力計の精度を点検する。

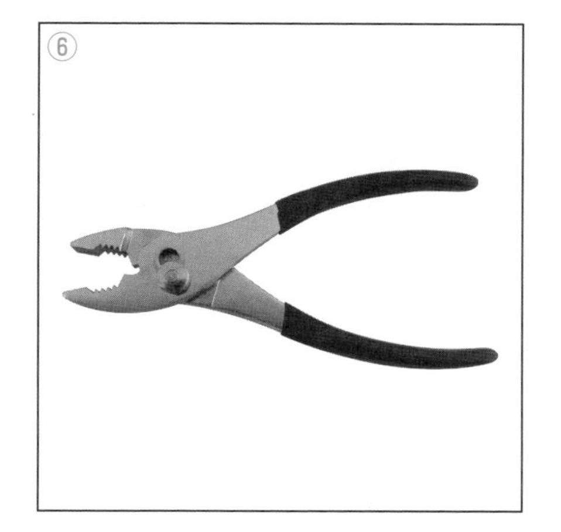
⑥

名称	プライヤー
使用目的	加圧用ガス容器を取りはずす。

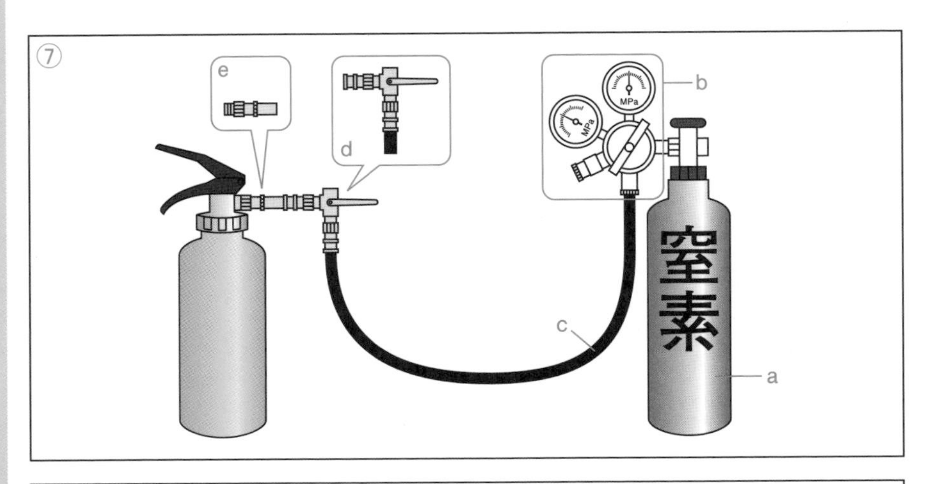

名称	a. 窒素ガス容器　b. 圧力調整器　c. 高圧エアホース d. 三方バルブ　e. 継手金具（接手金具）
使用目的	a. 蓄圧式消火器に充てんする窒素ガスとして使用する。 b. 窒素ガス容器内の窒素ガスの圧力を充てん圧力にまで減圧する。 c. 窒素ガス容器内の窒素ガスを消火器に送る。 d. 窒素ガスの注入，停止を行う。 e. 消火器本体と三方バルブを接続する。

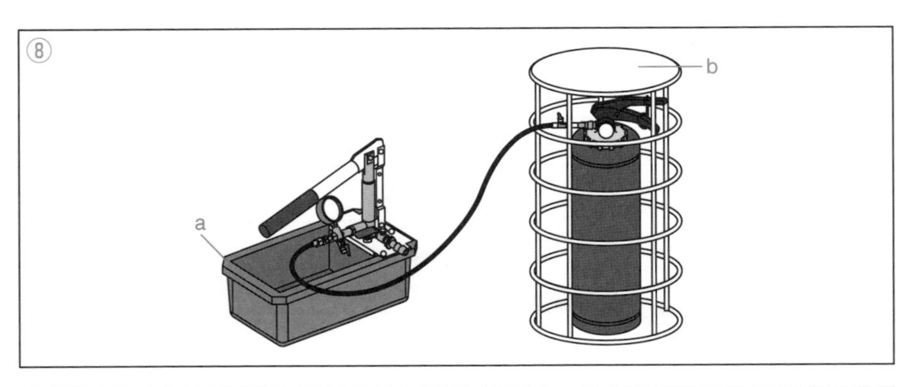

名称	a. 耐圧試験器　b. 保護枠
使用目的	a. 消火器の耐圧性能試験を行う。 b. 耐圧性能試験中に消火器が破裂する危険に備える。

チャレンジ問題

［解説］279 ページ

問1

難　中　易

下の写真に示す消火器について，次の設問に答えよ。

A

B
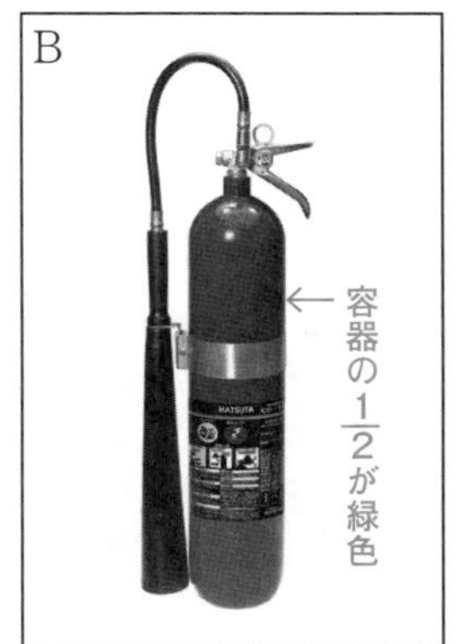

容器の $\frac{1}{2}$ が緑色

C

設問1　それぞれの消火器の型式名称は何か。解答群から選び，記号で答えよ。

解答群

ア．蓄圧式強化液消火器　　イ．転倒式化学泡消火器
ウ．二酸化炭素消火器　　エ．ハロン 1301 消火器
オ．ガス加圧式粉末消火器　　カ．蓄圧式機械泡消火器

設問2　これらの消火器の放射性能として，充てんされている消火薬剤の何％以上を放射しなければならないか。ただし，測定基準温度は 20℃とする。

設問3 これらの消火器は，外面の何％以上を赤色に塗装しなければならないか。

解答欄

設問	
設問1	A：　　B：　　C：
設問2	
設問3	

問2

難	中	易

下は「大型粉末消火器」の写真である。次の設問に答えよ。

設問1 危険物規制において，この消火器は第何種の消火設備に該当するか。

設問2 この消火器の消火薬剤の充てん量は何 kg 以上か。

設問3 A 火災，B 火災に対する能力単位はそれぞれいくつ以上か。

解答欄

設問	
設問1	
設問2	
設問3	A火災　　B火災

問3

難	中	易

下の写真は，充てん質量 23kg の消火器である。次の設問に答えよ。

設問1　この消火器の名称は何か。

設問2　危険物規制においては，第何種の消火設備に該当するか。

解答欄

設問1	
設問2	

問4

難	中	易

下の図に示す部品について，次の設問に答えよ。

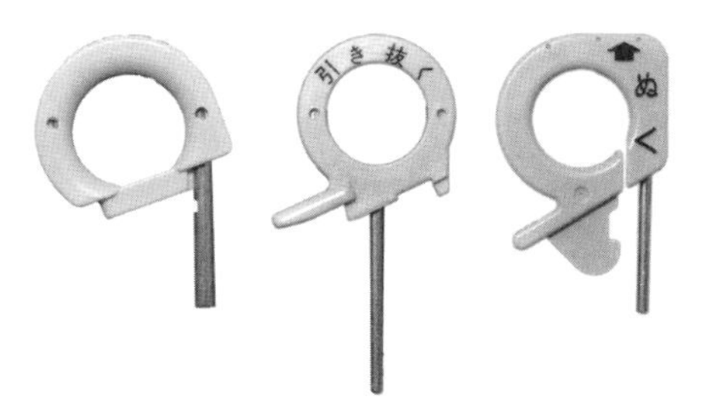

設問1　この部品の名称と目的を述べよ。

設問2 この部品を設けなくてもよい手さげ式消火器を2つ挙げよ。

解答欄

設問1	名称：	
	目的：	
設問2	① ②	

問5 　難　中　易

下の写真に示す部品について，次の設問に答えよ。

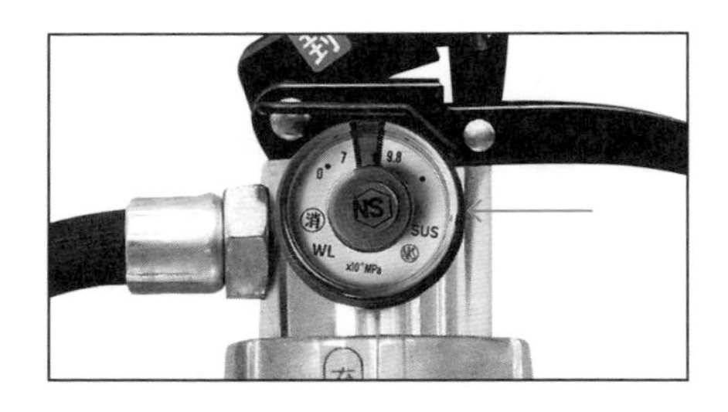

設問1 この部品の名称と目的を述べよ。

設問2 この部品を設けなくてもよい蓄圧式の消火器を2つ挙げよ。

設問3 「SUS」表記は，この部品のある部分の材質を示している。その部分の名称を答えよ。また，「SUS」表記が表す材質の名称を解答群から選び，記号で答えよ。

解答群

ア．ステンレス　　　イ．黄銅

ウ．ベリリウム銅　　エ．りん青銅

解答欄

設問1	名称：	
	目的：	
設問2	①	②
設問3	名称：	材質：

問6　難　中　易

下の図に示す部品について，次の設問に答えよ。

設問1　この部品の名称と，装着されている目的を述べよ。

設問2　手さげ式消火器で，この部品を設けなくてもよい構造を1つ述べよ。

解答欄

設問1	名称：
	目的：
設問2	

問7　難　中　易

下の写真に示す消火器について，設問 1 ～ 3 に答えよ。

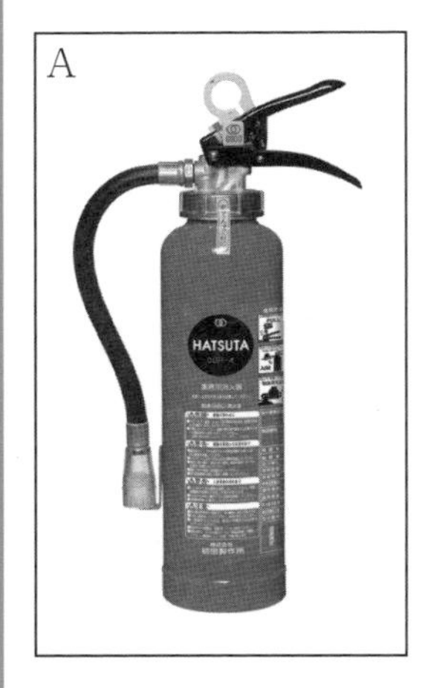

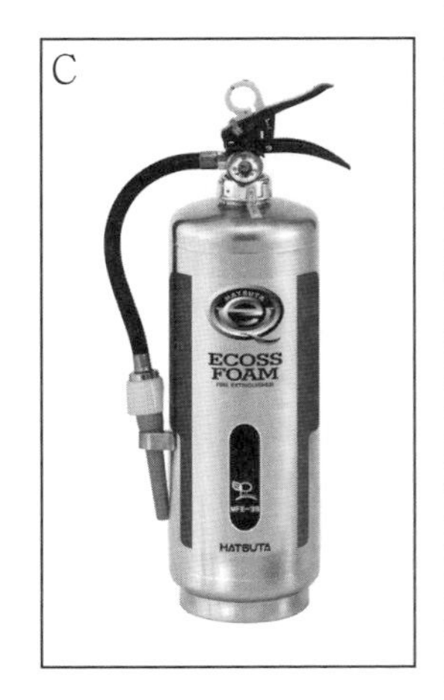

設問1　A ～ C の消火器が用いる消火薬剤を解答群の中から選び，記号で答えよ。

解答群

ア．強化液　　イ．二酸化炭素　　ウ．ハロン 1301

エ．機械泡　　オ．粉末（ABC）　　カ．化学泡

設問2　A ～ C の消火器の主な消火作用を解答群の中からすべて選び，記号で答えよ。

解答群

ア．冷却作用　　イ．窒息作用　　ウ．抑制作用

設問3　A ～ C の消火器が適応する火災を解答群の中からすべて選び，記号で答えよ。

解答群

ア．普通火災　　イ．油火災　　ウ．電気火災

解答欄

設問1	A：	B：	C：
設問2	A：	B：	C：
設問3	A：	B：	C：

問8

難　中　易

消火器用消火薬剤について，設問1～2に答えよ。

設問1 消火器用消火薬剤の検定合格表示は次のうちどれか。

ア

イ

ウ

設問2 検定の対象とならない消火薬剤を使用している消火器は次のうちどれか。

ア

イ

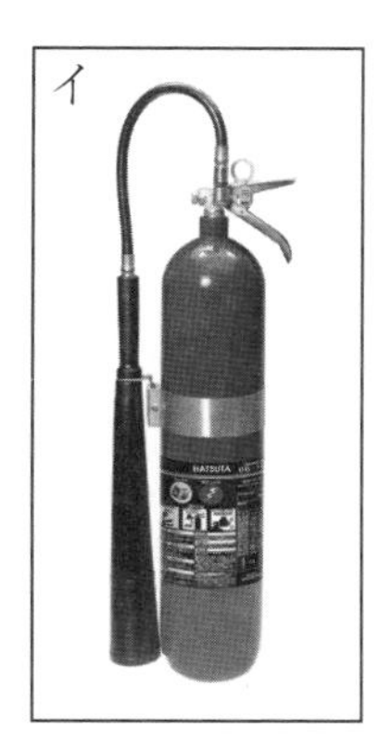

ウ

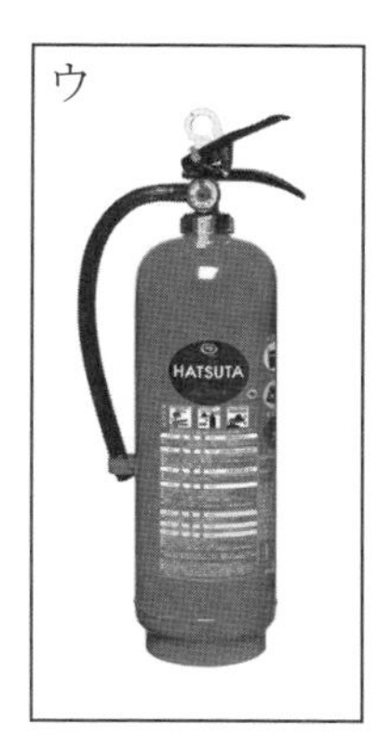

エ

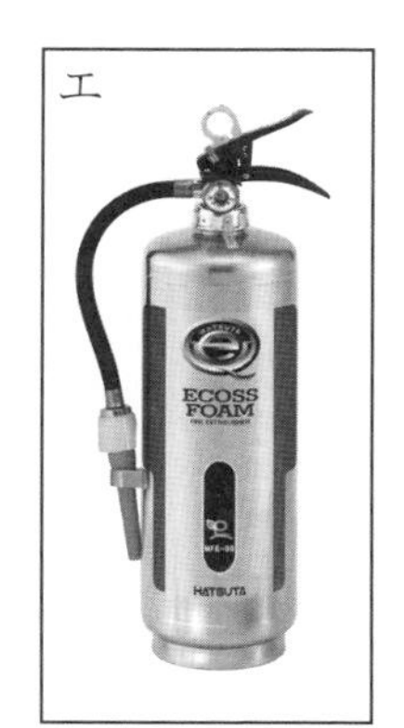

解答欄	
設問 1	
設問 2	

問 9

難　中　易

下の写真に示す器具について，設問 1，2 に答えよ。

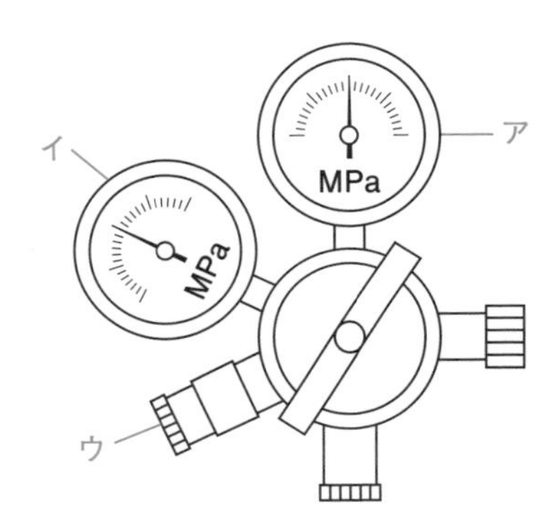

設問 1　この器具の名称と用途を答えよ。

設問 2　図のア～ウの部分の名称を答えよ。

解答欄	
設問 1	名称：
	目的：
設問 2	ア： イ： ウ：

問10　難　中　**易**

下の写真の消火器の点検，整備について，設問1，2に答えよ。

総質量	6.5kg
消火薬剤量	3.5kg
加圧用ガス容器	C60

設問1　この消火器を分解する際に使用する工具を2つ挙げよ。

設問2　消火薬剤を取り出した後，乾燥した圧縮空気等で清掃する部分を4つ挙げよ。

設問3　この消火器を放射後に総質量を測定したところ，3.4kgであった。この消火器の放射試験の良否を判定せよ。ただし，加圧用ガスは全量放出されたものとする。

解答欄

設問1	
設問2	
設問3	

問11 難 中 易

下の写真の消火器の点検，整備について，設問1，2に答えよ。

設問1 ①～⑥は，この消火器の分解・清掃手順である。［　　　］内に入る適切な文言を記述せよ。

①総質量を秤量して消火薬剤量を確認する。
②指示圧力計の指度を確認する。
③排圧栓のあるものはこれを開き，排圧栓のないものは［　A　］，容器内圧を完全に排出する。
④排圧しながら，［　B　］を確認する。
⑤本体容器をクランプ台に固定し，キャップスパナでキャップを開け，バルブ部分を本体容器からはずす。
⑥消火薬剤を別の容器に移す。
⑦本体容器内，キャップ，ホース，ノズル，サイホン管等を水洗いする。

設問2 この消火器の内部及び機能の点検は，製造年から何年後から行わなければならないか。ただし，外観点検で欠陥が見つかったものを除く。

<table>
<tr><td rowspan="2">解答欄 設問1</td><td>A：</td></tr>
<tr><td>B：</td></tr>
<tr><td>設問2</td><td></td></tr>
</table>

問12

難 中 **易**

下の図に示す消火器について，設問1～3に答えよ。

設問1 この消火器の型式名称は何か。

設問2 ①～④は，この消火器の放射までの手順である。[　　] に入る適切な文言を記述せよ。

① [A]
② [B]
③ホースをはずし，火元に向ける。
④ [C]

設問3 この消火器の使用温度範囲を答えよ。

解答欄	
設問 1	
設問 2	A： B： C：
設問 3	

問 13

下の図は，複合用途防火対象物の１階事務所部分の平面図である。設問１～２に答えよ。

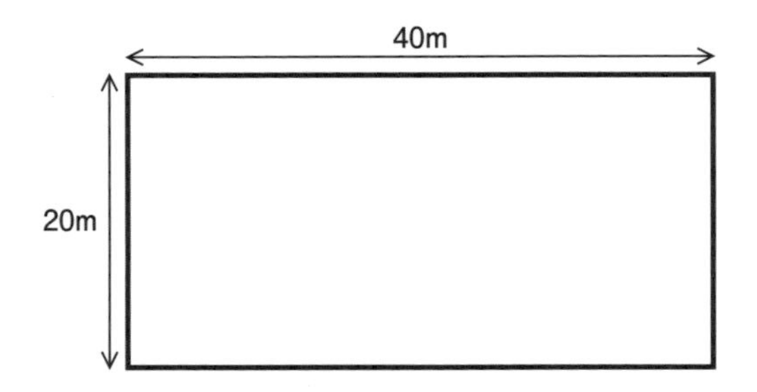

設問 1 設置しなければならない消火器の能力単位の数値は最小でいくつか。ただし，建物の主要構造部は耐火構造で，内装は不燃材料仕上げとする。また，他の消防用設備等の設置による緩和については考慮しない。

設問 2 消火器の設置場所を図に○で記入せよ。ただし，各消火器の能力単位の数値は１とし，壁面に沿って設置するものとする。

解答欄	
設問 1	
設問 2	（省略）

解説

問1

設問1　Aは，指示圧力計があるので蓄圧式です。また，ノズルの形状から強化液消火器と判別できます。

Bは，容器外面の1／2が緑色に塗装されていることから，二酸化炭素消火器です。

Cは，指示圧力計がないので，ガス加圧式の消火器です。手さげ式のガス加圧式は，粉末消火器しかありません。

設問2　消火器は，充てんされた消火剤の90%以上を放射できなければなりません（193ページ。ただし，化学泡消火器は85%以上）。

設問3　消火器は，外面の25%以上を赤色に塗装しなければなりません（194ページ）。

解答欄

設問	解答
設問1	A：ア　B：ウ　C：オ
設問2	90
設問3	25

問2

設問1　危険物規制では，大型消火器が第4種，小型消火器が第5種の消火設備に該当します。問題文に「大型消火器」とあるので，この消火器は第4種消火設備に該当します（131ページ）。

設問2　大型粉末消火器の薬剤量は，20kg以上と規定されています（189ページ）。

設問3　大型消火器に必要とされる能力単位は，A火災が10以上，B火災が20以上です。

解答欄	
設問 1	第 4 種
設問 2	20kg
設問 3	A 火災：10　　B 火災：20

問 3

設問 1　車輪が付いているので車載式です。また，容器の 1 ／ 2 が緑色なので，二酸化炭素消火器であることがわかります。

設問 2　危険物規制では，大型消火器が第４種，小型消火器が第５種の消火設備に該当します。二酸化炭素消火器の場合，充てん質量 50kg 以上が大型消火器になるので，写真の消火器は小型消火器です。したがって，第 5 種消火設備に該当します。

解答欄	
設問 1	車載式二酸化炭素消火器
設問 2	第 5 種

問 4

設問 1　この部品は安全栓です。安全栓は，平常時に消火器が作動しないように，消火器のレバーが動かないようにロックします。

設問 2　安全栓は，「①手動ポンプ式の水消火器，②転倒の 1 動作で作動する消火器（転倒式化学泡消火器）」以外のすべての消火器に設ける必要があります（199 ページ）。

解答欄	
設問 1	名称：安全栓 目的：消火器の不時の作動を防止するため
設問 2	①手動ポンプ式の水消火器 ②転倒の 1 動作で作動する消火器（転倒式化学泡消火器）

問5

設問1　写真は指示圧力計です。指示圧力計は，蓄圧式消火器の消火器本体の圧力を指示します（202 ページ）。

設問2　指示圧力計は蓄圧式の消火器に設けますが，①二酸化炭素消火器，②ハロン 1301 消火器には設けません。

設問3　「SUS」と表記されているのは，指示圧力計のブルドン管（圧力検出部）の材質を示します。材質記号には次の 4 種類があり，「SUS」はステンレスを表します。

材質記号	材質
SUS	ステンレス
Bs	黄銅
PB	りん青銅
BeCu	ベリリウム銅

解答欄

設問1	名称：指示圧力計　　目的：消火器本体の圧力を指示する。
設問2	①二酸化炭素消火器，②ハロン 1301 消火器
設問3	名称：ブルドン管　　材質：ア

問6

設問1　図は，使用済み表示装置です。使用済み表示装置の図柄はメーカーごとに異なりますが，いずれも消火器のレバーを握ると，自動的にはずれるようになっています。使用済み表示装置は，消火器が使用済みかどうかを判別するために装着します。

設問2　使用済み表示装置は，「①指示圧力計のある蓄圧式消火器，②バルブを有しない消火器，③手動ポンプ式の水消火器」以外の手さげ式消火器に設けます（194 ページ）。解答欄には，3 つのうちいずれか１つを記述します。

解答欄

設問 1	名称：使用済み表示装置
	目的：消火器が使用済みかどうかを判別できるようにするため
設問 2	・指示圧力計のある蓄圧式の消火器 ・バルブを有しない消火器 ・手動ポンプにより作動する水消火器 いずれか1つ

問7

設問1 A：指示圧力計がないこととノズルの形状から，ガス加圧式の粉末消火器と判定できます。

B：外観から二酸化炭素消火器とわかります。

C：ノズルの形状から機械泡消火器とわかります。

設問2 A：粉末（ABC）消火薬剤の消火作用（効果）は，窒息作用と抑制作用です（150ページ）。

B：二酸化炭素の消火作用は，窒息作用です。

C：機械泡消火器の消火作用は，冷却作用と窒息作用です。

設問3 A：粉末（ABC）消火薬剤は，普通火災，油火災，電気火災に適応します。

B：二酸化炭素は，油火災と電気火災に適応します。普通火災には適応しません。

C：機械泡は，普通火災と油火災に適応します。電気火災には適応しません。

解答欄

設問 1	A：オ	B：イ	C：エ
設問 2	A：イ，ウ	B：イ	C：ア，イ
設問 3	A：ア，イ，ウ	B：イ，ウ	C：ア，イ

問8

設問1　消火器や消火器用消火薬剤には，製品が検定に合格したしるしとして，次のようなマークが表示されています。

消火器など

消火器用消火薬剤
泡消火薬剤

閉鎖型スプリンクラーヘッド

消火器には「合格之証」，消火薬剤には「合格之印」と表示されているので注意しましょう。

設問2　写真は，**ア**がガス加圧式粉末消火器，**イ**が二酸化炭素消火器，**ウ**が蓄圧式強化液消火器，**エ**が機械泡消火器です。消火薬剤のうち，二酸化炭素は検定の対象ではありません。

解答欄

設問1	ウ
設問2	イ

問9

設問1　図は，圧力調整器です。圧力調整ハンドルが付いているものは，蓄圧式消火器に蓄圧ガスを充てんする際に，窒素ガス容器の圧力を減圧し，適正な圧力に調整します。

設問2　**ア**は一次側圧力計（窒素ガス容器の圧力を表示する），**イ**は二次側圧力計（調整圧力を指示する），**ウ**は出口側バルブです（235ページ）。

解答欄

設問1	**名称：圧力調整器**
	目的：蓄圧式消火器本体に充てんする蓄圧ガスの圧力を調整する。
設問2	**ア：一次側圧力計　イ：二次側圧力計　ウ：出口側バルブ**

問10

設問1　写真はガス加圧式粉末消火器です。ガス加圧式消火器を分解する際には，残圧を排出した後，消火器本体をクランプ台に固定し，キャップスパナでキャップを開けます。また，加圧用ガス容器を取りはずす際にはプライヤーを使用します。

設問2　粉末消火器は，分解後に消火薬剤をポリ袋に移し，本体容器内，キャップ，ホース，ノズル，サイホン管等をエアガンなどで清掃します。

設問3　総質量6.5kgの消火器が放射後に3.4kgになったので，6.5 − 3.4 = 3.1kg = 3100g 減っています。「C60」という表記から，加圧用ガスは 60g です。加圧用ガスは全量が放出されているので，消火薬剤の放射量は，3100 − 60 = 3040g になります。

もとの消火薬剤の量は 3.5kg なので，3500 − 3040 = 460g が放射されずに残っています。消火薬剤は全体の 90%以上を放射しなければならないので，消火薬剤の残量は 3500 × 10%= 350g 以下でなければなりません。したがって，放射試験の結果は「不良」判定となります。

解答欄

設問	解答
設問1	クランプ台，キャップスパナ，プライヤー（いずれか2つ）
設問2	キャップ，ホース，ノズル，サイホン管
設問3	不良

問11

設問1　A：排圧栓のない蓄圧式消火器の残圧を排出するには，消火器本体を逆さにして，レバーを徐々に握ります（233 ページ）。

B：排圧しながら，指示圧力計の指針が円滑に0になることを確認し，指示圧力計の作動を点検します。

設問2　蓄圧式消火器で，製造年から5年経過したものは，内部および機能の点検を行います（255ページ）。

解答欄

設問1	A：消火器本体をさかさにして，レバーを徐々に握り
	B：指示圧力計の指針が円滑に0になること
設問2	5年

問12

設問1　図は，破蓋転倒式化学泡消火器です。上部に押し金具があるのが特徴です（258ページ）。

設問2　破蓋転倒式化学泡消火器は，次の手順で使用します。

①安全キャップをはずす。

②押し金具を押す。

③ホースをはずし，火元に向ける。

④消火器本体をさかさにする。

設問3　化学泡消火器の使用温度範囲は，＋5℃～40℃です（193ページ）。

解答欄

設問1	破蓋転倒式化学泡消火器
設問2	A：安全キャップをはずす。 B：押し金具を押す。 C：消火器本体をさかさにする。
設問3	＋5℃～40℃

問13

設問1　必要な能力単位の数値は，床面積÷算定基準面積で求めます。事務所の算定基準面積は200m^{2}です（124ページ）。ただし，建物の主要構造部が耐火構造・内装が不燃材料の場合は，算定基準面積を2倍にできます。したがって，必要な能力単位の数値は次のようになります。

$$\underbrace{(20 \times 40)}_{\text{床面積}} \div \underbrace{(200 \times 2)}_{\text{算定基準面積}} = 800 \div 400 = 2$$

設問２　必要な能力単位の数値が２なので，能力単位１の消火器を２本以上設置する必要があります。また，建物各部から消火器までの歩行距離は，20m 以下でなければなりません。

建物の中央に設置してもよければ，下図のように２本で済みます。

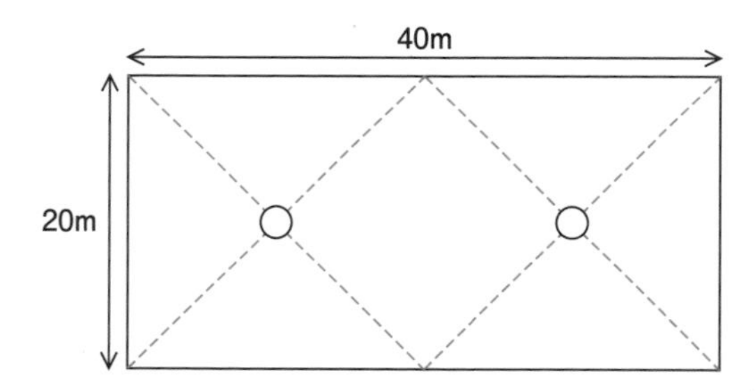

しかし，設問に「壁面に沿って設置する」とあるので，下図のように最低でも３本を設置する必要があります。

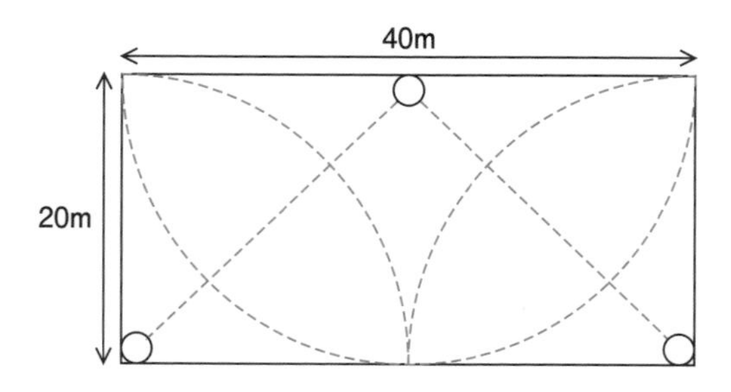

解答欄

設問 1	2
設問 2	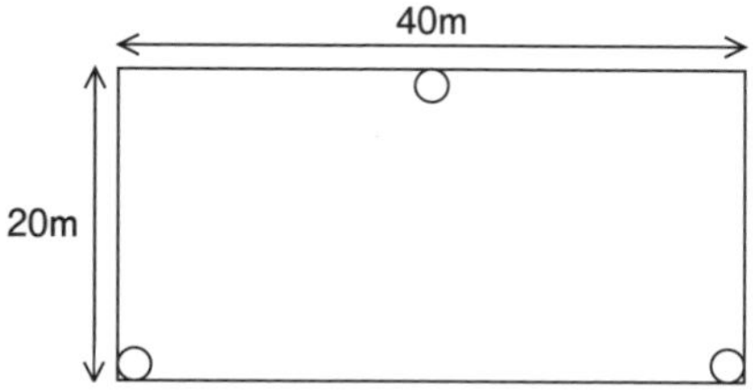 40m 20m ※解答例

索引

●さ行

●た行

●な行

●は行

●ま行

●や行

●ら行

MEMO

著者紹介●（株）ノマド・ワークス（消防設備士研究会）

執筆：平塚 陽介
編集・DTP：庄司 智子　正木 和実

書籍，雑誌，マニュアルの企画・執筆・編集・DTP制作をはじめ，デジタル・コンテンツの企画・制作に従事する。著書に『消防設備士４類 超速マスター』『消防設備士１類　超速マスター』『電験３種　超速マスター』（TAC出版），『中学レベルからはじめる！やさしくわかる統計学のための数学』『高校レベルからはじめる！やさしくわかる物理学のための数学』『徹底図解 基本からわかる電気数学』『この１冊で合格！ディープラーニングG検定 集中テキスト＆問題集』（ナツメ社），『本気で内定！ SPI＆テストセンター1200題』『図解まるわかり時事用語』（新星出版社），『らくらく突破 乙種第４類危険物取扱者 合格テキスト』（技術評論社），『かんたん合格 基本情報技術者過去問題集』（インプレス）等多数。

写真提供：セコム株式会社，株式会社初田製作所，株式会社ミナカミ，ヤマトプロテック株式会社（50音順）

消防設備士６類　超速マスター〔第４版〕

2012年 5月 1日 初 版 第１刷発行
2024年 11月 20日 第４版 第１刷発行

編著者　株式会社 ノマド・ワークス
発行者　多田敏男
発行所　TAC株式会社 出版事業部（TAC出版）
〒101-8383 東京都千代田区神田三崎町3-2-18
電話 03(5276)9492（営業）
FAX 03(5276)9674
http://www.tac-school.co.jp
組版　株式会社 ノマド・ワークス
印刷　今家印刷株式会社
製本　株式会社常川製本

ISBN 978-4-300-11254-0
N.D.C.528

TAC出版 書籍のご案内

TAC出版では、資格の学校TAC各講座の定評ある執筆陣による資格試験の参考書をはじめ、資格取得者の開業法や仕事術、実務書、ビジネス書、一般書などを発行しています！

TAC出版の書籍

＊一部書籍は、早稲田経営出版のブランドにて刊行しております。

資格・検定試験の受験対策書籍

- 日商簿記検定
- 建設業経理士
- 全経簿記上級
- 税　理　士
- 公認会計士
- 社会保険労務士
- 中小企業診断士
- 証券アナリスト
- ファイナンシャルプランナー(FP)
- 証券外務員
- 貸金業務取扱主任者
- 不動産鑑定士
- 宅地建物取引士
- 賃貸不動産経営管理士
- マンション管理士
- 管理業務主任者
- 司法書士
- 行政書士
- 司法試験
- 弁理士
- 公務員試験(大卒程度・高卒者)
- 情報処理試験
- 介護福祉士
- ケアマネジャー
- 電験三種　ほか

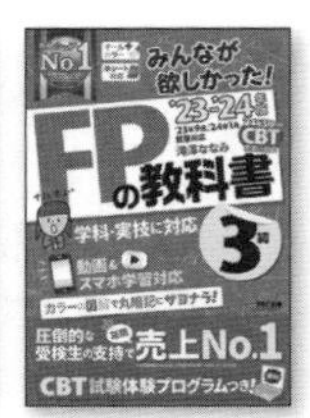

実務書・ビジネス書

- 会計実務、税法、税務、経理
- 総務、労務、人事
- ビジネススキル、マナー、就職、自己啓発
- 資格取得者の開業法、仕事術、営業術

一般書・エンタメ書

- ファッション
- エッセイ、レシピ
- スポーツ
- 旅行ガイド（おとな旅プレミアム/旅コン）

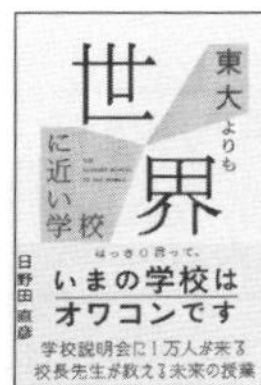

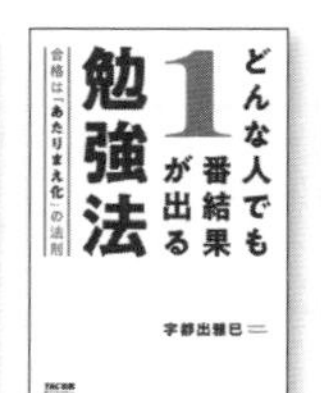

(2024年2月現在)

書籍のご購入は

1 全国の書店、大学生協、ネット書店で

2 TAC各校の書籍コーナーで

資格の学校TACの校舎は全国に展開!
校舎のご確認はホームページにて

資格の学校TAC ホームページ
https://www.tac-school.co.jp

3 TAC出版書籍販売サイトで

TAC 出版 で 検索

https://bookstore.tac-school.co.jp/

新刊情報を いち早くチェック!

たっぷり読める 立ち読み機能

学習お役立ちの 特設ページも充実!

TAC出版書籍販売サイト「サイバーブックストア」では、TAC出版および早稲田経営出版から刊行されている、すべての最新書籍をお取り扱いしています。
また、会員登録(無料)をしていただくことで、会員様限定キャンペーンのほか、送料無料サービス、メールマガジン配信サービス、マイページのご利用など、うれしい特典がたくさん受けられます。

サイバーブックストア会員は、特典がいっぱい!(一部抜粋)

通常、1万円(税込)未満のご注文につきましては、送料・手数料として500円(全国一律・税込)頂戴しておりますが、1冊から無料となります。

専用の「マイページ」は、「購入履歴・配送状況の確認」のほか、「ほしいものリスト」や「マイフォルダ」など、便利な機能が満載です。

メールマガジンでは、キャンペーンやおすすめ書籍、新刊情報のほか、「電子ブック版 TACNEWS(ダイジェスト版)」をお届けします。

書籍の発売を、販売開始当日にメールにてお知らせします。これなら買い忘れの心配もありません。

書籍の正誤に関するご確認とお問合せについて

書籍の記載内容に誤りではないかと思われる箇所がございましたら、以下の手順にてご確認とお問合せをしてくださいますよう、お願い申し上げます。
なお、正誤のお問合せ以外の**書籍内容に関する解説および受験指導などは、一切行っておりません。**
そのようなお問合せにつきましては、お答えいたしかねますので、あらかじめご了承ください。

1 「Cyber Book Store」にて正誤表を確認する

TAC出版書籍販売サイト「Cyber Book Store」の
トップページ内「正誤表」コーナーにて、正誤表をご確認ください。

CYBER BOOK STORE TAC出版書籍販売サイト

URL:https://bookstore.tac-school.co.jp/

2 1の正誤表がない、あるいは正誤表に該当箇所の記載がない ⇒ 下記①、②のどちらかの方法で文書にて問合せをする

★ご注意ください★

お電話でのお問合せは、お受けいたしません。
①、②のどちらの方法でも、お問合せの際には、「お名前」とともに、
「対象の書籍名(○級・第○回対策も含む)およびその版数(第○版・○○年度版など)」
「お問合せ該当箇所の頁数と行数」
「誤りと思われる記載」
「正しいとお考えになる記載とその根拠」
を明記してください。
なお、回答までに1週間前後を要する場合もございます。あらかじめご了承ください。

① ウェブページ「Cyber Book Store」内の「お問合せフォーム」より問合せをする

【お問合せフォームアドレス】

https://bookstore.tac-school.co.jp/inquiry/

② メールにより問合せをする

【メール宛先 TAC出版】

syuppan-h@tac-school.co.jp

※土日祝日はお問合せ対応をおこなっておりません。
※正誤のお問合せ対応は、該当書籍の改訂版刊行月末日までといたします。

乱丁・落丁による交換は、該当書籍の改訂版刊行月末日までといたします。なお、書籍の在庫状況等により、お受けできない場合もございます。
また、各種本試験の実施の延期、中止を理由とした本書の返品はお受けいたしません。返金もいたしかねますので、あらかじめご了承くださいますようお願い申し上げます。

TACにおける個人情報の取り扱いについて
■お預かりした個人情報は、TAC(株)で管理させていただき、お問合せへの対応、当社の記録保管にのみ利用いたします。お客様の同意なしに業務委託先以外の第三者に開示、提供することはございません(法令等により開示を求められた場合を除く)。その他、個人情報保護管理者、お預かりした個人情報の開示等及びTAC(株)への個人情報の提供の任意性については、当社ホームページ(https://www.tac-school.co.jp)をご覧いただくか、個人情報に関するお問い合わせ窓口(E-mail:privacy@tac-school.co.jp)までお問合せください。

(2022年7月現在)